W9-CRX-909

Meyer/Schulze

Von Liebe sprach damals keiner

Sibylle Meyer · Eva Schulze

Von Liebe sprach damals keiner

Familienalltag in der Nachkriegszeit

Herausgegeben vom Senator für Gesundheit, Soziales und Familie in Berlin

Verlag C. H. Beck München

Mit 54 Abbildungen, 2 Schaubildern
und 9 Tabellen

CIP-Kurztitelaufnahme der Deutschen Bibliothek

Meyer, Sibylle:
Von Liebe sprach damals keiner : Familienalltag in
d. Nachkriegszeit / Sibylle Meyer ; Eva Schulze.
Hrsg. vom Senator für Gesundheit, Soziales u. Familie
in Berlin. – München : Beck, 1985.
ISBN 3 406 30872 4
NE: Schulze, Eva:

ISBN 3 406 30872 4

Satz und Druck: C.H.Beck'sche Buchdruckerei, Nördlingen
Printed in Germany

Unseren Eltern
Eva und Erich Meyer
Hedwig und Hans Schulze

Inhalt

Vorwort

Trotz der in den letzten Jahren zunehmenden Beschäftigung mit der Familie aus politischer, soziologischer und psychologischer Sicht ist über die Lebensumstände der Familien und die Entwicklung des durch vielfache Tennung belasteten Familienlebens vor, während und nach dem Zweiten Weltkrieg bisher nur wenig bekannt, obwohl in dieser schweren Zeit gerade die Familie für viele Menschen der einzige Halt war.

Die Geschichtsschreibung hat sich mit den großen Entwicklungen der Kriegs- und Nachkriegszeit sehr ausgiebig befaßt. Der Alltag und der private Bereich der Menschen jedoch fanden nur wenig Beachtung. Wie sie unter den damals gegebenen Umständen ihr tägliches Leben organisierten, die familiären Bande unbeirrt aufrechterhielten oder wiederherstellten und damit überhaupt erst die Voraussetzungen schufen zu überleben, ist das Thema dieses mit Kompetenz und Einfühlungsvermögen geschriebenen Buches. Es erzählt von der bewunderungswürdigen Energie der Frauen, der Männer und der Kinder, die sich in den letzten Kriegstagen und nach dem Zusammenbruch unter schwierigsten äußeren Bedingungen bemühten, ihre Familien nicht auseinanderbrechen zu lassen.

Was können wir daraus lernen? Es erweist sich, daß Familie nicht bloß ein abstrakter Wert ist, dessen praktische Bedeutung zweifelhaft bleibt, sondern daß Familie etwas zutiefst Erfahrbares ist, daß Familie nicht nur an ruhigen Sonntagnachmittagen erlebt wird, sondern sich gerade in tiefster Not vielfach bewährt hat, ja daß die Geringschätzung der Familie eine Gefahr für individuelles Überleben sein kann.

Ulf Fink

(Senator für Gesundheit, Soziales und Familie des Landes Berlin)

Einleitung

Das Buch beginnt mit der Aussage eines unserer Gesprächspartner: „Von Liebe sprach damals keiner". Warum das so war, soll in den Erzählungen deutlich werden.

Die Geschichten der Berliner Familien in diesem Buch sind typisch für das Schicksal deutscher Familien in der Kriegs- und Nachkriegszeit. Die Kriegsereignisse, die damit verbundene Trennung der Familienmitglieder und das spätere Wiederzusammenkommen unter völlig veränderten Umständen stellten eine Zerreißprobe für die Familien dar. Ein „normales", gar ruhiges Familienleben war für viele Jahre unmöglich.

Dieses Buch zeigt, wie unterschiedlich der Alltag der Familienmitglieder in den letzten Kriegsjahren und in der Nachkriegszeit verlief. Während der kriegsbedingten Abwesenheit der Männer waren die Frauen alleine für die Familie verantwortlich. Sie versuchten, in einer sich immer weiter zuspitzenden Situation und unter immer schwierigeren Alltagsbedingungen für ihre Angehörigen zu sorgen. Die Kinder standen dabei im Vordergrund. Ihr Überleben zu sichern und seelische Schäden durch die Kriegserlebnisse möglichst klein zu halten, war das Hauptanliegen der Mütter. Kriegsdienst und Gefangenschaft der Männer sowie Evakuierung der Frauen und Kinder und die Flucht vor den Siegern verstreuten die Familien über ganz Deutschland und oft auch Europa. Es dauerte nicht selten Jahre, bis die einzelnen Familienmitglieder Lebenszeichen voneinander erhielten. Aber auch dann konnte es noch lange dauern, bis die Familie wieder vereint war.

Bei Kriegsende wirkte die Familie wie ein Magnet: Unter widrigsten Umständen versuchten Familienangehörige wieder zusammenzufinden, getrieben von Erwartungen an emotionale und ökonomische Hilfe und voller Hoffnungen auf

Geborgenheit und ein Stück Normalität. Beim Zusammenbruch aller Orientierungsmöglichkeiten blieb oder wurde die Familie zum Kern der sozialen Beziehungen.

Auch als die Familien wieder zusammen waren, blieb die Verantwortung für den Familienalltag lange Zeit noch den Frauen überlassen. Denn viele Männer kamen schwach, krank und orientierungslos aus der Gefangenschaft und mußten lange von ihren Frauen gepflegt werden. Die Männer waren kaum fähig, ihre Frauen bei der Organisation des Alltags zu unterstützen. Die Hoffnungen und Sehnsüchte nach Ruhe und Geborgenheit, mit denen die einzelnen Familienmitglieder zusammentrafen, konnten in der Realität kaum erfüllt werden. Die jahrelange Trennung brachte eine Entfremdung mit sich, die nur durch Auseinandersetzungen und langwieriges Sich-Zusammenraufen zu überwinden war. Alle Ehepartner litten Jahre unter den Kriegsfolgen und Trennungsproblemen. Nicht alle fanden wieder zusammen, viele ließen sich scheiden. Besonders Kinder waren Leidtragende des Kriegs, denn meist war es trotz aller Anstrengungen der Mütter gar nicht möglich, sie vor den Kriegsfolgen zu schützen und ihnen in der Nachkriegszeit ein gesichertes Durchkommen zu ermöglichen.

In der Überlebensnot des Alltags und der Sorge um die eigene Existenz wie die der Familie mußte die bewußte Auseinandersetzung mit Nationalsozialismus, Völkermord und Diktatur in den Hintergrund treten. Wie im Krieg das eigene Leid durch den Bombenterror überdeckt wurde, verdrängte jetzt vielfach der materielle Mangel die Frage danach, an welcher Art von „großer“ Politik und Geschichte der einzelne im Grunde teilgenommen hatte.

Für die Generation derer, die den Krieg miterlebt hatten, war Familie nicht gleichbedeutend mit der heutigen Kleinfamilie. Familie bedeutete für sie enge Beziehung zur Verwandtschaft und bestand aus relativ zuverlässigem Zusammenwirken zwischen Kern- und Herkunftsfamilie, Geschwistern und Schwiegerfamilien.

Dieses Buch soll zeigen, daß familiäre Beziehungen in der Kriegs- und Nachkriegszeit vor allem auf dem Einsatz und

Engagement von Frauen beruhten. Denn ein Familienleben auch unter schwierigsten Bedingungen aufrechtzuerhalten, das war vor allem die Leistung von Ehefrauen und Müttern. Ihre tägliche Hausarbeit wurde zur Überlebensarbeit für die Familie in physischer und psychischer Hinsicht. Die Verantwortung dieser Frauen für die Familie blieb über die „Stunde Null" hinweg kontinuierlich bestehen.

Der Geschichte der rassisch und politisch Verfolgten, der Familien anderer Nationalitäten, die vom Zweiten Weltkrieg ähnlich betroffen waren, können wir in diesem Buch nicht gerecht werden. Erinnert werden soll daran, daß das von ihnen erlittene Schicksal oft härter und grausamer war, als deutsche Familien es erleben mußten.

In unserem Buch, „Wie wir das alles geschafft haben – Alleinstehende Frauen berichten über ihr Leben nach 1945", haben wir die Situation alleinstehender Frauen untersucht und gezeigt, wie Frauen ohne männlichen Partner lebten und Bewundernswertes für den Wiederaufbau leisteten.

In diesem Buch zeichnen wir das Schicksal von Familien bei Kriegsende und in der Nachkriegszeit nach. Wir haben dieses Buch in ähnlicher Weise erarbeitet wie jens über alleinstehende Frauen. Dieses Vorgehen wurde von uns bewußt gewählt, um die Parallelen und Unterschiede zwischen dem Leben von Ehefrauen und dem von Alleinstehenden – also Frauen mit und ohne männlichen Partner – herausarbeiten zu können. Während in den letzten Kriegsjahren und in der unmittelbaren Nachkriegszeit das Organisieren des Überlebens gleichermaßen im Vordergrund stand, trat eine weitreichende Veränderung ihrer Lebenssituation gegen Ende der 40er Jahre ein: Die Rückkehr der Männer teilte die Frauen in verheiratete und weiterhin alleinstehende. Das vorliegende Buch über den Familienalltag in der Nachkriegszeit kann somit für sich alleine stehen, aber auch im Zusammenhang mit dem Buch über das Leben der alleinstehenden Frauen gelesen werden.

27 Familiengeschichten haben wir gehört und mit Ehefrauen und Ehemännern über ihre Erfahrungen im Krieg

und in der Nachkriegszeit gesprochen. Dabei haben wir viel über die Hoffnungen und Wünsche der einzelnen, über Schwierigkeiten und Probleme der Familienmitglieder in der damaligen Zeit erfahren. Unsere Interviewpartner leben seit vielen Jahren in Berlin, die meisten sind hier geboren und aufgewachsen. Es sind Frauen und Männer der Jahrgänge 1892 bis 1921, die zum Teil den Ersten Weltkrieg als Kinder miterlebten, ihre Schul- und Berufsausbildung in der Weimarer Republik machten und von Weltwirtschaftskrise, Inflation und Arbeitslosigkeit betroffen waren. Die meisten von ihnen gründeten Ende der 20er oder in den 30er Jahren eine eigene Familie. 19 der befragten Ehepaare haben vor Kriegsbeginn geheiratet, acht haben sich während des Kriegs trauen lassen, d.h. die Ehepaare waren für Jahre nur auf dem Papier verheiratet und hatten erst nach Kriegsende die Chance, zusammen zu leben. Ein großer Teil der Eheleute lebt heute noch zusammen, bei einigen ist der Partner verstorben, manche haben sich getrennt.

Die Frauen und Männer stammen aus unterschiedlichen sozialen Schichten, haben unterschiedliche Schul- und Berufsausbildungen und wohnen in verschiedenen Stadtteilen Berlins. Die Mehrheit der befragten Familien hat Kinder. Ein Teil davon wurde noch vor 1939 geboren, die Hälfte sind Kriegskinder, einige wurden nach 1945 geboren. Einige Familien wurden gleich bei Kriegsanfang getrennt, weil die Männer zwischen 1939 und 1940 zum Kriegsdienst eingezogen wurden. Nur wenige Familien konnten zusammen bleiben, weil der Mann u.k. gestellt oder zu alt für den Kriegsdienst war. Der Großteil der Männer erhielt den Stellungsbefehl 1941/42. Fast alle gerieten bei Kriegsende in Gefangenschaft. Viele der Männer wurden in den Jahren 1946–1948 aus der Gefangenschaft entlassen und kamen wieder nach Hause. Die letzten Gefangenen kehrten allerdings erst 1956 aus russischer Gefangenschaft zurück.

Von den 27 Familiengeschichten haben wir fünf ausgewählt und stellvertretend für das Schicksal vieler Familien dargestellt. Zwei dieser Familiengeschichten werden von dem Ehepaar gemeinsam erzählt, drei weitere Geschichten werden aus der Sicht der Ehefrauen geschildert. Namen und Daten wurden verändert, um die Anonymität der Familien zu wahren.

In diesem Buch kommen mehr Ehefrauen zu Wort, die die Geschichte ihrer Familie erzählen. Wir haben auch mit Ehemännern Gespräche geführt, mußten dabei aber feststellen, daß Männer nicht familiäre Aspekte in den Mittelpunkt ihrer Erinnerungen und Erzählungen rücken. Sie berichten sehr viel ausführlicher über ihre Erfahrungen als Soldaten und als Gefangene als über ihre Beziehungen zur Familie und orientieren sich in ihren Erinnerungen vorrangig an ihrem beruflichen Werdegang. Frauen hingegen stellen das Schicksal ihrer Familie deutlich ins Zentrum ihrer Berichte.

Die erste Familiengeschichte handelt von Familie Köhler und wird von Frau Köhler erzählt. Elsa und Rudi Köhler stammen aus einfachen Verhältnissen. Frau Köhler hatte Verkäuferin gelernt, Herr Köhler arbeitete im Kohlenladen seiner Eltern. Die beiden lernten sich im „Bismarckbund", einer deutschnationalen Jugendgruppe, kennen. 1930 heirateten sie und bauten zusammen einen Kohlenladen und ein kleines Fuhrgeschäft auf. Sie hatten vier Kinder. Als Herr Köhler 1941 eingezogen wurde, konnte Frau Köhler den Laden nicht weiterführen. Sie war alleine für die Versorgung der Kinder und den Haushalt verantwortlich, bis ihr Mann 1947 aus der Gefangenschaft zurückkam. Die Geschichte berichtet davon, welche Probleme zwischen den Eheleuten und den Kindern durch die lange Trennung entstanden und wie schwer es Herrn Köhler fiel, gesundheitlich und beruflich wieder „auf die Beine" zu kommen.

Die zweite Geschichte wird gemeinsam vom Ehepaar Prochnow erzählt. Hans und Betty Prochnow heirateten 1934. Frau Prochnow arbeitete als Verkäuferin. Herr Prochnow war Maurer. Die beiden hatten sich auf einem Laubenpieperfest kennengelernt, als sie noch zur Schule ging. 1940 wurde Herr Prochnow eingezogen. Frau Prochnow fiel es schwer, über die Trennung hinwegzukommen. 1941 bekam sie Zwillinge, von denen das eine Kind kurz nach der Geburt starb. Herr Prochnow sah darin ein Omen. Er glaubte, daß das Kind gestorben sei, damit er den Krieg überleben konnte. Tatsächlich wurde er nicht verwundet und überstand auch heil die Gefangenschaft. 1946 kehrte er nach Berlin zurück und fand seine Frau ziemlich erschöpft von den Kriegs- und Nachkriegsjahren bei ihren Eltern wieder. Diese Geschichte erzählt, unter welch schwierigen Umständen die Prochnows wieder zusammenfanden und wann für sie das Leben wieder besser wurde.

Die dritte Geschichte berichtet von einer gescheiterten Ehe. Sie wird von Frau Wilke erzählt. Heinrich Wilke arbeitete als Tischler, Anna Wilke war bis zur Heirat 1936 selbständige Schneiderin und nähte dann in Heimarbeit. Als die Wilkes dann eine kleine Tochter hatten, ließ Frau Wilke sich evakuieren, um den Gefahren der Luftangriffe zu entgehen. Als sie im Sommer 1946 nach Berlin zurückkam, erfuhr sie, daß ihr Mann bei der letzten Verteidigung Berlins gefangengenommen worden war. 1947 kam er zurück. Frau Wilke zog sich bei der Pflege ihres nach der Heimkehr erkrankten Mannes eine Blutvergiftung zu, die wegen des Medikamentenmangels zu einer Versteifung der Hand führte. Trotzdem versuchte sie, Hausarbeit und Versorgung ihrer Familie nicht zu vernachlässigen. Die extreme Not führte häufig zu Streit zwischen den Eheleuten. Die Geschichte erzählt, wie die Spannungen in dieser Familie weiter zunahmen und Mitte der 50er Jahre zur Scheidung führten.

Die vierte Geschichte wird gemeinsam von Herrn und Frau Lehmann erzählt. Hedwig und Wilhelm Lehmann lernten sich 1939 beim Skilaufen kennen, kurz bevor Herr Lehmann eingezogen wurde. Bei seinem ersten Weihnachtsurlaub verlobten sich die beiden, und im Februar 1941 heirateten sie: eine Kriegstrauung. Bis 1946 sahen sich die beiden nur noch selten, sie hatten keinerlei Gelegenheit zusammen zu leben. Erst nach Wilhelms Rückkehr aus der Gefangenschaft lernten sich die Lehmanns richtig kennen. Die beiden wohnten im heutigen Ostteil Berlins und erlebten die Nachkriegszeit unter ganz anderen Vorzeichen als ihre Freunde und Verwandten im Westen. Wie die Lehmanns damit fertig wurden, wie sich das Ehepaar „zusammenraufte" und wie sie die endgültige Teilung der Stadt am eigenen Leibe erfuhren, erzählt diese Geschichte.

Die letzte Familiengeschichte handelt von Familie Tietz. Thea Tietz, die diese Geschichte erzählt, stammt aus gehobenen bürgerlichen Kreisen, Oskar Tietz aus einer Arbeiterfamilie. Gegen den Willen ihrer Eltern brach Frau Tietz ihr Studium ab und ging arbeiten, um Herrn Tietz die Weiterbildung zum Gewerbelehrer mitzufinanzieren. 1929 heirateten die beiden und bekamen vier Kinder. Herr Tietz machte eine steile berufliche Karriere und verdiente bald so gut, daß er 1938 seiner Familie ein Haus bauen konnte. Da er u.k. gestellt war, ging für ihn auch während des Kriegs das Leben unverändert weiter. Im Januar 1945 wurde er noch eingezogen und kehrte erst 1950 aus russischer Gefangenschaft zurück. Wie es ihr gelang, in seiner Abwesenheit für die vier Kinder zu sorgen, wie schwer es dem spät heimkehrenden Vater fiel, wieder Kontakt zu seinen Kindern zu finden und wie seine berufliche Karriere weiterging, erzählt diese letzte Geschichte.

Zwischen den fünf Familiengeschichten stehen vier Kapitel, die die unterschiedlichen Etappen der Familiengeschichten jeweils aufgreifen und sie mit damaligen Ereignissen verknüpfen. Auch in diesen Kapiteln kommen Frauen und Männer selbst zu Wort und schildern, wie sie die Jahre erlebten.

Im ersten Kapitel, „Als für uns der Krieg begann" – Familien werden getrennt, wird der Familienalltag in der Kriegszeit beschrieben. Durch den Stellungsbefehl der Männer veränderte sich das Familienleben. Die Frauen waren nun auf sich selbst gestellt und für alle Belange der Familie allein zuständig. Bombenangriffe, Evakuierung und zunehmende Lebensmittelknappheit mußten sie bewältigen. Trotzdem änderte sich am Lebensalltag der Frauen vorerst nur wenig, da sie nach wie vor die Pflicht hatten, für Haushalt und Familie zu sorgen. Männer waren im Kriegseinsatz und mußten Verwundungen, Tod von Kameraden und Gefangenschaft ertragen.

Im zweiten Kapitel, „Wir wußten lange nichts voneinander“ – Familienalltag zwischen Trümmern, werden das Ende des Kriegs und die darauffolgende Notzeit dargestellt. Es zeigt, wie sich Hausarbeit kontinuierlich zu Überlebensarbeit wandelte. Frauen ermöglichten das Überleben zwischen Trümmern und Ruinen. Mit Hamstern, Schwarzmarktgeschäften und „Organisieren“ sicherten sie die Existenz der Angehörigen. Hunger und Hoffnung auf ein Lebenszeichen des Mannes waren die bestimmenden Momente dieser Zeit. Ohne gegenseitige Unterstützung und Hilfe auf familiärer und verwandtschaftlicher Basis war ein Durchkommen kaum möglich. Viele Männer waren in Gefangenschaft, hungerten und hofften auf ihre Entlassung und darauf, daß ihre Frauen und Kinder noch am Leben waren.

Das nächste Kapitel, „Man war sich fremd geworden“ – Die Männer kehren heim, zeigt die Probleme des Wiederzusammenseins in der Familie. Die Hoffnungen und Erwartungen der Ehepartner aneinander konnten in der Realität nicht erfüllt werden. Durch die jahrelange Trennung war meist eine Entfremdung entstanden, die nicht leicht zu überwinden war. Die Erfahrungen in der Kriegs- und Nachkriegszeit hatten vor allem die Frauen verändert. Um überleben zu können, waren sie selbständiger geworden und nach Rückkehr der Männer nicht bereit, sich wie früher unterzuordnen. Die äußeren Umstände wie Zerstörung, materielle Not, Hunger und Kälte, Entnazifizierung und Arbeitslosigkeit wirkten erschwerend auf die Eheprobleme. An ihnen entzündeten sich oft Spannungen und Streit.

Im nächsten Abschnitt, „Wie es mit uns weiterging“ – Familienleben im Wirtschaftswunder?, werden die Anstrengungen und Versuche geschildert, die die Familienmitglieder unternahmen, um wieder ein „normales“ Familienleben herzustellen. Auch hier waren es überwiegend die Frauen, die mit Geschick und Diplomatie dafür sorgten, daß Väter mit den ihnen fremd gewordenen Kindern wieder umzugehen lernten und die Kinder ihren Vater akzeptierten. Das Wirtschaftswunder fand für die meisten Familien erst Ende der 50er Jahre und auch dann in eher bescheidenem Maße statt. Davor hieß es für die Männer, wieder Fuß zu fassen im

Beruf und für die Frauen zu sparen und nochmals zu sparen. Die Namen und Daten der Interviewten wurden geändert.

Der Anhang bietet Zeittafel und Tabellen, die geschichtliche Ereignisse, politische Entscheidungen, Bevölkerungsstatistiken und Sozialdaten dokumentieren. Diese Informationen sollen dazu dienen, die Kenntnisse über diese Jahre der Bundesrepublik Deutschland und West-Berlins zu vertiefen. Sie sind als Hintergrundmaterial zu den in den Lebensgeschichten und Kapiteln angesprochenen historischen Ereignissen und sozialen Problemen zu verstehen. Die Bezüge zwischen Text und Anhang werden von uns jeweils gekennzeichnet.

Wir schulden allen, die sich zu den Interviews bereitgefunden haben, größten Dank für die verständnisvolle Zusammenarbeit. Danken möchten wir auch denen, die uns bei der Erstellung des Manuskripts mit Rat und Tat zur Seite standen.

1.
Elsa und Rudi Köhler –
Eine Familiengeschichte

Elsa Köhler, geborene Just, Jahrgang 1909, war das älteste von drei Geschwistern. Die Familie wohnte in Berlin-Moabit, wo der Vater als Buchhalter in einem Papiergroßhandel tätig war. Das Geschäft ging jedoch nach Ende des Ersten Weltkriegs in Konkurs. Elsas Vater wurde für lange Zeit arbeitslos.

Für den Lebensunterhalt der fünfköpfigen Familie sorgte nun Elsas Mutter. Sie begann in Heimarbeit für die Berliner Konfektionsschneiderei zu nähen. Die drei Töchter halfen ihr nach der Schule, Knöpfe anzunähen und Nähte zu versäubern. Elsa als Älteste lieferte die fertige Ware bei den Auftraggebern der Mutter ab.

1923 beendete Elsa die Volksschule und wollte als Dienstmädchen in einen Haushalt gehen. Ihre Eltern und vor allem die Lehrerin rieten ihr jedoch davon ab und besorgten ihr eine Lehrstelle als Verkäuferin in einem Handarbeitsgeschäft. Elsa willigte nur halbherzig ein. Es lag ihr nicht, mit Kunden umzugehen, weil sie eher schüchtern war.

Zur gleichen Zeit wurde Elsa in die Mädchenriege des „Bismarckbundes", einer deutschnationalen Jugendgruppe, aufgenommen. Ihr Vater, selbst Mitglied der kaisertreuen Deutschnationalen Partei, hatte dies befürwortet, und so durfte Elsa in ihrer Freizeit an den Gruppenabenden teilnehmen. Dort lernte sie ihren späteren Mann, Rudi Köhler, kennen.

Zwischen den beiden entwickelte sich bald eine intensive Freundschaft. Sie verlobten sich und beschlossen, nach der Heirat eine gemeinsame Existenz aufzubauen. Die Aussichten dafür waren günstig, da Rudis Eltern in Moabit einen

Kohlenhandel betrieben und zusätzlich ein Fuhrgeschäft, das Rudi mit seinem Vater zusammen führte. Das Pferdefuhrwerk sollte Rudi später einmal ganz übernehmen. Außerdem hatte Rudi begonnen, seinen Führerschein zu machen, um das Pferdefuhrwerk einmal durch ein Mietauto ersetzen zu können. Damit sollte das Transportgeschäft modernisiert werden.

Elsa sparte jede Woche von ihrem Lehrlingsgehalt ein paar Mark, die sie mit in die Ehe bringen wollte. Beider Eltern bestärkten das Paar in seinem Entschluß zu heiraten, und 1930 war die Hochzeit.

„1930 war das Jahr, in dem wir geheiratet haben. Wir hatten beide so lange auf diesen Augenblick gewartet. Ich habe richtig darauf hingefiebert. Wir hatten uns ja auch wirklich gut verstanden, der Rudi und ich.

Zuerst sind wir zu meinen Eltern gezogen, bis wir endlich in der Elberfelder Straße eine Einzimmer-Wohnung im dritten Stock gekriegt haben. Von der hatte meine Schwiegermutter erfahren, die wohnten ja in dem Dreh. Eigentlich war das gar keine richtige Wohnung, nur ein Zimmer, und die Küche hat man zusammen mit anderen benutzt.

Anfangs war mein Mann noch bei seinen Eltern beschäftigt. 1931 hat er sich dann selbständig gemacht. Ein Fuhrgeschäft, ein Auto-Fuhrgeschäft hatten wir aufgemacht. Und 1931 kam meine älteste Tochter, und da hab ich dann in dem Handarbeitsgeschäft aufgehört. Damals kriegte man ja nun keinen Kredit, das war noch nicht so, daß man einfach zur Bank gehen konnte wie heute. Na ja, und da haben wir uns so recht und schlecht durchgeschlängelt. Haben mit nichts angefangen. Die ersten Jahre waren ein Graus.

1935 haben wir dann noch den Kohlenladen, der auch zur Familie gehörte, dazugenommen, denn das Fuhrgeschäft lief anfangs nur schlecht. Und Rudis Vater war krank und konnte einfach nicht mehr. Und das war ganz schön schwierig für mich. Denn den Laden haben wir am 1. April übernommen, und am 23. Mai kriegte ich meine zweite Tochter. Nun war das so, wir hatten oben die Wohnung und unten auf'm Hof das Geschäft. Das ging nicht, die zwei kleinen Kinder oben und der Laden unten. Und mein Mann war ja immer mit dem Auto unterwegs. Na, und da haben wir die Sache nachher so gedreht, daß irgendwie eine Wohnung frei wurde. Und da sind die Leute vom Parterre reingezogen und wir runter, so daß ich die Wohnung und den Laden dann gewissermaßen in einer Hand hatte. Denn den Laden mußte ich ja ziemlich allein schaffen. Also, ich meine, mein Mann hat die Kohlen geholt und hat sie dann auch der Kundschaft hingebracht mit seinem Transporter.

Und mein Vater, der war ja Buchhalter gewesen, der hat uns dann die Bücher geführt. Aber sonst war ich im Laden zumeist allein. Na, das war natürlich och nich so einfach mit so 'nem kleinen Kind. Und dann kam gleich im nächsten Jahr, weil es so schön war mit der Arbeit und allem, das nächste Kind, ein Junge. Bis vier Stunden, bevor der Junge gekommen ist, hab ich im Laden gestanden und hab selber die Kohlen verkauft und die Säcke gerückt, obwohl ich längst Wehen hatte. Mein Mann war noch mit dem Auto unterwegs. Und da hab ich gebibbert, hoffentlich kommt er bald nach Hause, weil, ich mußte ja dringend los. Hat gerade noch geklappt, daß ich ins Krankenhaus kam. Nun hatte ich zu den zwei Mädchen noch nen Jungen. Das war dann eigentlich die schwerste Zeit für mich. Ich kann mich gar nicht erinnern, daß ich jemals zum Sitzen gekommen wäre. Immer nur raus und rein. Und wenn ich gerade Kohlen in der Hand hatte, konnte ich ja nicht mit den schwarzen Händen das Kind anfassen. Meine Kinder hab ich, so lang ich konnte, gestillt. Da war's dann oft so, daß es klingelte – Kundschaft. Ich mußte das Kind ja absetzen und hinhetzen. Der Kleine brüllte wie ein Löwe. Ich hab die Leute bedient und bin wieder zu ihm gehetzt – mit schwarzen Fingern. Also, das war alles nicht so einfach: die Kinder, die Kohlen, der Haushalt, der Mann, die Kundschaft – ich glaub, ich hatte nie Zeit, mich mal auszuruhen. Aber es mußte eben sein, denn von dem Laden haben wir ja hauptsächlich gelebt. Ich meine, es war ja nicht immer zu tun im Fuhrgeschäft. Der Aufschwung kam bei uns eigentlich erst durch always working, helping at home before & after marriage - always making do. Bad economy - better after Hitler

Hitler – und zwar durch diese Bauten, die dann überall entstanden, also auch schon Wehrmachtsbauten und Militäranlagen. Und da hatte mein Mann die Chance, bei einer Baufirma, die für Hitler arbeitete, regelmäßig Aufträge zu kriegen. Die haben allerdings von ihm verlangt, daß er ins NS-Kraftfahrerkorps eintrat. Das hat er auch gemacht, denn in die Partei wollte er nicht. Damals war das für ihn ein Vorteil, aber später hat es ihm dann geschadet, denn nach dem Krieg mußte er sich entnazifizieren lassen. Aber damals hat der Rudi denn dadurch jeden Tag Baumaterial gefahren nach außerhalb. Und, ich will mal sagen, dadurch hatten wir denn ganz gut zu tun. Dadurch sind wir ganz gut auf die Füße gekommen.“

Die regelmäßigen Aufträge, die Herr Köhler von der Baufirma bekam, hatten für Familie Köhler mehrere Vorteile:

Abbildung 1: Nach dem Stellungsbefehl 1941

Zum einen brachten sie regelmäßige Einkünfte, zum anderen wurde Herr Köhler wegen seiner Mitwirkung an militärischen Anlagen nicht sofort eingezogen. Dies war von großem Nutzen für die Arbeitsaufteilung in der Familie. Herr Köhler besorgte weiterhin die Kohlen, die seine Frau im Laden verkaufte, und brachte sie zur Kundschaft. Frau Köhler besorgte Laden und Haushalt und kümmerte sich um die Kinder. Erst im Frühjahr 1941 wurde Herr Köhler dann eingezogen.

„Dann war das wieder genau so wie damals, 1935, als wir den Kohlenladen aufgemacht haben. Er wurde am 28. April eingezogen, und am 1. Juli kriegte ich meinen zweiten Sohn. Nun stand ich da mit dem Geschäft und mit vier Kindern, und der Mann war einfach futsch. Tag und Nacht hab ich geheult. Ich hab ihn sehr vermißt. Schließlich hatten wir ja auch zusammen gearbeitet. Da war man so aufeinander eingespielt und aneinander gewöhnt. Es war schrecklich. Er kam dann erst nach Holland zur Ausbildung bei der Marine. Er durfte auch gar nicht mehr heimkommen, als sein Sohn geboren wurde. Erst im September hab ich ihn wiedergesehen, als er auf dem Weg nach Rußland durch Berlin kam. Da konnten die Berliner einen Tag und eine Nacht nach Hause. Da hat er denn zum ersten Mal unseren Jüngsten gesehen, der war schon ein Vierteljahr alt. Ich hab ihm dann auch gesagt, daß ich mit den vier Kindern den Laden einfach nicht mehr schaffen könnte. Seine Arbeitskraft fehlte ja plötzlich. Ich hatte niemand mehr, der die Kohlen ranschaffte und ausfuhr. Da haben wir in der einen Nacht beschlossen, den Laden stilliegen zu lassen. Das ging einfach nicht mehr anders, denn auch ohne Laden hatte ich mit den vier Kindern ja genug Arbeit.

Weil mein Mann im Krieg war, hab ich denn Unterstützung gekriegt. Damit sind wir so recht und schlecht ausgekommen. Ich war nur froh, daß ich in der Zeit meine Familie hatte. Meine Eltern lebten ja beide noch und wohnten ja auch hier um die Ecke. Und die beiden Schwestern waren auch noch da, die wohnten auch in dem Dreh. Und meine

Mutter hat mich auch viel unterstützt mit den Kindern. Wenn mal etwas war, ist sie bei den Kindern geblieben. Und die Schwestern sind oft mal für mich einholen gegangen oder haben Erledigungen gemacht. Einsam mußte ich mich nicht fühlen, Gott sei Dank. Und das Leben mußte ja irgendwie weitergehen.“

Frau Köhler gewöhnte sich daran, alleine für die Familie verantwortlich zu sein; sie lernte, Entscheidungen ohne Rücksprache mit ihrem Mann zu treffen. Ihre Eltern und Schwestern halfen ihr, über die Abwesenheit des Mannes hinwegzukommen.

Anfangs bekam sie regelmäßig Post von ihm. Sie wußte, daß er an der Ostfront gelandet und dort als Fahrer für die Wehrmacht eingesetzt war. Herr Köhler hatte ihr geschrieben, es ginge ihm gut und auch seine Arbeit würde ihm Spaß machen, denn er betreibe dort ja fast seine Fuhrgeschäft weiter. Zwar fuhr er nun für die Wehrmacht und nicht mehr für sich und seine Familie, aber er transportierte immer noch Baumaterial, vor allem Masten für Telefonleitungen und die Stromversorgung.

Sein Einsatz hinter der Front beruhigte Frau Köhler anfangs, doch je weiter der Krieg fortschritt und je mehr Freunde und Verwandte gefallen waren, desto größer wurde ihre Angst um den Mann. Schrieb er ihr tatsächlich die Wahrheit? Wollte er sie nur beruhigen, oder wurden seine Briefe zensiert? Ihre Angst nahm noch zu, als man auch in Berlin die ersten Auswirkungen des Kriegs durch verstärkte Luftangriffe zu spüren bekam. Von 1942 an nahmen die Luftangriffe auf die Reichshauptstadt zu.

„Dann hieß es 43 ‚alle Kinder und Frauen raus aus Berlin‘. Und zwar wurden ganze Schulen umquartiert. Die Schule, in die meine beiden Ältesten gingen, kam nach Ostpreußen, in die Nähe von Tannenberg. Auch die Lehrkräfte wurden mitverschickt. Ich sollte zusammen mit den beiden Kleinen Berlin auch verlassen.

Zur Verschickung wurde uns gesagt, wir sollten alles mitnehmen, was wir dort so im Haushalt brauchen. Das hieß also: Bettstellen, Matratzen, Kochtöpfe, Bettdecken. Meine Federbetten, die ich zur Hochzeit bekommen hatte, sind auf allen Stationen mitgewesen, und ich schlafe heute noch darunter. Der Kinderwagen mußte mit. Also, es war katastrophal, was ich als Frau da alles allein bewerkstelligen mußte. Ich hab viel Hilfe und Unterstützung durch die damalige NSV [Nationalsozialistische Volkswohlfahrt] gefunden. Also, die Volksgemeinschaft wurde da während des Krieges tatsächlich praktisch durchgeführt.

Ich hab mich zusammen mit meiner Schwägerin und deren Kindern und noch einer Freundin mit Kindern evakuieren lassen. Wir haben darauf hingewirkt, daß wir zumindest in die Nähe von Tannenberg kamen, wo meine Kinder mit ihrer Schule hingebracht worden waren. Das hat dann auch so einigermaßen geklappt. Meine Schwägerin und ihre Kinder sind in einem kleinen Ort in der Nähe untergekommen und ich in einer alten Fischerkate in der Nähe. Die Kate lag etwas abseits, wir waren ganz für uns. Da ging ein kleiner Bach am Haus entlang, da haben wir unser Wasser hergekriegt. Ein richtiges kleines Paradies war das, ein Kinderparadies. Meine Freundin und die Schwägerin waren oft bei mir draußen. Sie brachten noch ne Berlinerin aus dem Ort mit. Wir haben uns alle gut verstanden. Es hieß dann immer im Ort ‚vier Frauen und elf Kinder', das war schon ein richtiger Begriff für die.

Vom Krieg hat man anfangs gar nichts gemerkt, das war eben wie ein richtiger Urlaub. Der Sommer hat uns allen gutgetan.“

Im Winter konnte Frau Köhler aber nicht in der Kate bleiben, denn es gab dort weder Wasseranschluß noch Gas noch Strom. Sie bemühte sich beim Bürgermeister um eine andere Unterkunft und bekam zwei Räume bei einem Bauern im nächsten Dorf zugewiesen. Dort arbeitete sie auf dem Hof und bekam dafür zusätzliche Lebensmittel für die Kinder.

„Ich war dann von August 43 bis Juli 44 in Ostpreußen, dann kam von der Parteiorganisation der Befehl, daß alle

Evakuierten und Flüchtlinge Ostpreußen wieder verlassen müssen. Meine beiden Großen sollten eigentlich mit ihrer Schule zusammen verlegt werden. Wir Frauen sollten mit den kleinen Kindern woanders hin. Das wollte ich nicht, ich wollte alle Kinder beisammen haben. Also bin ich zur Schule und hab durchgesetzt, daß ich meine beiden Großen mitnehmen durfte. Ich versuchte auch, mit meiner Freundin und ihren Kindern zusammenzubleiben. Wir dachten, das wäre mit den Kindern einfacher.

Am Bahnhof Osterode stand ein Transportzug für uns bereit. Also wieder alles aufpacken, Kleidung, Federbetten, Wäsche, Schulbücher für die Kinder. Alles mußte auf ein Fuhrwerk gepackt und zum Bahnhof geschafft werden. Dann fuhren wir mit dem Zug und mußten abwarten, wo der hinfährt. Ich wußte nicht, wo wir hinkommen. Schließlich haben wir gemerkt, daß wir nach Schlesien kommen. Wir wurden in Niedersalzbrunn ausgeladen. Dort sind wir zu einem Bauern gekommen und hatten ein Zimmer. Da blieben wir erst mal. Ich mußte wieder einen Antrag stellen auf Lebensunterhalt. Die ganze Zeit, die mein Mann im Felde war, kriegte man das Geld vom Staat sozusagen. Aber man mußte an jedem Aufenthaltsort den Antrag stellen und durchdrücken.

Anfang 1945 mußten wir dort wieder weg. Der Krieg kam immer näher. Wir mußten unsere Unterkünfte bis zum Abend verlassen haben. Wieder alles für die vier Kinder einpacken. Aber so viel konnte ich nicht mehr mitnehmen. Ich mußte viel zurücklassen. Wir konnten nur das Notwendigste mitnehmen. Aber wohin sollten wir? Nach Berlin konnte ich nicht, weil die Russen die Front durchbrochen hatten bei Küstrin und Kottbus. Dann hatte ich auch keine Bleibe mehr dort, meine Wohnung war ja kaputt. Ich wollte nach Dresden zu einer Cousine. Wir zogen los, nun schon ganz primitiv. Es ging von Niedersalzbrunn nur ein paar Stationen nach Diddersbach. Von dort nach Salzbrunn. Und immer mit Ausladen des ganzen Gepäcks, das im Güterwagen war. Dann mußten wir raus, in die Unterführung zwischen den Bahnsteigen, wegen der Bombenangriffe. Dann *hieß es, nach Dresden könne man nicht mehr. Ganz Dresden war in Flammen aufgegangen. Wo nun hin?"*

Frau Köhler wußte nicht wohin, und auch ihre Freundin war ratlos. Die Verkehrsverbindungen waren unterbrochen, die Züge, die noch fuhren, völlig überfüllt. Von einem Bauern mit Ochsengespann, der Mitleid mit ihnen und den Kindern hatte, wurden sie aufgeladen und mitgenommen. Auf seinem Gehöft konnten sie unterkommen und dort bis zum Kriegsende bleiben. Die russische Armee kam immer näher. Frau Köhler war bereit, ihre Kinder zu verteidigen, sollte ihnen jemand etwas antun wollen. Sie war zum Äußersten entschlossen.

„Dann kam der erste Russe auf den Hof. Und einer der polnischen Fremdarbeiter, die die da hatten, ging dem Russen entgegen. Da hat der Russe doch dem Polen gleich die Uhr abgenommen. Na ja, der hat überall nach Männern gesucht und nach Uhren und Ringen. Zufällig hatte ich gerade ein Kleid an, wo Taschen drin waren. Na ja, da hab ich denn schnell meinen Trauring abgezogen und eingesteckt. Die anderen sind alle ihre Ringe losgeworden, bloß ich hab gesagt: ‚Hab keene, hab keene Ringe.' So hab ich meinen Trauring, mein einziges Wertstück damals, gerettet.

Na, und dann kamen immer mehr Russen auf den Hof. Ich hab gedacht, ich bin im Tollhaus. Wie die angezogen waren! Also, einer hatte einen schwarzen Gehrock an und hatte ein goldbesticktes Häubchen von ner schlesischen Großmutter auf dem Kopf. Dann, welche hatten blaue Anzüge an, mit nem SA-Abzeichen am Revers. Alles erbeutet. Die kamen da an, gar keine richtige Armee, es war wie im Tollhaus. Ich hatte ja bloß noch Angst um meine Kinder.

Ja, und denn sind die Russen auf den Hof gekommen und haben Schokolade an die Kinder verteilt. Damit hatte ich nicht gerechnet. Die waren richtig freundlich zu den Kindern. Nach allem, was man uns vorher erzählt hatte …

Geplündert haben sie natürlich, das war ja klar. Sie haben den Hof von oben nach unten auf den Kopf gestellt und alles mitgenommen, was sie kriegen konnten. Wir Frauen hatten nichts zu lachen. Die Tochter von der Bauersfrau, die war gerade in anderen Umständen. Die ist ihnen zuerst in die Hände gefallen. Die wurde von den Russen furchtbar maßgenommen. Und ihre alte Mutter wollte ihr zu Hilfe kommen. Da haben die Russen die auch gleich ... Den alten Bauern, der einzige Mann, der noch auf dem Hof war, den haben die Russen festgehalten und ihn mit der Pistole bedroht. Der mußte zusehen, wie seine Frau und seine Tochter vergewaltigt wurden. Ich war vor Angst halbtot. Meine Freundin, mit der ich unterwegs war, und ich wußten nicht ein noch aus. Und dann haben wir uns ganz oben in der Scheune versteckt. Und die junge Bauersfrau, die sie so übel maßgenommen hatten, die war auch da oben drin. Die hat pausenlos gewimmert und geweint. Ich war vor Angst ganz verrückt, daß sie uns da oben finden. Und ich wußte nicht, was mit den Jungs, die unten geblieben waren, geworden war, und wie es meinen Mädels ging. Doch Gott sei Dank ist ihnen nichts passiert.“

Nach einigen Tagen wurde die Lage etwas ruhiger. Man sah zwar weiterhin Russen am Bauernhof in Richtung Westen vorbeiziehen, aber Plünderungen und vor allem Angriffe auf Frauen gab es kaum noch. Im Dorf wurde eine russische Kommandantur eingerichtet, die unter anderem die Einwohner zur Zwangsarbeit einteilte.

Frau Köhler mußte die Schule, die zum Lazarett umfunktioniert war, und die Unterkünfte der Russen sauberhalten. Sie hatte zwar große Angst vor den Soldaten, aber tagsüber gab es keine Übergriffe, und nachts versteckte sie sich mit ihren Kindern. Nach ihrer anfänglichen Furcht war Frau Köhler bald ganz zufrieden mit ihrer Arbeit, denn sie bekam von den Soldaten jeden Tag einen Topf mit Essen für sich und die Kinder. Die Versorgung in dem Dorf war vor allem für die Evakuierten und Flüchtlinge unzureichend, da die Bauern nur ungern Lebensmittel abgaben. Doch langsam normalisierte sich das Leben für Frau Köhler wieder. Die Kinder gingen im nächsten Dorf zur Schule, der jüngste Sohn wurde im Kindergarten angemeldet. Die älteste Tochter begann beim Nachbarn eine Gärtnerlehre, was die Ernährungssituation der Familie etwas aufbesserte.

„Was wollten wir auch machen? Das Leben mußte ja weitergehen. Am meisten hat micht bedrückt, daß ich nichts von meinen Angehörigen wußte. Von meinem Rudi hatte ich seit Januar keine Nachricht. Ich wußte ja gar nicht, ob er überhaupt noch lebte, oder ob er verwundet war oder in Gefangenschaft. Ich hab immer nur gehofft, daß er zurückkommt. Aber sicher war ich mir natürlich nie. Seit April hatte ich auch keine Nachricht mehr aus Berlin. Ich hatte keine Ahnung, wie es meinen Eltern, Geschwistern und Schwiegereltern ging. Die Postverbindung nach Berlin war ja noch lange schlecht. Hinfahren konnte ich ja nicht. Züge gingen auch keine. Ich hätte mich irgendwie durchschlagen müssen. So ein Abenteuer wäre mit vier Kindern nicht gegangen. Statt dessen hab ich Leuten Zettel mitgegeben, die sollten sie bei meinen Eltern abgeben. Tatsächlich hab ich dann im August auf demselben Weg auch eine Nachricht bekommen. Meine Mutter schrieb mir, daß mein Vater beim Volkssturm umgekommen sei. Sie schrieb, wie es in Berlin aussah und daß ich bloß auf dem Dorf bleiben sollte. Das hab ich dann auch erst mal gemacht.“

Eine Zuzugserlaubnis nach Berlin wurde von den Behörden ab Herbst 1945 kaum noch erteilt. Deshalb mußte Frau Köhler noch lange in dem Dorf bleiben; denn es durften ja nur diejenigen nach Berlin zurückkommen, die eine Wohnung nachweisen konnten. Frau Köhler war ausgebombt und konnte auch nicht zu ihrer Mutter ziehen, da deren Wohnung mit Einquartierten bereits überbelegt war. Erst im Frühjahr 1947 konnte ihre Mutter ihr eine teilzerstörte Einzimmerwohnung im selben Haus besorgen.

„Und am 30. Mai 1947 kam ich dann endlich zurück nach Berlin. Die Wohnung hatte ich zusammen mit meiner Mutter und meiner Schwester notdürftig repariert. Die Habseligkeiten, die ich noch besaß, brachte ich natürlich mit. Feldbettstellen hatte ich für uns alle und Strohsäcke. Das war alles. Die hab ich dann alle in dem einen Zimmer aufge-

No one allowed back into Bln unless proof of room to live.

baut. War ja eng, aber für mich war die Welt wieder in Ordnung. Endlich wieder in Berlin und in ner eigenen Wohnung. Und eines Tages, wir waren kaum zwei Wochen da, saß meine Tochter unten im Hof am Tisch. Auf einmal ruft sie: ‚Mutti, Mutti, komm schnell mal runter!' Ich konnte das gut hören, denn wir hatten ja noch keine einzige Scheibe in der Wohnung, und Pappen hatten wir auch nicht. Ich guck runter, sitzt da ein Russe bei ihr am Tisch. Denk ich, ein Russe, wo kommt der denn her?, und runter und will ihn schon anfahren. Da guckt der mich an, ist es mein Mann. Das ist nun 37 Jahre her, aber das vergißt man nicht. Wenn ich daran denke, bin ich immer noch ganz weg.

Abbildung 2: Rückkehr aus russischer Gefangenschaft 1947

Ich hatte zwar schon gewußt, daß er noch lebte. Ich hatte im Sommer 1946 erfahren, daß er in Gefangenschaft war. Vorher, da hatte ich fast eineinhalb Jahre kein Lebenszeichen gehabt. Aber dann durfte man ja jeden Monat eine Karte schreiben. Ich hatte ihm geschrieben, daß ich eine Wohnung hatte im Haus meiner Mutter. Dadurch kam der

Some allowed to write to P.O.Ws

gleich dahin. Er hat dann erzählt, wie es ihm in der Gefangenschaft ergangen ist. Er war in einem Lager bei Leningrad und mußte in einer Waggonfabrik arbeiten. Und weil sie nicht genug zu essen gekriegt haben, war er völlig unterernährt. Das ging so weit, daß er ins Lazarett mußte. Da haben sie ihn dann wieder etwas rausgefüttert, bis er wieder arbeiten konnte. Dann kam er in die Landwirtschaft, und das war sein Glück. Dort bekam er etwas mehr zu essen. So hat er überlebt. Aber trotzdem war er ganz schön runter, körperlich. Ich hab ihn kaum wiedererkannt. Nur die Augen waren noch wie vorher. Sonst sah er ganz anders aus. Älter, abgemagert und unheimlich niedergeschlagen. Er konnte kaum laufen, er ist kaum die Treppe hochgekommen, so schwach war er.“

Das Wiedersehen mit dem vermißten Mann war für Frau Köhler ein langersehnter Augenblick. Durch die Freude, wieder beieinander zu sein, traten in der ersten Zeit alle Sorgen und Schwierigkeiten in den Hintergrund. Aber die Enge der Wohnung, die nur aus Küche und Stube bestand, wurde bald zum Handicap. Die älteste Tochter mußte ausquartiert werden und konnte bei der Großmutter unterkommen.

Herrn Köhlers Gesundheitszustand war so schlecht, daß er liegen mußte, viel Ruhe und vor allem ausreichend zu essen brauchte, um wieder zu Kräften zu kommen. Nicht einfach war es, die drei lebhaften Kinder in der engen Wohnung zur Ruhe zu bringen. Hinzu kam die Fremdheit, die zwischen den Kindern und dem Vater herrschte.

„Sicher haben die Kinder an ihrem Vater gehangen. Aber eigentlich kannten sie ihn ja nicht mehr. Er war ja sechs Jahre weg gewesen. Und es war nicht mehr dasselbe, wie es war, bevor er eingezogen wurde. Und mit dem Jüngsten schon gar nicht. Mein Mann hatte ihn ja nur einmal gesehen, als er ein Vierteljahr alt war, danach nicht mehr. Und wie der Kleine dann zum ersten Mal seinen Vater sah, da hat er dann immer geguckt und gefragt, wer das nun ist. Er kannte seinen Vater gar nicht. Bis der Kleine dann mal an

seine Hand ging, das hat gedauert. Meinem Mann hat das sehr weh getan.

Andererseits wußte er nicht, wie er mit den Kindern umgehen sollte. Er wußte ja nichts von ihnen und konnte ihre Entwicklung nicht einschätzen. Dadurch war er oft viel zu streng und hat ihnen viel verboten. Das waren die Kinder nicht gewohnt. Sie haben geheult und sind zu mir gerannt und haben sich beschwert. Ich hab versucht zu vermitteln – in beide Richtungen. Den Kindern hab ich erzählt, daß sie doch Geduld haben müßten mit ihrem kranken Vater. Und dem Rudi hab ich erklärt, was die Kinder schon konnten und wie ich mit ihnen ausgekommen bin, als er weg war. Sie wollten es oft gar nicht verstehen."

Das Ausgleichen der familiären Spannungen war Frau Köhlers Aufgabe, obwohl sie durch die vorangegangenen Strapazen selbst etwas Ruhe nötig gehabt hätte. Doch die Sorgen um die Gesundheit ihres Mannes und um das Wohl der Familie ließen sie durchhalten. Die knappen Lebensmittel reichten kaum für gesunde Menschen; für ihren Mann, der wegen chronischer Unterernährung krank geworden war, reichten die Rationen erst recht nicht.

„Der hat dann zwar, nachdem ich ihn angemeldet hatte, auch seine Marken gekriegt. Aber nur Karte V für Arbeitsunfähige, zum Sterben zuviel, zum Leben zuwenig. Da wurde ja nicht gesagt, ach, das ist einer, der aus der Gefangenschaft kommt, der braucht nun mal mehr. Für die Behörde war er einer, der konnte nicht arbeiten, also kriegte er weniger. Das hab ich denen auf der Kartenstelle auch gesagt. Aber die meinten nur, ich müßte mich darum kümmern. Das wäre meine Sache. Ich wußte gar nicht, wie ich das machen sollte.

Ich bin dann zum Arzt gegangen mit ihm. Aber der konnte auch nicht helfen. Der hat nur zu mir gesagt: ‚Sie haben doch Kinder. Da müssen Sie sehen, wie Sie Ihren Mann auf den Kinderkarten durchpäppeln. Es wird immer soviel erzählt von den Care-Paketen während der Blockade – wir haben nie eins gekriegt. Es war nur ein Glück, daß meine

Tochter in der Gärtnerei gearbeitet hat. Die konnte ihm dann ab und zu mal was mitbringen. Meine andere Schwester war drüben im Osten. Sie hat manchmal Sonderzuteilungen gekriegt. Die hat sie ihm auch mitgebracht. Und einmal gab es dann Tomaten, kam sie an mit einem ganzen Netz voll. Mein Mann ist gleich darüber hergefallen. Tomaten hatte er ja schon ewig nicht mehr zu essen gehabt. Der Rudi ist dann langsam wieder zu Kräften gekommen. Das war nur möglich, weil wir Frauen in der Familie zusammengehalten haben und uns für ihn etwas vom Mund abgespart haben. Aber trotzdem mußte ich an den Brotkasten ein Schloß machen, damit niemand rangegangen ist und dem anderen die Brotration weggegessen hat. Das war schrecklich. Ich seh noch meinen Mann und meinen jüngsten Sohn, der war ja noch im Wachsen, in der Küche um den Brotkasten schleichen. Wenn ich das Brot geschnitten habe, hat jeder geguckt, ob ich nicht irgend jemandem zuwenig gegeben habe. Es war eine schlimme Zeit. Für mich war das nicht so einfach, die Familie zu versorgen und Lebensmittel zu organisieren und meinen Mann zu pflegen. Für Rudi wiederum war das nur schwer zu verkraften. Er hatte gedacht, wenn er nach Hause kommt, könnte er für uns sorgen. Und statt dessen mußte er sich von mir versorgen lassen. Er hat sich gar nicht mehr richtig als Mann gefühlt. Er hat gelitten, daß ich das alles allein geschafft hab und daß er mir kaum helfen konnte.“

Herr Köhler erholte sich nur langsam von den Strapazen und der schlechten Versorgung in der Gefangenschaft. Nun mußte er versuchen, Arbeit zu finden, denn die wenigen Ersparnisse waren aufgebraucht. Sogar ihren Ehering hatte Frau Köhler auf dem Schwarzmarkt verkaufen müssen, um sich und die Kinder durchzubringen. Herr Köhler litt sehr darunter, daß der Kohlenladen aufgelöst war und sein kleines Fuhrgeschäft nicht mehr bestand. Einen neuen Laden aufzubauen, war unmöglich. Seine Träume, nach dem Krieg dort weiterzumachen, wo er 1941 aufgehört hatte, waren zerschlagen.

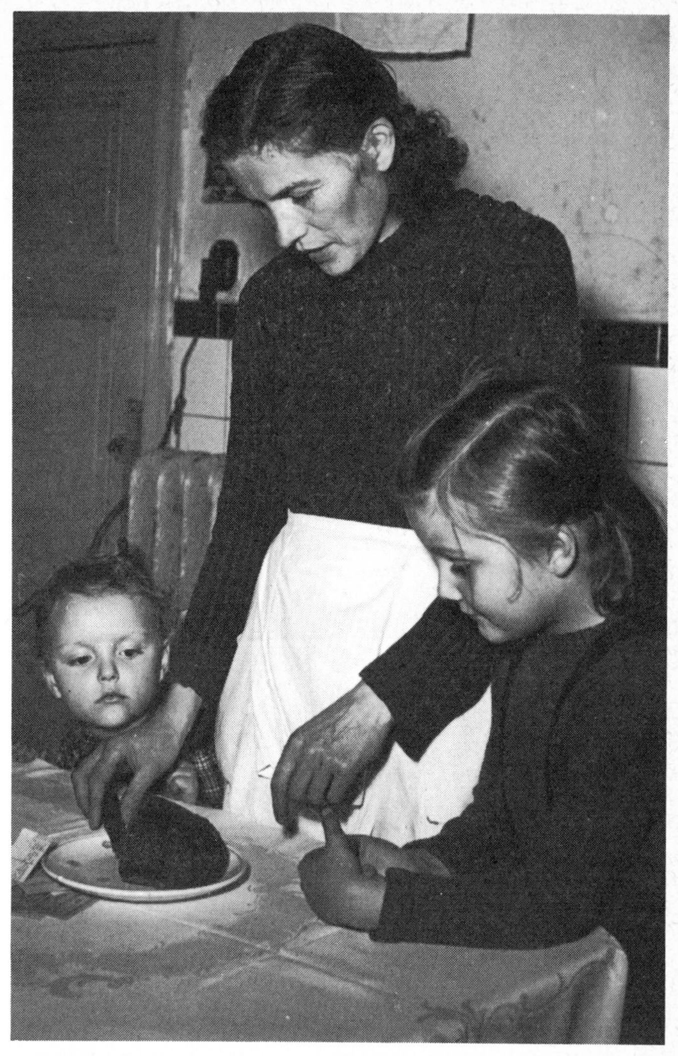

Abbildung 3: Eine Tagesration Brot wird aufgeteilt.

Frau Köhlers Schwester vermittelte ihm eine Stelle bei ihrer Baufirma. Er sollte auf einer Baustelle die Geräte und

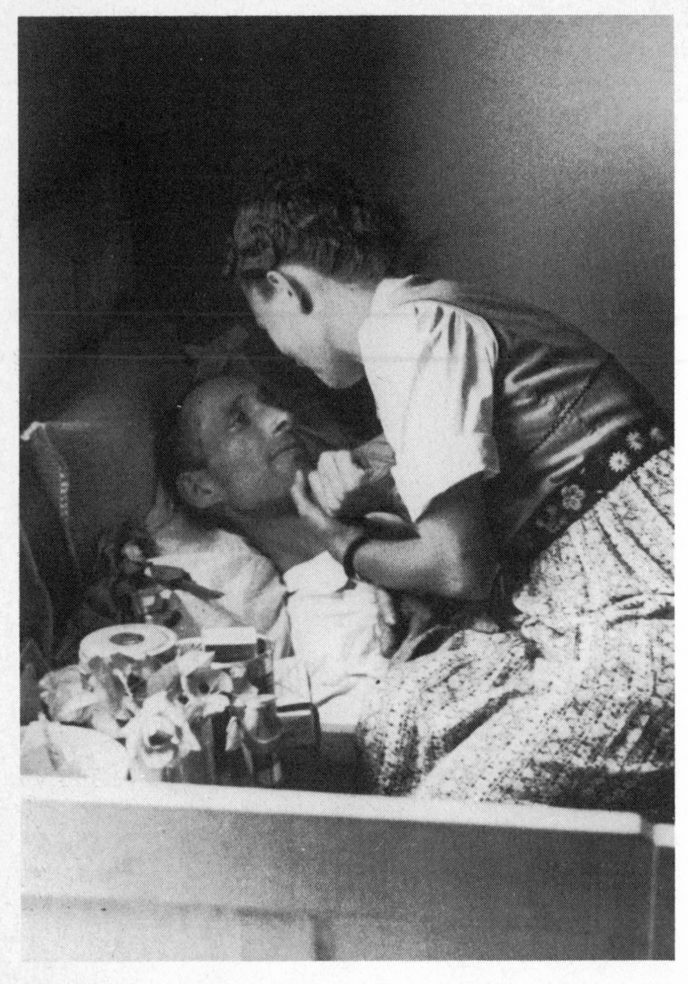

Abbildung 4: Viele Männer sind nach ihrer Rückkehr aus der Gefangenschaft schwach und pflegebedürftig und brauchen Monate, bis sie wieder zu Kräften kommen.

Werkzeuge beaufsichtigen. Es fiel ihm schwer, diese Arbeit anzunehmen, denn er fühlte sich dadurch degradiert und zu nichts mehr nutze. Sein geringer Stundenlohn reichte für die große Familie nicht aus. Frau Köhler mußte dazuverdienen und begann auf derselben Baustelle zu putzen. Herr Köhler sah es nicht gern, daß sein Frau arbeiten ging. Er hätte seine Familie lieber aus eigener Kraft ernährt und wollte nicht von seiner Frau abhängig sein.

„Die Arbeit auf dem Bau hat ihn natürlich sehr angestrengt, obwohl er sich sogar zwischendurch mal hinsetzen durfte. Wenn er abends nach Hause kam, mußte er sich dann immer erst mal hinlegen und schlafen. Das wurde in dem einen Zimmer zum Problem. Ich hab die Kinder in die Küche gescheucht, damit sie ihren Vater nicht störten. Sie durften keinen Lärm machen, damit er nicht aufwachte. Das war eben alles sehr schwer. Na ja, und nach einiger Zeit hat mein Mann dann wieder Lkw fahren dürfen für die Baufirma. Von da an ging es ihm wieder besser. Er war nicht mehr so niedergeschlagen und bedrückt. Jetzt saß er wenigstens wieder hinter dem Lenkrad, bloß selbständig war er eben nicht mehr. Er hat etwas besser verdient. Da konnt ich denn auch erst mal wieder aufhören mit dem Putzen.“

Ein wichtiger Schritt zur Verbesserung der Familienverhältnisse war die neue Wohnung, die die Köhlers 1953 bekamen. Das eine Zimmer, das sie seit sechs Jahren zu fünft bewohnten, war für alle untragbar. Schon lange hatten sie sich um eine größere Wohnung bemüht, aber auch ihre Beziehungen zur Baufirma hatten nichts bewirken können. Erst durch die Vermittlung einer Jugendfreundin, die bei einem Hausbesitzer arbeitete, kamen sie an eine Dreizimmerwohnung. Die Freude war riesengroß, endlich hatten sie etwas mehr Platz. Das erste Weihnachten in der neuen Wohnung war das glücklichste Fest, an das sich Frau Köhler erinnert.

Das Familienbudget blieb zwar weiterhin niedrig, und Frau Köhler mußte jeden Groschen zweimal umdrehen, aber nach und nach konnten auch einige neue Möbel angeschafft werden. In den 50er Jahren heirateten die beiden älteren Töchter; die beiden Söhne waren inzwischen fast erwachsen und machten eine Lehre als Zimmermann und Kupferschmied. Es kehrte Ruhe ein. Frau Köhler erholte sich ein wenig von der 13 Jahre dauernden Belastung. Ihre Erschöpfungszustände nahmen ab, sie hoffte auf ruhige zukünftige Jahre. Herr Köhler hatte sich mit seiner Arbeit als Lkw-Fahrer für die Baufirma angefreundet; es gefiel ihm, den ganzen Tag unterwegs zu sein.

„Das Lkw-Fahren hat meinem Mann viel Spaß gemacht. Aber Anfang 1960 wurde Rudi dann arbeitslos. Zuerst nur ein paar Monate saisonhalber. Und 1962 dann für länger. Das ist ihm richtig aufs Gemüt geschlagen. Da war klar, jetzt mußte ich wieder ran. In der Zeitung stand, daß bei Bolle Hausfrauen gesucht wurden – zum Fleischabpacken. Ich hab mich gemeldet und hab tatsächlich nochmal angefangen. Da bin ich regelrecht angelernt worden. Denn ich hatte ja wirklich keine Ahnung. Da bin ich denn mit 53 nochmal in die Lehre gegangen bei einer Fleischverkäuferin, die war zwanzig Jahre jünger als ich. Die hat sich sehr viel Mühe gegeben mit mir. Nachher ist daraus eine richtige Freundschaft geworden.

Wieder anzufangen zu arbeiten, das war wirklich gut für mich. Ich war mit Kolleginnen zusammen, kam aus der Wohnung raus. Zu Hause war ja längst nicht mehr soviel los wie früher. Meine Söhne waren schon von zu Hause weg. Ich wurde nicht mehr so gebraucht. Das Geld hatten wir auch nötig. Meinem Mann ist es gar nicht gut gegangen zu der Zeit. Er wurde mit der Arbeitslosigkeit nicht fertig. Und weil er ja schon so alt war, hat er nichts mehr gekriegt. Rudi ist richtig verkümmert, wie eine Primel. Er hatte immer Magenbeschwerden und ist natürlich nicht zum Arzt. 1965 kam er dann ins Krankenhaus. Die wollten ihn am Magen operieren. Und da haben sie Krebs festgestellt. Das hatte er schon lange, und keiner hat es gewußt. Er ist dann ganz plötzlich gestorben 1965.

Da hab ich mich zum ersten Mal in meinem Leben richtig einsam gefühlt. Also, das erste Mal schon, wie mein Mann im Krankenhaus war. Da hab ich gedacht, jetzt biste mit 56

Jahren das erste Mal in deinem Leben allein über Nacht in einer Wohnung. Ich war ja sonst nie alleine. Erst im Elternhaus, da waren meine Eltern und meine Geschwister. Wie ich mich verheiratet hab, war mein Mann da. Und wie mein Mann denn weg war im Krieg, hatte ich die Kinder. Die waren inzwischen auch alle weg. Da hab ich gedacht: Jetzt biste wirklich zum ersten Mal in deinem Leben allein. Und da war es gut für mich, daß ich die Arbeit bei Bolle hatte. Da war das für mich ein bißchen leichter, darüber hinwegzukommen, weil ich gleich unter Menschen war, eine Beschäftigung hatte."

Nach dem Tod ihres Mannes waren Frau Köhler die drei Zimmer der Wohnung zu groß geworden. Sie beschloß, in eine kleinere Wohnung in der Nähe der Bolle-Filiale, in der sie arbeitete, zu ziehen. Frau Köhler blieb erwerbstätig, weil sie wegen der niedrigen Witwenrente auf das Geld angewiesen war. Sie wollte auch den Kontakt zu ihren Kolleginnen behalten und freute sich, mit ihren Stammkunden jeden Tag ein Schwätzchen zu halten. Dadurch überwand sie langsam den Tod ihres Mannes. Durch eine Freundin kam sie zur Kirchengemeinde ihres Bezirks. Sie wurde Mitglied in einem Kränzchen, das sich einmal in der Woche trifft und das Frau Köhler bald sehr wichtig wurde. Sie brauchte den Kontakt, und durch die Kirchengemeinde hatte sie bald viele neue Freunde. An die Jahre bis zu ihrer Rente 1974 erinnert sie sich gerne, besonders an eine Reise mit den Damen ihres Kränzchens ins Fichtelgebirge. Auch als Rentnerin blieb Frau Köhler in der Gemeinde aktiv. Heute besucht sie in ihrem Stadtteil regelmäßig ältere Menschen, gratuliert ihnen zum Geburtstag und hilft der Gemeindeschwester bei der Altersfürsorge.

Elsa Köhler ist stolz darauf, daß aus allen ihren Kindern etwas geworden ist. Trotz der schweren Nachkriegsjahre, die sie hinter sich hat, haben alle Kinder eine Lehre gemacht und einen Beruf erlernt. Ganz besonders stolz ist sie auf ihren Jüngsten, der es vom Kupferschmied durch Abendstudien bis zum Betriebswirt gebracht hat. Der erste Studierte in der Familie!

2.
„Als für uns der Krieg begann“ – Familien wurden getrennt

Der Zweite Weltkrieg stellte eine Zerreißprobe für die Familien dar. Die Familienmitglieder wurden voneinander getrennt und unterschiedlichen Lebensbedingungen ausgesetzt. Die Männer mußten zum Kriegseinsatz an die Front, die Frauen sollten ihren Beitrag für den Krieg in der Heimat leisten.

Durch den Stellungsbefehl der Männer wurde die eingespielte Organisation des Familienlebens abrupt aufgelöst. Der Ehemann als oberste Entscheidungs- und Erziehungsinstanz fiel für den Familienalltag aus. Nun mußten die Frauen die täglichen Entscheidungen alleine treffen, die Finanzen verwalten und die Kinder ohne den Vater erziehen. Die Familien hatten sich verändert, sie waren vaterlos geworden.

Ehepaare wie die Köhlers, die zusammen eine Werkstatt, einen Geschäfts- oder Gewerbebetrieb geführt hatten, wurden von der Trennung besonders hart getroffen. Laden oder Werkstatt konnten nur dann weitergeführt werden, wenn die Ehefrau oder ein anderes Familienmitglied den Arbeitsanteil des Mannes übernahm. Eine zusätzliche Arbeitskraft einzustellen, war bei kleineren Familienbetrieben in der Regel finanziell nicht tragbar. War die Ehefrau nicht in der Lage, mit der Arbeit fertig zu werden, und bekam sie keine Hilfe von Verwandten, mußte das Geschäft oft stillgelegt werden.

Unter der Trennung und der damit verbundenen Umstellung haben alle Ehepartner gelitten. Die Frauen vermißten den Mann, die Kinder den Vater, und den Vätern fehlte die Familie.

Abbildung 5: „Beim Essen traf sich die ganze Familie. Die Kinder erzählten aus der Schule und was sie nachmittags im BDM und in der HJ vorhatten."

„1. Dezember 1939: Das Datum wird mir unvergeßlich bleiben. Mein Mann war beim Rasieren. Es klingelte. Es war morgens um halb sieben – ungewöhnliche Zeit. Ich mache auf, steht der Postbote vor der Tür mit einem Einschreiben. Es war der Stellungsbefehl für meinen Mann. Ihm haben die Hände gezittert, wie er den Brief aufgemacht hat. Ich hab versucht, tapfer zu sein, aber ich hab sofort angefangen zu heulen. Jetzt war es soweit, er mußte fort von mir. Stellungsbefehl war am selben Abend in der Schultheiß-Brauerei in Kreuzberg. Wir hatten kaum Zeit, Abschied zu nehmen. Am liebsten hätte ich ihn dabehalten. Ich wollte nicht, daß er fortgeht. Aber es war ja nicht zu ändern. Er ging bloß noch zu seiner Dienststelle, um sich abzumelden. Dann fuhr er zu seiner Mutter nach Steglitz, um sich von ihr zu verabschieden. Dann kam er wieder nach Hause, und ich brachte ihn mit den Kindern zur Straßenbahn an die Ecke. Ich wußte nicht, was ich sagen sollte. Ich hab mich leer gefühlt und allein. Die Straßenbahn war schon lange weg,

da stand ich immer noch an der Ecke. Mir sind die Tränen nur so über das Gesicht gelaufen. Das war für uns der Anfang des Krieges.“

Auch die Männer, mit denen wir sprachen, konnten sich genau an die Umstände ihres Stellungsbefehls erinnern. Viele glaubten, er würde sie nur kurz von der Familie trennen, da der Krieg nicht lange dauern könne. Andere, vor allem Männer, die bereits im Ersten Weltkrieg Soldaten gewesen waren, schätzten die Dauer ihrer Abwesenheit eher pessimistisch ein. Männer, die gegen Nationalsozialismus und Krieg eingestellt waren, litten besonders unter der Einberufung.

Nicht nur für die Ehefrauen, sondern auch für die Männer bildete der Stellungsbefehl einen gravierenden Einschnitt in das bisherige Leben. Herausgerissen aus ihren Berufs- und Familienzusammenhängen, mußten sie sich in der ungewohnten Lebenssituation als Soldat zurechtfinden. Sie mußten sich der Wehrmachtshierarchie unterordnen und Befehle möglichst widerspruchslos ausführen. Eigenverantwortliches Handeln sollte durch Einordnung, Einsatz für das Ganze und bedingungslosen Gehorsam ersetzt werden. Vielen Männern wurden während der Grundausbildung neue Fertigkeiten für ihren Einsatz bei der Wehrmacht vermittelt. Andere Männer übten dort ähnliche Tätigkeiten aus wie in ihren früheren Berufen, allerdings meist unter wesentlich gefährlicheren Bedingungen.

Kurt Pahnke (Jahrgang 1902), Heirat 1930, seit 1930 selbständiger Elektromeister. Er wurde Ende 1939 einberufen.

„Anfangs des Krieges war ich noch u.k. gestellt zur Betreuung von lebenswichtigen Betrieben. Und da hab ich z.B. in Bäckereien und Metzgereien und auch in Flugzeugfirmen die Elektrik in Ordnung gebracht. Aber Ende 39 haben sie mich dann eingezogen. Ich kam zu den technischen Truppen. Als erstes haben wir gleich Unterstände gebaut für den Generalstab. Das waren ganz schön stabile Dinger aus dikken Baumstämmen. Und da hab ich denn wieder Leitungen verlegt und die Lampen installiert. Und später dann haben

wir meist Elektro- und Telefonleitungen für die Einheiten verlegen müssen, damit die Licht hatten und alles in Ordnung war. Ich hab die Kletterschuhe oft gar nicht mehr abgekriegt, ständig mußte ich auf den Mast rauf, die Kabelrolle auf der Brust. Aber ich konnte gut klettern und hab das auch ganz gern gemacht. Wenn ich mich an den Krieg und meine Arbeit erinnere – die Arbeit hat mir immer Spaß gemacht. Ich hab meine Arbeit immer geliebt ...“

Besonders in den ersten Jahren, als der Krieg für die deutschen Truppen noch „erfolgreich“ verlief und viele Soldaten Besatzerstatus hatten, wurde die Teilnahme am Krieg auch positiv erlebt. Die Soldaten schickten ihren Frauen und Familien ausländische Zigaretten, exotische Stoffe, Schmuck, Gewürze, Pelze und Parfüm. Der Sold und die „Kampfzulagen“ konnten vor Ort kaum ausgegeben werden.

Die späteren Kriegserfahrungen, besonders die „Feindberührungen“ und die damit verbundenen extremen Situationen waren für die Betroffenen kaum zu verkraften. Vielen war es bald wichtiger, das eigene Leben zu retten, als das Vaterland zu verteidigen. Versetzungsanträge und freiwillige Meldungen zu Zusatzausbildungen waren eine Möglichkeit, in die Etappen zurückzugelangen. Andere waren froh, durch Verwundung oder Krankheit erst einmal in einem Lazarett unterzukommen.

Die Frauen erfuhren meist nur wenig von den Grauen und Schrecken an der Front. In ihren Briefen schilderten die Soldaten kaum etwas vom eigentlichen Kriegsverlauf.

Gerd Knobloch (Jahrgang 1910), Buchhalter, verheiratet seit 1934 mit Lotte Knobloch (Jahrgang 1912), Hausfrau. Als Herr Knobloch 1939 eingezogen wurde, hatte das Paar einen Sohn.

„Ich bin kein Typ, der dramatisiert hat, der jeden Tag nach Hause schrieb, wie furchtbar es draußen war. Ich konnte mich draußen nicht jeden zweiten Tag hinsetzen und an meine Mutter schreiben. Ich hab das immer summarisch gemacht, alle acht oder 14 Tage mal. Ich kann nicht dramatisieren, und ich konnte es auch niemandem mitteilen. Aber

letters to + from front were censored; to [illegible] either way

vielleicht kommt man deshalb dann auch wieder leichter darüber hinweg. Vielleicht brauchte man auch ein ganz klein wenig diese Landsknechtart, dieses Schulterzucken, im guten Sinne vielleicht, sonst hätte man es nicht ertragen können ...

Ich hab's erlebt. Andere sind fast verrückt geworden, wenn sie keine Nachricht von zu Hause bekommen haben. Ich hab das immer von einer anderen Warte gesehen. Ich hab immer versucht, das Beste aus all den schrecklichen Erlebnissen zu machen, sonst hätte ich es nicht verkraften können.

Das Furchtbarste war für mich das Briefeschreiben an Angehörige von gefallenen Kameraden. Da hat man vorher eine halbe Flasche Schnaps getrunken, damit man damit über die Runden kam. Und wenn man dann einen Mann identifizieren mußte und dann nur noch eine zerquetschte Hand von ihm vorfindet und dann denkt, daß das der Ring ist, den man kennt ... Und wenn man dann noch im Wehrpaß feststellt, daß er gerade an dem Tag, an dem er gefallen ist, ein Jahr verheiratet war, das ist schrecklich. Es ist nicht mein Charakter, zu dramatisieren, aber das sind Stunden, die man nicht vergessen kann. Das ist eine furchtbare Sache, und ich habe sie als schlimmer in Erinnerung als manche Kampfaktion. Ich bin so froh, daß meine Söhne in späteren Jahren geboren sind, so daß sie jetzt 40 Jahre ohne Krieg leben konnten. Krieg ist grausam, ganz grausam. So grausam, daß man nicht darüber hinwegkommen kann, wenn man es einmal miterlebt hat. Andererseits konnte man diese schrecklichen Jahre nur ertragen, indem man versucht hat, es nicht allzu schwer zu nehmen."

Neben dem Bestreben vieler Männer, die Gefahren an der Front herunterzuspielen, um ihre Angehörigen nicht zu beunruhigen, verhinderte die Zensur, der die Feldpostbriefe unterlagen, die Aufklärung über die Zustände an der Front und in der Heimat. Herr Pahnke z. B. kam wegen der Äußerung „Wir siegen und siegen, wir werden uns noch zu Tode siegen" in einem Brief, der von den Zensoren geöffnet worden war, vor das Kriegsgericht.

Die einzige Gelegenheit für Ehepartner, offen miteinander zu sprechen, waren die Front- oder Genesungsurlaube der Soldaten, die Versetzung der Männer zu Lehrgängen in der Heimat oder Lazarettaufenthalte. Den Frauen war kein Weg zu weit, um ihre Männer zu besuchen, auch wenn sie nur ein oder zwei Tage bleiben konnten. Bei diesen seltenen Treffen der Ehepartner herrschte allerdings zumeist das Bedürfnis vor, die Tage so schön und unbeschwert wie möglich miteinander zu verbringen. Die Männer wollten ausspannen, und sie versuchten, die Strapazen und Gefahren des Krieges für kurze Zeit zu vergessen. Durch die eigene Belastung mit Problemen hatten viele nicht die Geduld, mit ihren Frauen über deren Sorgen in der Heimat zu sprechen. Sie erwarteten eher, umsorgt und betreut und für ihren Einsatz für Familie und Vaterland entschädigt zu werden. Die Frauen litten unter der Abstumpfung der Männer ihren Problemen gegenüber; sie fühlten sich zunehmend mit ihren Sorgen um die Familie alleingelassen.

Im Laufe des Jahres 1942 wurden die Kampfhandlungen an der Ostfront immer erbitterter; sie führten am Jahresende zur Schlacht um Stalingrad, bei der über 100000 deutsche und rumänische Soldaten ihr Leben verloren und weitere 90000 in Gefangenschaft gerieten. Damit wurde überdeutlich, daß der Krieg nicht mehr zu gewinnen war. Inzwischen wurde in fast jeder Familie um einen Vater, Bruder, Schwager oder Onkel getrauert. Aber die Politik der Reichsführung setzte alles daran, den sinnlosen und wahnwitzigen Vernichtungskampf weiterzuführen.

Alle Kräfte und Ressourcen sollten nun für den „Endsieg" mobilisiert werden. Goebbels proklamierte in seiner Sportpalast-Rede im Februar 1943 den „totalen Krieg", der in der Folgezeit unvorstellbare Entbehrungen und Leid für alle nach sich ziehen sollte. Von Februar 1943 an wurden 16-jährige Schüler zum unmittelbaren Luftwaffendienst eingezogen. Auch Männer, die älter als 45 Jahre alt waren, wurden nun gemustert und im Kriegsdienst eingesetzt.

Auch an der Heimatfront wurden einschneidende Sparmaßnahmen und Intensivierung der Arbeitseinsätze von der

Regierung befohlen und durchgesetzt, um den Rüstungsnachschub zu gewährleisten und die knapper werdenden Reserven an der Front aufzufüllen. Die Einführung einer Meldepflicht für Männer und Frauen für Aufgaben der Reichsverteidigung war eine der Maßnahmen, die Frauen zwischen 17 und 45 Jahren zur Erwerbsarbeit zwingen sollten. Ausgenommen waren Schwangere und Frauen, die noch nicht schulpflichtige Kinder oder mindestens zwei Kinder unter 14 Jahren hatten.

Durch die Propagierung des „wehrhaften Haushalts" wurden die Frauen verstärkt zur Hilfe für ihre Männer an den Fronten und damit zur Unterstützung der Kriegspolitik aufgefordert. „Eintopf-Sonntage" und Sammelaktionen für das Winterhilfswerk wurden verstärkt organisiert, um die Versorgung der Soldaten zu unterstützen. Die nationalsozialistischen Frauenorganisationen und das Rote Kreuz richteten Arbeitsstuben ein, in denen Schuhe für die Soldaten gefertigt, Strümpfe gestrickt und Verbandsmaterialien hergestellt wurden.

Gertrud Fichte (Jahrgang 1916), verheiratet seit 1937 mit Robert Fichte (Jahrgang 1908), der an der russischen Front war.

„Jeden Dienstagabend ging ich zum Roten-Kreuz-Treffen. Da kamen immer die Frauen aus der Nachbarschaft zusammen, um für die Soldaten an der Front zu arbeiten. Wir haben vor allem Socken gestrickt. Man hat uns gesagt, daß die da draußen nicht genug warme Sachen hätten. Es war ja bitterkalt in Rußland. Wir haben uns die Tausende von Soldaten vorgestellt ohne warme Kleidung. Da haben dann die Nadeln geklappert. Ich habe bei Strickabenden immer ganz besonders an meinen Mann gedacht. Er war auch in Rußland. Ich hab mir vorgestellt, er würde die Socken bekommen, die ich gerade strickte. Aber das haben sicher alle Frauen gedacht, die zu Hause versuchten, ihre Männer an der Front zu unterstützen."

In der Heimat wurde die Versorgung mit Lebensmitteln, Kleidung und Heizmaterial immer knapper, denn viele Gü-

Abbildung 6: „In den Arbeitsstuben, die vom Roten Kreuz und der NSV organisiert wurden, traf sich die ganze Nachbarschaft und nähte warme Kleidung für die Soldaten und die Flüchtlinge."

Abbildung 7: Schon während des Krieges werden in den Städten Kartoffeln und Gemüse angebaut, um die immer knapper werdende Lebensmittelversorgung zu verbessern.

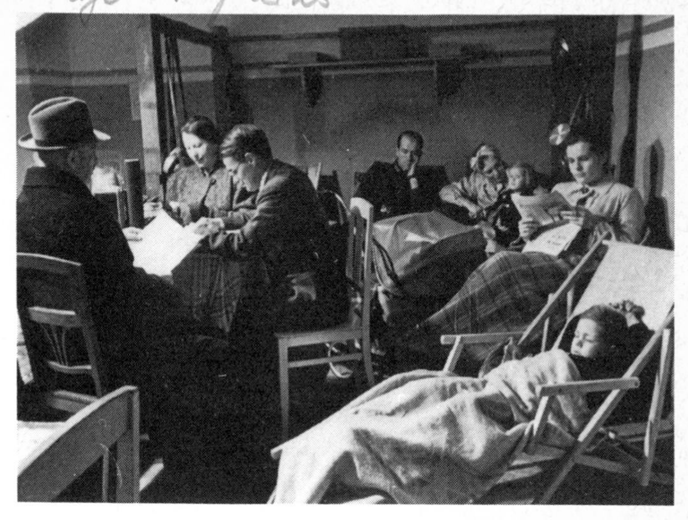

Abbildung 8: Nicht jeder Bunker ist so „luxuriös" mit Liegestühlen eingerichtet wie dieser. Oft kauert man stundenlang dichtgedrängt auf harten Bänken und wartet auf die Entwarnung.

ter mußten für die Soldaten an die Front geschafft werden. Dies bekamen vor allem die Hausfrauen zu spüren. Die Bewirtschaftung mittels eines Lebensmittelkarten- und Bezugsscheinsystems legte die Warenzuteilung pro Person fest. Nur so konnte die Versorgung der Bevölkerung einigermaßen aufrechterhalten werden. Durch diese Rationierungen wurden eine ausreichende Ernährung und die Beschaffung notwendiger Güter für den familialen Alltag schwieriger. Obst und Gemüse selbst anzubauen, zu konservieren und einzukochen sowie Kleintierhaltung zu betreiben, wurden für viele Familien bereits im Krieg zu wichtigen Mitteln, den Speisezettel zu bereichern.

Seit März 1942 begannen die Alliierten deutsche Städte zu bombardieren. Die Angriffe wurden zu einer ständigen Belastung für die Familien. Ende Mai 1942 wurde Köln, Ende Dezember Essen schwer zerstört. Von Januar 1943 an nahm auch für die Berliner Bevölkerung die Bedrohung stetig zu.

Immer häufiger heulten die Sirenen, und die Berliner mußten immer öfter die Luftschutzbunker aufsuchen. Frauen mit Säuglingen und Kleinkindern hatten es dabei besonders schwer. Bei Alarm mußten sie die Kinder aus dem Schlaf reißen, die eigene Angst verdrängen, die Kleinen anziehen, sie beruhigen, in den nächsten Bunker tragen und dort möglichst zum Weiterschlafen bringen.

Gerda Hoffmann (Jahrgang 1916) war Blumenhändlerin. Nachdem ihr Mann 1942 eingezogen worden war, wohnte und arbeitete sie zusammen mit ihrer Mutter. Sie berichtet:

„Wir haben von früh bis spät in der U-Bahn gesessen. Da ist nebenan eine Bombe runtergegangen, in diese Aggregate von der U-Bahn. Die ganze U-Bahn war voller Ammoniaksäure, wir konnten nicht die Hand vor den Augen sehen. Wir haben alle gedacht, wir sind vergiftet. Wir haben immer an der Leitung gesessen. Und ich hab dann so ein großes nasses Bettuch über den Kinderwagen gepackt, damit der Kleinste nicht erstickt. Und meine Tochter und meine Mutter, wir hatten uns nasse Taschentücher vor's Gesicht gemacht. Wir haben uns bei den Händen gehalten und gezittert vor Angst. Da haben wir denn bis abends sitzen müssen. Dann haben wir abends um sieben den Kinderwagen mit dem Kleinsten aus der U-Bahn gewuchtet und haben ganz vorsichtig um die Ecke geguckt, ob unser Haus noch stand. Es stand noch, aber es war wieder alle Pappe aus den Fenstern raus, so daß wir wieder von vorn anfangen mußten, die Fenster zu flicken ...“

Immer mehr Berliner verloren durch die Bombenangriffe der Alliierten ihre Wohnung. Glück hatte, wer bei Verwandten unterkam, denn eine Einweisung in eine neue Wohnung war Erwerbstätigen und Dienstverpflichteten vorbehalten. Gerade in der Einweisungspraxis wurden die Unterschiede zwischen den Bevölkerungsschichten deutlich. Wohlhabendere Familien wurden nur selten aufgefordert, Fremde bei sich aufzunehmen, während die „kleinen Leute“ mit wenig Wohnraum zur Aufnahme Umquartierter gezwungen wurden.

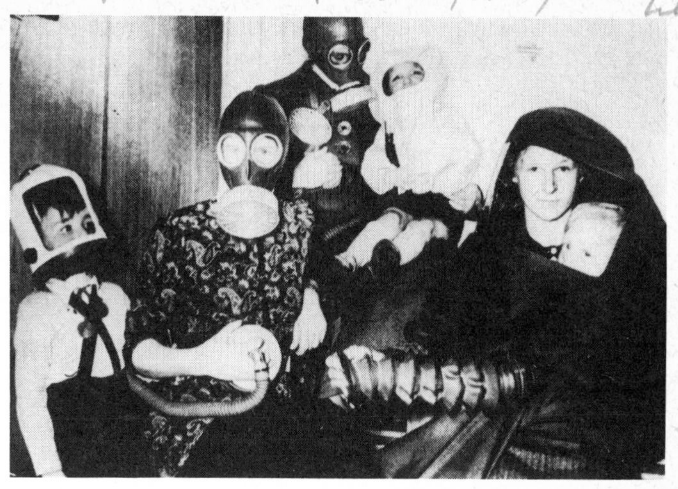

Abbildung 9: Familie bei einer Gasmaskenübung 1939.

Die zunehmende Zerstörung der Stadt und damit auch die Angst um das Überleben gehörten allmählich zum Alltag. Nach der Entwarnung mußten Trümmer beiseite geräumt und Wohnungen wieder nutzbar gemacht werden. Wenn die Läden wieder geöffnet wurden, stellten sich die Frauen zum Einkaufen an, denn vor dem nächsten Alarm mußte gekocht und die Familie versorgt werden; Wäsche war zu waschen, aufzuhängen und zu bügeln, die Kinder mußten betreut und zu Bett gebracht werden.

Mütter, Schwestern und Schwägerinnen halfen bei der täglichen Arbeit, beim Anstehen und bei der Kinderbetreuung. Besonders die eigene Herkunfts- oder Schwiegerfamilie bot materiellen und emotionalen Rückhalt. Nur die gegenseitige Hilfe konnte den Alltag in den Kriegstagen erträglich machen.

Viele Frauen berichteten, daß sie ihren Lebenswillen und ihr Durchhaltevermögen in kritischen Situationen oft nur ihren Kindern zuliebe immer wieder aktivierten. Sie versuchten, keine Angst zu zeigen, nicht verzweifelt zu wirken und für die Kinder alles so normal wie nur möglich zu gestalten.

Denn gerade für kleine Kinder war der Bombenkrieg furchtbar. Viele zitterten schon, wenn der Alarm ertönte, und saßen weinend im Luftschutzkeller. Einige Frauen wollten in dieser Situation keine Kinder mehr bekommen und ließen – obwohl dies im Nationalsozialismus streng bestraft wurde – illegal abtreiben. Andere Frauen reagierten auf die Bedrohung durch den Krieg so, daß sie trotzdem Kinder wollten – als ob sie der zunehmenden Zerstörung neues Leben entgegensetzen wollten.

Auguste Ott (Jahrgang 1910), Lehrerin. Ihr Mann Max Ott (Jahrgang 1909), war von 1939 an Soldat und wurde 1943 verwundet. Sie besuchte ihn im Lazarett in Halle:

„Ich wollte noch ein zweites Kind. Ich sagte zu ihm: ‚Weißt du, wenn der Krieg mal vorbei ist, werden wir wahrscheinlich keine Kinder mehr kriegen, und mit einem Kind an der Hand und einem Kind auf dem Rücken komme ich ja vielleicht noch aus dem brennenden Haus raus auf die Straße. Und wenn du nicht wiederkommst, dann möchte ich lieber zwei Kinder von dir als nur eins.‘ Ja, und es klappte tatsächlich. Ich war schwanger. Aber ich hatte dann eine Fehlgeburt. Bei einem Alarm versuchte ich in die U-Bahn runterzukommen, bin aber bei dem Gedrängel gestürzt und wurde getreten und verletzt. Darauf hab ich das Kind verloren.

Mein Man war dann wieder in Rußland, und ich fuhr rauf nach Ostpreußen, um ihn zu treffen. Der Wunsch nach einem Kind hatte sich bei mir so festgesetzt, daß ich trotz der Fehlgeburt unbedingt ein Kind wollte. Ich wollte es erzwingen. Eigentlich war es völlig unmöglich von meiner Zeit her, aber es hat geklappt.“

Schwangere Frauen konnten in äußerst schwierige Situationen geraten, die mitunter so weit führten, daß sie bei Bombenalarm in Luftschutzkellern unter unbequemen und auch gefährlichen Umständen ihre Kinder zur Welt bringen mußten. Dort gab es oft nicht einmal das Nötigste, wie z.B. Windeln, Betten oder heißes Wasser.

Edith Eggert (Jahrgang 1919) wohnte nach der Einberufung des Ehemannes 1940 mit ihren zwei Kindern in einem Mietshaus in Berlin-Neukölln. Während eines Bombenalarms half sie einer Frau bei deren Entbindung.

„Wir saßen alle im Keller. Da kriegte meine Nachbarin Wehen. Es wurde immer schlimmer bei ihr, und wir kamen nicht aus dem Keller raus. Wir konnten keinen Arzt holen.

Ein Koksofen brannte, und ich sagte, ich brauche warmes Wasser. Jedenfalls ging's dann los. Als erstes kam ein Beinchen, und als ich das sah, dachte ich, um Gottes willen, das ist ja ne Steißgeburt! Ich wußte gar nicht, was tun. Aber es war schon das dritte Kind, das sie so entbunden hat. Also, ich hab das Kind abgenabelt, und das sind eben so Handhabungen, die man als Frau weiß, wenn man selber schon Kinder gekriegt hat. Die Schere konnte ich in kochendes Wasser legen, aber sonst war ja überhaupt keine Möglichkeit, in dem dreckigen Keller irgendwas antiseptisch zu machen. Aber es ist alles gut gegangen. Sie hat auch kein Kindbettfieber gekriegt, was bei dieser Hygiene schon ein Wunder war.“

Im August 1943, nach der Bombardierung und fast völligen Zerstörung Hamburgs, bei der 40000 Menschen ums Leben kamen, wurde die Berliner Zivilbevölkerung, und zwar vor allem Mütter und Kinder, aufgefordert, die Stadt zu verlassen.

Für viele bedeutete die Evakuierung eine endgültige Auflösung der Familie. Selbst Familien, die bislang noch zusammenbleiben konnten, weil der Mann u.k. gestellt war, mußten sich nun trennen. Das Auseinanderreißen der Familien ohne Besuchsmöglichkeiten wurde von den meisten als untragbarer Zustand empfunden. Viele Männer litten unter der Trennung – wie Herr Reich.

Joseph Reich (Jahrgang 1909), Dreher, war wegen seiner Anstellung in einer Rüstungsfirma u.k. gestellt. Seine Frau Therese wurde mit den beiden Söhnen nach Thüringen evakuiert.

„Wenn ich abends heimkam, nach der schweren Arbeit, und die Wohnung war kalt und einsam, das war nicht schön: kein Essen auf dem Tisch, die Kinder und die Frau nicht da. Da vergeht einem richtig die Lust. Man weiß auch gar nicht mehr, wofür das Ganze gut sein soll, wenn man kein Familienleben mehr hat.“

Kinder und Jugendliche wurden mit ihren Lehrern klassenweise evakuiert. Viele Mütter wollten auf keinen Fall, daß ihre Kinder durch die Evakuierung von ihnen getrennt wurden und versuchten deshalb, sich zusammen mit ihnen verschicken zu lassen. Für viele gab es gar keinen anderen Ausweg, als Berlin zu verlassen, denn die eigene Wohnung war zerstört, anderer Wohnraum war kaum noch zu bekommen. Die unzerstörten Wohnungen wurden an Erwerbstätige und Dienstverpflichtete vergeben, die in der Stadt bleiben und die Produktion aufrechterhalten mußten. Lediglich einige Betriebe wurden in Randbezirke Berlins verlagert. Die vorsorglichen Evakuierungsmaßnahmen retteten sicherlich vielen das Leben, erfolgten aber gleichzeitig vor dem Hintergrund, die Versorgungsengpässe und die Wohnraumknappheit in Berlin auszugleichen. Insgesamt verließen ca. 1,9 Millionen Menschen bis Ende 1944 die Stadt. Über die Hälfte davon waren Kinder und Jugendliche.

Frauen, deren Männer bereits eingezogen waren, die aber durch Angehörige Unterstützung und Hilfe erfahren hatten, fiel der Weggang aus Berlin ebenfalls schwer, da sie sich von ihren Verwandten trennen mußten. Jene, die zum ersten Mal aus ihren verwandtschaftlichen Zusammenhängen gelöst wurden, hatten es besonders schwer. Gezwungenermaßen mußten sie mehr Selbständigkeit entwickeln und eigenständig handeln. Sie versuchten, sich mit Freundinnen oder Verwandten zusammenzutun, um in der fremden Umgebung nicht ganz allein zu sein. Am günstigsten war es, wenn sie sich zu Verwandten oder Freunden evakuieren lassen konnten, denn die Integration in den fremden Ort fiel dann doch leichter. Bei einer Evakuierung mußten komplizierte bürokratische Um- und Abmeldeverfahren eingehalten wer-

Abbildung 10: Briefträgerinnen notieren die neuen Adressen der Ausgebombten. Die Nachrichten an den Wänden sind oft die einzige Information über den Verbleib derer, die hier wohnten.

den. Man mußte Ämter aufsuchen, vor Lebensmittelkartenstellen anstehen und verschiedene Anträge ausfüllen, bevor eine Abreise genehmigt wurde. Die Fahrten an die Evakuierungsorte waren in der Regel wegen der überfüllten Züge beschwerlich, aber gut organisiert. Die NSV half den Frauen und ihren Kindern beim Transport in die Evakuierung.

Gertrud Fichte (Jahrgang 1916), verheiratet mit Robert Fichte (Jahrgang 1908), der von 1940 an Soldat war. Sie ließ sich mit ihren beiden Kindern evakuieren:

„Mit einem Mal kam der Aufruf, daß Frauen mit Kindern eben Berlin verlassen sollten, weil die Angriffe immer schlimmer wurden. Ich hab ja nun in Schlesien meine Patentante und meine Schwester, die war da gerade mit meinen beiden Nichten. Da sind wir dann kurzfristig aufgebrochen, also innerhalb von zwei Tagen haben wir unsere Sachen gepackt, meine Freundin mit ihren zwei Kindern und ich, und sind auf den Bahnhof Zoo, wo schon Hunderte und Tausende standen. Wir haben uns Fahrkarten nach Schlesien gekauft und sind in den Zug gestiegen. Das war da derart voll, daß die Kinder oben im Gepäcknetz auf den Koffern sitzen mußten und sich nicht bewegen konnte. Das war ne ganz schlimme Fahrt. Und als wir dorthin kamen, war's auch nicht so, wie wir erst gedacht hatten. Kein Platz! Dann ist meine Schwester aus einem Zimmer ausgezogen, und wir haben nun zu sechst in einem kleinen Zimmerchen gewohnt. Die beiden großen Kinder haben wir in den Kindergarten gegeben, und die beiden kleinen haben wir zu Hause behalten. Viel zu essen hatten wir dann auch nicht. Es gab immer das gleiche – jeden Tag die gleiche Soße und immer mit nem bißchen was anderem dran. Also, man war schon zufrieden. Wir hatten auch ein bißchen mehr für die Kinder, vor allem ein bißchen mehr Milch. Da konnten wir manchmal Käsetorte backen von der Molke. Also, wir waren eigentlich nicht unzufrieden."

Ein Großteil der Berliner wurde in die Ostgebiete evakuiert, die von der deutschen Armee im Verlauf des Krieges annektiert worden waren (siehe Schaubild 2). Am Evakuierungsort mußten ähnliche Gänge wie bei der Abreise unternommmen werden: Kartenstellen und Wehrersatzdienststelle mußten aufgesucht und Kinder in der neuen Schule angemeldet werden. Es dauerte oft Tage, bis Lebensmittelkarten, Bezugsscheine und Räumungsfamilienunterhalt durchgesetzt waren.

Oft war es nicht leicht, sich mit der einheimischen Bevölkerung zu arrangieren. Die „Städterinnen" wurden scheel und mißtrauisch angesehen. Eine Integration in das Gemeindeleben fand nur selten statt. Ob die Frauen mit ihren Kindern genug oder nur wenig zu essen hatten, hing von der Versorgungssituation der einzelnen Orte ab. Besonders in Selbstversorgungsorten, in denen die Bewohner ihr eigenes Stück Land bewirtschafteten, kam es häufig zu Reibereien zwischen Einheimischen und Evakuierten. Je schlechter die Versorgungslage wurde, desto ablehnender benahmen sich die Ortsansässigen gegenüber den evakuierten Frauen und wollten von ihrem Eigenanbau nichts abgeben. Um nicht ganz kärglich zu leben, mußten die Frauen auf andere Art und Weise Gemüse und Obst organisieren. Sie taten etwas, von dem sie vorher nie geglaubt hatten, dazu fähig zu sein: sie klauten.

Aber es gab auch Erfahrungen der Solidarität und Unterstützung, die die Frauen in der Evakuierung machten. Wenn ihre Kinder krank wurden, was durch die Mangelernährung häufig passierte, halfen ihnen Nachbarinnen dann doch. Sie brachten Milch, Äpfel und Rotwein: ein bewährtes Rezept für die durch Ruhr geschwächten Kinder. Besonders Frauen, die in der Landwirtschaft mit anpackten, waren bei der einheimischen Bevölkerung willkommen.

Gisela Koch (Jahrgang 1920), verheiratet seit 1939 mit Philipp Koch (Jahrgang 1907), Kaufmann, der seit 1939 in einem Rüstungsbetrieb bei Magdeburg dienstverpflichtet war, ließ sich mit ihrer Tochter evakuieren:

„Meine Tochter war vier Monate alt, dann hat uns Herr Goebbels erzählt: Wollt ihr den totalen Krieg? Ja, und die,

die drin waren im Sportpaalast, die wollten. Wir nicht, aber wir haben die Bomben genau so abgekriegt.

Dann mußten Frauen und Kinder aus Berlin weg. Ich kam nach Hinterpommern, zum Bauern. Ich war ganz entsetzt, als ich dahin kam. Es war ein uraltes Fachwerkhaus, sehr primitiv alles. Das kannte ich nicht aus der Mark Brandenburg und nicht aus Schlesien. Aber es hat sich nachher als sehr, sehr menschliche Verbindung herausgestellt. Ich hab denen einen Knecht ersetzt. Die Bäuerin war sehr herzkrank und hat sich um meine Tochter gekümmert, die dann nachher schon laufen konnte. Und ich hab mit auf dem Feld gearbeitet. Dafür bekam ich Lebensmittel.“

Für die Frauen war es wichtig, die Verbindung mit den Verwandten zu Hause in Berlin und ihren Männern an der Front aufrechtzuerhalten. Die meisten schrieben regelmäßig Feldpostbriefe an ihre Männer, Brüder und Freunde. Sie wußten, wie sehnsüchtig viele auf Nachricht aus der Heimat warteten und wie notwendig der Briefkontakt für die seelische Unterstützung der Männer war. Aber der Briefverkehr wurde gegen Ende des Krieges immer schleppender, denn viele Verkehrs- und Transportwege waren zerstört.

Je weiter der Krieg fortschritt, desto seltener hatten die Männer Gelegenheit, ihre Frauen zu besuchen. Wenn der Mann dann einmal kommen konnte, ging die Zeit viel zu schnell vorbei.

Harry Falk (Jahrgang 1912), seit 1938 verheiratet mit Anna Falk (Jahrgang 1914), mit der er zu der Zeit ein Kind hatte, war von 1939 an im Einsatz:

„Meine Frau war in Schlesien evakuiert. Mir gelang es, sie dort ein paar Mal zu besuchen. Ich war zu der Zeit in der Etappe. Freitagnacht bin ich losgefahren. Die Züge waren da schon völlig überfüllt. Es war im Herbst 1944, da gab es schon große Transportprobleme. Ich kam nur mit einem Sonderausweis durch. Sonnabends gegen Mittag kam ich dann an, und Sonntagnachmittag mußte ich wieder zurück. Also, es blieb wenig Zeit füreinander. Wir sind kaum miteinander warm geworden. Ich hatte meinen Kopf voll mit

beg. in '44 east. areas threatened by Rs - but forbidden to leave - "wouldn't look good"

Abbildung 11: Für die Männer im Krieg sind Photos oft das einzige Andenken an zuhause.

den Fronterlebnissen und konnte mich kaum auf meine Frau einstellen. Wir konnten gar nicht richtig miteinander reden. Wie hätte ich ihr das, was ich draußen erlebt hab, denn schildern sollen? Ich wollte ein paar Stunden Ruhe haben, bloß nicht über den Wahnsinn an der Front nachdenken. Was sie mir erzählt hat, war mir fremd. Sollte ich mir ihre Alltagssorgen auch noch anhören? Aber über meine kleine Tochter hab ich mich sehr gefreut."

Von 1944 an wurde es für die Zivilbevölkerung in den Ostgebieten gefährlich. Die Sowjets drangen im Verlauf des Jahres bis auf deutsches Reichsgebiet, d.h. Gebiete, die in den ersten Kriegsjahren annektiert worden waren, vor. Vorsorgliche Maßnahmen für eine Rückevakuierung der Bevölkerung waren von der Partei verboten worden, um die Durchhalteparolen nicht zu entkräften. Viele wurden vom Heranrücken der Roten Armee überrascht und verließen überstürzt ihre Wohnorte. Die Flucht vor der russischen Armee gehört mit zu den bittersten Erfahrungen, die Frauen, Kinder und Alte machen mußten. Nun meist endgültig auf sich selbst gestellt und alleine verantwortlich für die Kinder, versuchten sie auf abenteuerlichsten Wegen, nach Berlin zurückzukommen.

Auguste Ott (Jahrgang 1910), verheiratet seit 1939 mit Max Ott (Jahrgang 1909), ab 1939 Soldat, hatte 1944 in der Evakuierung ihren zweiten Sohn bekommen und versuchte nun, mit den beiden Kindern und ihrem alten Vater, der sie in der Evakuierung besucht hatte, zurück nach Berlin zu kommen:

„Wir kamen am Bahnhof an, da war es schwarz von Menschen. Der Zug kam an, da hingen die Leute schon in Trauben draußen an. Mein Vater sagte, ‚da kommen wir nicht mit'. Ich sagte, ‚wir müssen mit'. Ich bin den Zug entlanggelaufen, hinten war der Gepäckzug dran. Die Zugbegleiterin ließ natürlich keinen rauf. Da hab ich meinen Wolfgang hingeschoben, der sah wie ein lebendes Gerippe aus, und hab gesagt, ‚ich muß mit ihm nach Berlin'. Na, sie ließ uns mitfahren auf diesem offenen Gepäckwagen. Mein Vater hatte den Hans, und ich hielt den Kinderwagen. Wir hatten Januar und bitterste Kälte. Der Zug ging aber nicht weit. Am nächsten Bahnhof wieder Himmel und Menschen. Ich hab bei der NSV gefragt, ob die mir helfen würden. Da war natürlich nichts mehr zu kriegen. Ich stand also wieder da, mit Kinderwagen, zwei Kindern und meinem Vater, der auch nicht mehr der Jüngste war. Und da hab ich geschrien: ‚Ich muß mit mit dem Zug!' Und ich dachte, jetzt hilft alles nichts, jetzt mußt du deinen Verstand gebrauchen. Du mußt die Kinder retten. Und ich hab das sehr elende Kind rumgezeigt. ‚Ich muß mit dem Kind nach Berlin, sonst überlebt der nicht.' Dann haben sie mich in diesen vollen Zug mit dem Kinderwagen reingepropft. Wir standen alle auf einem Bein.

trains totally overloaded. During bombing no place to go – so stayed on train & prayed.

Die Leute standen beinahe übereinander, und irgendwo war der Kinderwagen. Dann gab's plötzlich Bombenalarm auf freier Strecke. Wir mußten nicht aussteigen, das hätte ja auch keinen Zweck gehabt. Der Zug hielt eben, und wir konnten bloß noch beten. Es ist uns nichts passiert. Wir sind in Berlin angekommen."

Bereits im Sommer 1943 waren amerikanische Truppen in Sizilien gelandet und Anfang 1944 auch auf dem italienischen Festland. Im Sommer 1944 erfolgte die Invasion anglo-amerikanischer Truppen in Nord-, bald danach auch in Südfrankreich. Im Juli 1944 erreichte die sowjetische Offensive den Zusammenbruch der Heeresgruppe Mitte und drängte auch im Norden die deutschen Truppen zurück. Gleichzeitig drangen die Russen bis Bulgarien vor. Die deut-

Abbildung 12: Sogar Zehnjährige sollen das „Vaterland" verteidigen.

sche Heeresleitung befahl, noch einmal alle Kräfte zu mobilisieren. Im Herbst 1944 wurde der Volkssturm aufgestellt. Dieses letzte Aufgebot von alten Männern, Jugendlichen und sogar Kindern unter 14 Jahren sollte in sinnlosen Verteidigungskämpfen den „Feind" aufhalten.

Fritz Deinhardt (Jahrgang 1927) wurde noch im Frühjahr 1945 an der Front eingesetzt. Mit 17 hatte er Notabitur gemacht und wurde sofort eingezogen:

„Jedenfalls werde ich die erste Nacht an der Front nicht vergessen. Ich konnte nicht schlafen und hab mir ausgemalt, was passieren würde.

Morgens um fünf Uhr wurden wir an die Front gebracht. Die bestand nur noch aus einer Schützenlinie. Es gab keine Befestigung mehr. Die Front war eine Straßenböschung, da saß ich dann und wartete. Und da kamen wir Jungen zum

Abbildung 13: Mit 18 Jahren an die Ostfront.

ersten Mal mit den alten Hasen in Berührung, den ‚Frontschweinen'. Das war vielleicht um fünf Uhr, und es wurde so langsam hell. Und als der Nebel sich langsam hob, da sah ich die russischen Panzer kommen. Und der Landser neben mir sah das auch und sagte, ‚weg hier, nichts wie weg'. Und das war wie ein Schock für mich. Wir waren doch gekommen, um die Feinde aufzuhalten, zu stürmen, und sicher hätte ich es auch versucht. Und da sagt ein erfahrener Landser: ‚Hier, guck dir das mal an, das sind zuviele, da hat das keinen Zweck, nichts wie weg.' Und so hat mir der alte Kamerad das Leben gerettet, wir Jungen wären gegen die Übermacht sicher angerannt. Wir konnten das ja gar nicht einschätzen. Und von dem Augenblick an sind wir zurückgelaufen, gelaufen, was wir konnten."

Oft war es die letzte Aufgabe der Soldaten, Frontabschnitte zumindest noch so lange zu halten, bis die Zivilbevölkerung die Gebiete geräumt hatte. Aber selbst das war in vielen Fällen gar nicht mehr möglich.

Erich Franke (Jahrgang 1924), seit 1942 Soldat, berichtet von den aussichtslosen Kämpfen:

„Im Februar und März 1945 sollten wir den Hafen Pillau bei Königsberg verteidigen, damit die Flüchtlinge aus Ostpreußen noch rauskämen. Aber es war nur eine Frage der Zeit, wann der Hafen fallen würde. Die Propaganda hatte uns eingeschärft, wir dürften nicht in Gefangenschaft geraten. Die Russen würden uns foltern und weiß ich was. Für mich war klar, ich würde mich erschießen, bevor mich die Russen kriegen. Das war so sicher wie das Amen in der Kirche. Komischerweise hab ich, als der Krieg zum Ende hin immer schlimmer wurde, immer weniger Angst gehabt. Da vorne war mir alles egal, weil ich wußte, ein Schuß reicht. Die Russen haben angegriffen und uns zurückgedrängt, wir sind in einen Keller rein. Mir war klar, wenn ich jetzt nicht mehr aus dem Keller rauskomme, ist es aus. Da hab ich zu meinem Freund Atze gesagt: ‚Komm jetzt, oder es ist zu spät'. Aber der konnte nicht mehr. Er ist im Keller geblieben. Da hab ich mich verabschiedet, ihm Glück gewünscht

und bin rausgesprungen. Die Russen waren schon rechts und links von mir. Dann hab ich in den Reihen der Russen einen Sturmangriff auf unsere Linie zu gemacht. Das war die einzige Möglichkeit, sich zu retten, wenn einen die Russen überrannt hatten. Man mußte nur sehen, daß man nicht so nah an einen Russen rangekommen ist, sonst hätten die einen entdeckt. Mit den Tarnanzügen war das kein Problem; viele Russen hatten ja unsere Anzüge an, die sie den unsrigen abgenommen hatten. Natürlich mußte man sich mit hinlegen und schießen, damit niemand etwas gemerkt hat. Die sind auch immer wieder in Stellung gegangen. Ich hab alles nachgemacht – rein ins Loch. Waren ja lauter Bombentrichter da, eingraben brauchte sich da keiner mehr. Und dann Sprung auf, marsch, marsch, bis ich wieder einen von uns getroffen hab.

An Verteidigung war nicht mehr zu denken. Jeder mußte eben sehen, wo er blieb.“

Die sowjetische Winteroffensive 1944/45 löste in Deutschland weitere Verzweiflungsmaßnahmen aus. Offiziere, die in aussichtloser Lage Rückzugsbefehle erteilt hatten, wurden als Landesverräter hingerichtet. Soldaten, die ohne nachweisbaren Grund hinter der Front angetroffen wurden, wurden gehenkt. Menschen, die Zweifel am „Endsieg“ äußerten, wurden mitsamt ihren Familien bestraft, während der Kampf immer sinnloser wurde.

3.
Betty und Hans Prochnow – Eine Familiengeschichte

Hans Prochnow wurde 1908 in Berlin-Charlottenburg geboren. Er war das älteste von neun Kindern. Sein Vater war Maurer von Beruf, seine Mutter ging putzen und machte Heimarbeit. Der großen Familie standen nur eine Stube und eine Küche zur Verfügung. Neben der Schule mußte Hans in einer Schuhfabrik für ein paar Pfennige Stundenlohn arbeiten, um seine Familie zu unterstützen. Nach Abschluß der Schule machte er eine Maurerlehre.

Im Frühjahr 1930 lernte Hans Prochnow bei einem Laubenpieperfest seine spätere Frau Betty kennen. Die Beziehung der beiden wurde enger, und sie beschlossen zu heiraten. Während Betty eine Lehre als Verkäuferin bei Tietz, einem großen Kaufhaus, machte, zog Hans Prochnow als Maurergeselle durch Deutschland. Nach seiner Rückkehr hatte Betty gerade ihre Lehre abgeschlossen. Die beiden verlobten sich, und 1934 feierten sie Hochzeit.

Frau Prochnow kam aus einem Elternhaus, in dem sie sich sehr wohl fühlte. Sie hatte eine intensive Beziehung zu ihren Eltern. Der Vater, von Beruf Eisenbahner, war ein stiller Mann. Die Mutter dominierte die Familie und wirtschaftete geschickt und sparsam mit dem kärglichen Haushaltsbudget von 45 Mark. Damit mußten im Monat fünf Personen – die Eltern, zwei Brüder und Betty – auskommen.

Herr Prochnow war von dem intakten Familienleben seiner Frau sehr angetan, denn er selbst hatte eine schwierige Kindheit hinter sich. Nach dem Tod seiner Mutter war die Familie auseinandergefallen, worunter Herr Prochnow sehr gelitten hatte.

Nach ihrer Heirat konnten Betty und Hans Prochnow keine Wohnung finden. Deshalb zogen sie zu Bettys Eltern, in deren Dreizimmerwohnung auch schon Bettys Bruder mit seiner Frau und zwei Kindern untergekommen war. Die ersten Ehejahre waren besonders für Frau Prochnow schwierig:

„Kurz nach der Hochzeit hab ich dann ein Kind bekommen, das ist aber nach wenigen Wochen gestorben. Zuerst war ich sehr traurig und verzweifelt. Aber nach einiger Zeit hab ich mich aufgerafft und mir gesagt, ‚so, jetzt hörst du auf, traurig zu sein und versuchst auch mal, etwas vom Leben zu haben‘. 1937 haben wir dann eine Zweizimmerwohnung eine Treppe tiefer im selben Haus bekommen. Dafür mußten wir Möbel anschaffen, und da war das Geld knapp. Mein Mann hatte ja die Sache mit dem Ehestandsdarlehen, das es bei Hitler gab, abgelehnt, also mußte ich mitarbeiten. Ich bin dann wieder als Verkäuferin gegangen. Hans war ja als Maurer saisonbedingt im Winter arbeitslos. Von daher hatte er keinen so guten Lohn. Trotzdem haben wir ganz gut gelebt. Er hat uns eine Laube ausgebaut, und es war klar, daß wir was Eigenes bauen würden. Aber da hat uns dann der Krieg einen dicken Strich durch die Rechnung gemacht.“

Zu Kriegsbeginn 1939 wurde Herr Prochnow zunächst nicht eingezogen. Insgeheim hoffte er, daß es dabei bleiben würde. Seit seiner Jugend war er gegen die Nationalsozialisten und gegen Krieg gewesen. Sein Vater war Kommunist und hatte seinen Sohn in den Kommunistischen Jugendverband geschickt. Hans war dort nicht mit allem einverstanden; besonders die Schießübungen hatte er abgelehnt, weil er gegen jede Art von Militarismus war. Seine Abneigung gegen den Nationalsozialismus war sehr stark. Er beteiligte sich an einigen Auseinandersetzungen und Schlägereien zwischen SA- und SS-Gruppen sowie Kommunisten und Sozialisten. 1940 aber wurde Herr Prochnow dann doch gemustert und eingezogen.

„Am 6. Mai 1940 wurde ich gemustert, obwohl ich schon 32 Jahre alt war. Und mit meiner Körpergröße von 1,56 m

Abbildung 14: Die Jungvermählten

hab ich gedacht, ich komme nie ran. Bin so klein, daß sie mich übersehen werden. Aber man hat mich gebraucht. Und zwar sollte ich aufgrund meines Berufs Pionier werden. Das hat sich aber zerschlagen, weil ich eine Verletzung an der Wirbelsäule hatte. Dann mußte ich eine Schreibprobe machen und bin dann in das Nachrichtenwesen gekommen. Aber erst mußte ich ja die Rekrutenzeit mitmachen. Ich als 32-jähriger zwischen all den 18-jährigen, da haben sie mich ganz schön geschunden. Ich hab deswegen oft die Fäuste geballt vor Wut, in der Tasche. Aber man wurde da eben zum Gehorsam gebracht. Ja, jeden Befehl rücksichtslos ausführen, darum ging's."

1940, nach der Einberufung ihres Mannes, fühlte sich Frau Prochnow allein und hielt sich überwiegend in der Wohnung ihrer Eltern auf. Während der Rekrutenzeit ihres Mannes in der Nähe von Berlin konnte sie ihn einige Male besuchen. Aber als Frau Prochnow im April 1941 Zwillinge zur Welt brachte, war ihr Mann in Frankreich eingesetzt. Sie hoffte sehr, daß er wenigstens zur Geburt kurz nach Hause kommen könnte:

„Der Kommandeur hat meinem Mann keinen Urlaub gegeben. Da war er natürlich betrübt und ist wieder abgezogen. Er traf seinen ehemaligen Leutnant, bei dem er Bursche gewesen war, und der hat ihn dienstlich nach Berlin geschickt. Er kam mich also kurz im Krankenhaus besuchen und hat die Kinder hinter der Scheibe gesehen. Dann war er wieder weg. Ich war todtraurig, hatte dann aber auch rund um die Uhr alle Hände voll zu tun und keine Zeit zum Nachdenken. Meine Mutter und auch mein Vater haben mir sehr viel geholfen. Die Zwillinge waren ein Pärchen, die sahen aus wie Puppen, aber die haben viel Arbeit gemacht. Alle paar Stunden mußten beide gefüttert werden, auch nachts, das war anstrengend. Das Mädel ist dann drei Monate später gestorben. Mein Mann hat es nur einmal gesehen. Ich habe ihm im Juli Fotos geschickt, die hat er gerade gekriegt, als das Mädel tot war. Wie die Kleine gestorben war, war ich so verbittert, weil ich doch immer so gern ein Mädel haben wollte. Meine Mutter hat dann auch gleich den Zwillingskinderwagen weggegeben.“

Nach dem Tod ihrer Tochter wurde Frau Prochnow wieder erwerbstätig, während ihre Mutter den kleinen Sohn versorgte. Der Alltag in Berlin wurde während des Kriegs zunehmend beschwerlicher. Durch die verstärkten Luftangriffe mußten die Prochnows viele Nächte im Luftschutzkeller verbringen.

Herr Prochnow erfuhr vom Tod seines Kindes, als er schon in Rußland war. Nach dem Frankreichfeldzug war er im Juni 1941 an die Ostfront versetzt worden.

Abbildung 15: Am 22. 6. 1941 überfällt die deutsche Wehrmacht die Sowjetunion.

„Dann kam ich als Funker in eine Panzerdivision nach Rußland. Von Posen aus ging's gleich weiter nach Rußland. Da ging's quer durch die Kornfelder. Das Korn stand in Flammen. Alles glühte, wir mußten durchfahren. Alles anstecken und immer weiter geradeaus. Vor jedem Ort wurde haltgemacht, alles dichtgemacht, und alles, was drin war, waren Partisanen, und die wurden dann umgelegt. Wir haben die Leute bei der Ernte überrascht. Die standen völlig ahnungslos da. Wir haben sie überfallen. Die Offiziere haben uns zwar erzählt, die Russen hätten die Deutschen angegriffen, aber wir haben sie überfallen. Die ersten Tage, also, wenn Sie sowas noch nie gemacht haben, mir ist der Hintern gegangen. Tatsache! Und dann sind viele gefallen, neben dir, und du hast zugesehen. Und raus aus dem Panzer in die Büsche geschlagen. Dann kamen die ersten Fliegerangriffe. Als wir die in der Luft brausen gehört haben, sind wir nervös geworden vor Angst. Aber das wurde dann zur Gewohnheitssache. Da hat man bloß noch ruhig geguckt: Ach, wenn er jetzt ausklinkt, dann trifft es uns nicht. Dann habe

ich meinen Kameraden verloren, bei einem Luftangriff. Also, da kam der Tiefflieger, wir beide raus aus dem Panzer, ich bin dem Flieger entgegengelaufen, und er ist praktisch mit dem Flieger in ein Haus gelaufen. Das wurde von einer Bombe getroffen. Wie ich hinkam, lag er da unter einem Balken, Stahlhelm zerdrückt, tot.

Ich hatte dann nur spärliche Nachricht von meiner Frau. Ich war ja fleißig am Schreiben, aber umgekehrt war es sehr schlecht, Nachricht zu bekommen, weil dauernd die Feldpostnummern geändert wurden. Und dann hing man in der Luft. Was macht die Familie? Kommste zurück, kommste nich zurück, wie wird es sein? Und immer wieder die Durchhalteparolen: Wir schaffen es, wir schaffen es, wir werden die schon in die Knie zwingen! Aber erst mal hat mich der Frost in die Knie gezwungen. Denn die Kälte, das war das Schlimmste. Das war der strengste Winter, den ich je erlebt habe. Ich hab mir von einem Russen für ne Schachtel Feuersteine Filzstiefel machen lassen, damit ich keine Frostbeine kriegte. Wir hatten 40 bis 45 Grad minus. Die Butter, die Wurst, die gesamte Verpflegung war gefroren, und wir mußten alles mit dem Beil zerhacken. Die Stückchen haben wir uns in den Mund gelegt und auftauchen lassen.

Ich hatte ja schon immer was an der Wirbelsäule, und durch die Kälte wurde das immer schlimmer und schlimmer. Ich konnte mich dann nicht mehr bewegen und wurde nach Hause geschickt. Erst bekam ich aber noch einen Orden, den Gefrierfleischorden, weil ich die Kälte überstanden hatte.

An der Heimatfront wurde ich dann nach Bamberg versetzt. Und da ich eine 1a-Handschrift habe, wurde ich Schreiber. Also wirklich, das Funken und Schreiben, das ging mir gut von der Hand, und das hat mir beim Kommiß viel geholfen. Ich wurde einmal eingesetzt bei einem Kriegszahnarzt als Schreiber und mußte die Patienten einteilen. Wenn man das geschickt gemacht hat, damit die auch mal zwischendurch raus konnten, hat man gleich was in die ‚hohle Hand' gekriegt. Später war ich ne ganze Weile Rechnungsführer und hatte mit den Marken zu tun. Da hat man ganz schön Brotmarken beiseite tun können. Einer hat den anderen gedeckt, da kam nichts an die Öffentlichkeit.

Außerdem hatten wir uns ein Ding ausgedacht, um Urlaub zu kriegen. Man hatte ein Soldbuch, da haben wir in die Mittelseite so geschickt noch eine Seite angebracht, daß man sie rausnehmen konnte. Und wenn dann der Urlaubsstempel raufkam, haben wir die Seite rausgenommen und bei der nächsten Kompanie haben wir dann gesagt, daß wir noch keinen Urlaub hatten. Also, das war ne ganz schlimme Sache. Aber ich habe Glück gehabt, man hat mich nicht dabei ertappt."

In den zwei Kriegsjahren, in denen Herr Prochnow nicht an der Front, sondern Schreiber in der Etappe war, konnte sich das Ehepaar zumindest ab und zu sehen. Gelegentlich besuchte Herr Prochnow seine Frau im Sudetenland, wohin sie nach der Zerstörung ihres Hauses 1943 evakuiert worden war. Auch ihre Eltern und ihre Schwägerin, die in demselben Haus gewohnt hatten, waren dorthin nachgekommen. Bei diesen kurzen Besuchen lernte Herr Prochnow seinen kleinen Sohn Detlef ein wenig kennen und konnte sich ein bißchen um ihn kümmern. Kurz vor Kriegsende wurde Herr Prochnow aus der Etappe wieder an die Front, diesmal nach Italien, versetzt. Obwohl sich die Übermacht der Amerikaner bereits deutlich abzeichnete, wurden nochmals alle verfügbaren Männer in den sinnlosen Kampf geschickt.

„Die haben uns vorposaunt, wir schaffen es noch, wir schaffen es noch. Dabei wußten doch alle, daß es das Ende war. Die Amis haben da einen Bombenteppich hingelegt, da war nichts mehr übrig. Da hat sich bei uns alles aufgelöst in Gruppen und Grüppchen. Die Herren da, die Silberbestickten, die waren die ersten, die in ihren Autos abgehauen sind und das Geld, die Kompaniekasse, mitgenommen haben. Und wir standen da, die Knarre in der Hand, mit dem Bündel. So. Aus. Und nun wohin? Wir haben uns zusammengerottet und sind losmarschiert. Wir hatten noch einen Panzer und ein Kraftfahrzeug. Auf der Straße nach Livorno sind wir angegriffen worden von den Amis. Ab da war dann

jeder für sich. Ich bin durch ein Feld gelaufen und bin entkommen, immer noch die Knarre in der Hand und meine Decke und weiter nichts. Dann bin ich zusammen mit einem Kameraden gelaufen und gelaufen – bis hin zum Po. Da hab ich nur noch die zerstörten Brücken und die toten Landser vorbeischwimmen gesehen. Alle Brücken waren unter Wasser gelegt. Da war kein Rüberkommen über den Po. Die, die es versucht haben, sind abgeknallt worden wie die Hasen. Da standen wir nun. Und dann mußten wir einen Italiener fragen, wohin. Ein bißchen Italienisch konnte man ja schon. Und der hat dann gesagt, wo es zum nächsten Ort geht und daß da schon deutsche Gefangene sind. Da sind wir dann hingelaufen und haben abgewartet, bis der Ami kam. Nun war der Krieg zu Ende.“

Nach seiner Gefangennahme wurde Herr Prochnow in eines der zahlreichen Sammellager zwischen Livorno und Pisa gebracht. Die Behandlung der Gefangenen war verhältnismäßig geordnet. Sie wurden nach Dienstgraden getrennt untergebracht. Den Offizieren wurden lagerinterne Führungsaufgaben überlassen, auch sonst hatten sie gegenüber den niedrigen Dienstgraden Privilegien.

„Wir waren in Zelten untergebracht. Jeder hatte zwei Decken, und alle zwei Tage konnten wir duschen. Auch die Versorgung mit Trinkwasser war ausreichend, und pro Tag gab es drei Mahlzeiten. Wir haben uns da wohlgefühlt, bis der Deutsche die Verpflegung in die Hand kriegte. Die haben alles einbehalten und nur noch die Suppe verteilt.

Ich hab im Krieg den Russen kennengelernt. Also, man mag ihn verdammen und so weiter. Aber die waren sich einig. Ob das Höhergestellte waren oder die Kleinen, Offiziere oder Landser, die haben in Gefangenschaft alles geteilt. Bei uns war das ganz anders. Wenn da einer ein bißchen Silber hatte, der kam woanders hin, der konnte sich was Besseres aussuchen. Um uns haben die sich nicht gekümmert. Da hat man dann die Ungerechtigkeit gesehen.

Ich hatte keinen Kontakt zur Familie und wußte überhaupt nicht, was los war. Aber einen Koller hab ich nicht

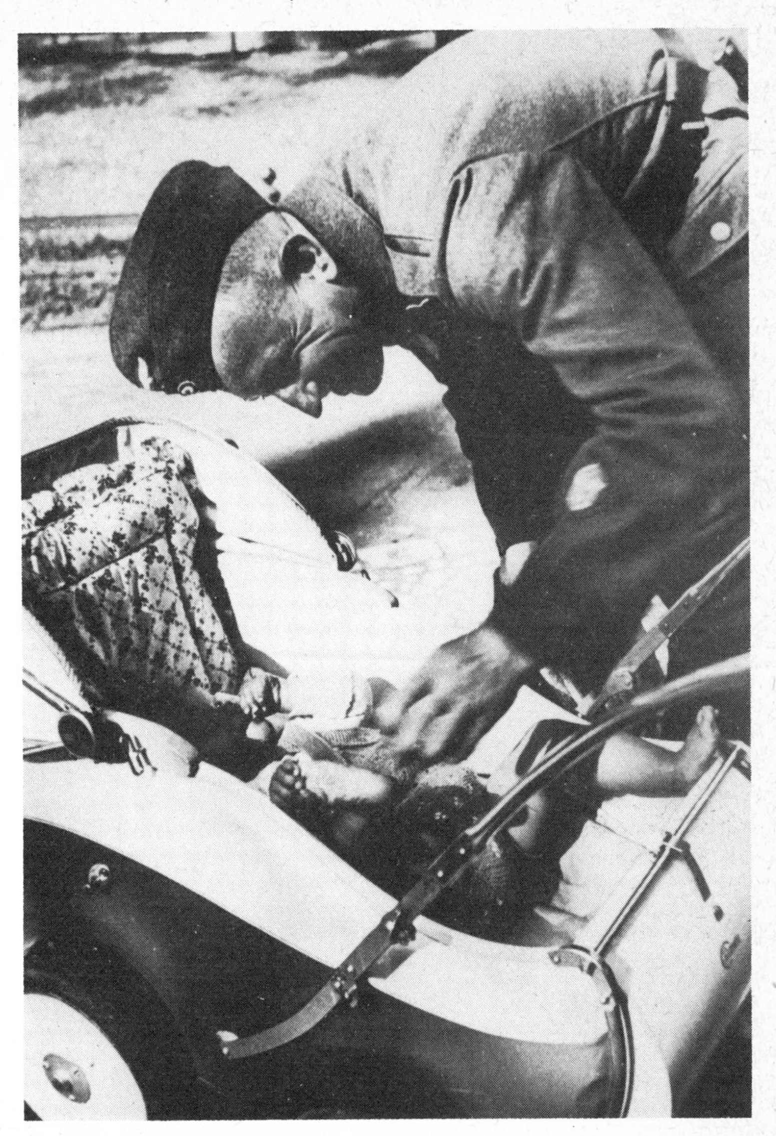

Abbildung 16: Viele Männer sehen ihre Kinder zum ersten Mal auf Fronturlaub.

Abbildung 17: „Immer wieder hab' ich in der Gefangenschaft dieses Photo betrachtet. Es war das einzige, was mich aufrecht erhielt – die Hoffnung, meine Familie wiederzusehen."

gekriegt wie manche andere. Die haben das nicht ausgehalten. Die haben sich umgebracht, weil sie dachten, da kommen sie nicht mehr raus. Ich habe mich freiwillig zum Arbeitseinsatz gemeldet, weil man von dem Rumliegen und Dösen auch nur einen Koller gekriegt hat. Ich hab dann in der Zeltstadt von den Amerikanern aufgeräumt. Und nebenbei haben wir die Abfallkörbe kontrolliert. Kinder, was die weggeschmissen haben!"

Seit Januar 1945 erging es Frau Prochnow und ihren Angehörigen immer schlechter. Sie mußten ihren Zufluchtsort in der Evakuierung verlassen, weil sich die Rote Armee im Anmarsch befand. Sie sollten nach Prag ausweichen, was sie aber ablehnten. Statt dessen machten sie sich auf den beschwerlichen Weg zurück nach Berlin. Ende Januar kamen sie in die völlig zerstörte Stadt:

„Aber wir waren wenigstens zu Hause. Es sah alles grauenhaft aus. Wir mußten die Fenster verpappen und den

Schutt aus der Wohnung räumen. Also, es war ne große Anstrengung für uns gewesen. Dann haben wir jeden Abend im Keller gesessen, und manchmal auch tagsüber. Der Junge, der hat dann immer Spaß gemacht im Keller, und alle haben sich gefreut und waren ein bißchen abgelenkt. Dann war es so weit, daß der Russe in den Keller reingekommen ist. Verschiedene Frauen wurden rausgeholt. Ich hab mich im Kinderbett hinter meinem Jungen versteckt und hatte Glück. Ich brauchte nicht raus. Nach Tagen sind wir erst aus dem Keller raus. Unsere Wohnung war geplündert worden, alles lag am Boden und war kaputt. Die hatten gehaust wie die Wandalen. Da mußten wir zuerst einmal aufräumen und den Dreck und Schutt beiseite schaufeln, damit wir in der Wohnung überhaupt kampieren konnten. Anfangs gab es weder Kanalisation noch Wasser, und wir mußten zur Pumpe laufen. Die ersten Tage und Wochen nach Kriegsende gab es auch keine Lebensmittelversorgung mehr. Jeder mußte sehen, wie er etwas ranorganisierte. Einmal sagte eine Nachbarin zu mir: ‚Frau Prochnow, da hinten wird ein Pferd geschlachtet. Gehen wir gucken?‘ Da haben wir beide eine Wanne gepackt und das Brotmesser und sind losgezogen. Als wir hinkamen, waren schon mehrere Frauen aus unserem Haus dabei, daran herumzusäbeln. Wir haben auch ein Stück erbeutet. Daraus haben wir dann Buletten gemacht. Und dann gab es auch mal wieder Rouladen und Sauerbraten. So was hatten wir ja lange nicht mehr gehabt!

Allmählich wurde das Leben dann wieder normaler. Es wurden dann auch wieder Lebensmittelkarten eingeführt, und man konnte ein bißchen etwas kaufen. Meine Eltern und ich bekamen die Fünferkarte, ‚Hungerkarte‘ hieß die damals. Davon konnten wir kaum existieren, und wir mußten uns überlegen, wie wir uns am besten durchkriegen konnten. Meine Mutter und ich, wir konnten sehr gut stricken. Wir haben uns bei einer Wollfirma in Ost-Berlin als Strickerinnen beworben. Das hat auch geklappt. Für die Wollfirma haben wir dann die nächsten vier Jahre gestrickt. Tag und Nacht. Jede mußte pro Woche einen Pullover oder eine Weste im Norwegermuster fertig bringen. Das waren im Monat vier, und dafür kriegte man 120 Mark. Aber was kriegte man für 60 Mark? Entweder ein Brot oder einen Sack Kartoffeln. Mehr hat man dafür nicht gekriegt. Bei dem geringen Verdienst mußten wir auch hamstern gehen. Das war klar, wir mußten doch anschaffen. Das eine Mal sind wir drei Tage nach braunem Zucker unterwegs gewesen. Auf offenen Waggons mußten wir fahren, und nachts war es bitterkalt. Unterwegs haben wir natürlich immer gestrickt, weil wir ja die Pullover auch fertigkriegen mußten. Und während wir weg waren, hat Vater auf meinen kleinen Sohn aufgepaßt und versucht, hier etwas zu organisieren. Zum Beispiel brauchten wir Holz für den Winter. Da ist Vater dann losgezogen und hat Bretter aus den Ruinen geholt und Reisig gesammelt. Wir drei – meine Eltern und ich – haben eben versucht, zusammenzuhelfen, jeder so gut er konnte.

Aber auch im Haus haben die Parteien versucht zusammenzuhalten. Wenn einer etwas zu essen organisiert hatte, hat er den anderen etwas abgegeben. Wenn einer hamstern gefahren ist, dann haben wir anderen auch zu essen gehabt. Nudeln, wenn einer Nudeln brachte, haben wir Nudeln gekocht, paar Kartoffeln rein und eine Zwiebel angebraten. Also das war köstlich! Das gab es drei-, viermal in der Woche. Oder ein junger Mann im Haus, der hatte denn mal Kohlköpfe, Weißkohl. Da gab es dann einfach süße Suppe, Bratkartoffeln und Kohlsalat. Am andern Tag gab es Kohlsalat, süße Suppe, Bratkartoffeln. Da haben mindestens vier, fünf Parteien im Haus dasselbe gehabt. Man hat abgegeben, weil man gewußt hat, wenn man nichts mehr hat, geben die auch.“

Frau Prochnow und ihre Eltern versuchten gemeinsam durch verschiedene Aktivitäten, für ihren Lebensunterhalt zu sorgen. Dies ermöglichte es ihnen, die ersten Nachkriegsmonate einigermaßen zu überstehen. Die nachbarschaftliche Hilfe kam als zusätzlicher Unterstützungfaktor hinzu.

Ende 1945 wurde Frau Prochnows kleiner Sohn krank. Für kleine Kinder war der Mangel der ersten Nachkriegsmonate kaum auszuhalten.

1/2 liter of milk = 30 Mark on Black market

„Mein kleiner Detlef war 1945 dann drei Jahre alt. Und eines Tages hatte er Hilusdrüsen-Tbc. Das kam durch die Mangelerscheinungen, vom schlechten Essen. Aber ich wollte das Kind doch unbedingt groß kriegen. Da hab ich dann angefangen, für ihn auf dem Schwarzmarkt zusätzlich Milch zu kaufen. Der halbe Liter kostete damals 30 Mark. Das war viel Geld, das wir eigentlich anderweitig gebraucht hätten. Da mußte ich meine Bemühungen mit dem Hamstern dann dementsprechend verstärken. Meine Mutter ist dann mehr zu Hause geblieben, hat Detlef gepflegt und hat gestrickt. Denn wir mußten ja trotzdem unsere Norm halten. Und ich bin häufiger hamstern gefahren und hab das, was ich bei den Bauern bekommen habe, auf dem Schwarzmarkt gegen Milch getauscht."

Ende 1945 wurde Herr Prochnow aus der Gefangenschaft entlassen. Da er wußte, daß es weitaus schwieriger sein würde, nach Berlin entlassen zu werden, gab er als Heimatstadt Bamberg an. Dort konnte Herr Prochnow wieder bei der Familie unterkommen, mit der er während seiner Stationierung als Soldat schon engen Kontakt gehabt hatte. Es war jedoch schwierig, von Bamberg aus nach Berlin zu kommen. Ohne Entlassungspapiere nach Berlin war es kaum möglich, diesen sowjetisch besetzten Teil Deutschlands zu überwinden. Herr Prochnow beschloß deshalb, erst einmal zu bleiben und eine Gelegenheit auszukundschaften, auf illegalen Wegen über die Sektorengrenzen zu kommen:

„Dann bin ich dort erst mal in einem Materiallager arbeiten gegangen. Dort habe ich die Waren sortiert. Ich bin da halbnackt hingegangen und mit Pullover angezogen wieder raus. Das hab ich verscheuert. Ich konnte auch an Seifenpulver rankommen, was auch sehr gut zum Tauschen war. Oder ich hab Benzin in harmlose Behälter umgefüllt und irgendwie rausgeschafft. Na ja, man hat sich so durchgeschlagen!"

Mitte 1946 fand Herr Prochnow zusammen mit einem Freund einen Weg über die Grenzen und landete nach langen Fußmärschen und beschwerlichen Bahnfahrten im Oktober 1946 in Berlin-Lichterfelde. Das Wiedersehen mit der Familie erschütterte ihn sehr. Sein Sohn erkannte ihn nicht, nannte ihn „Onkel“ und fürchtete sich vor ihm. Frau Prochnow war abgemagert, die Schwiegereltern sahen krank und elend aus.

„Eines Tages stand mein Mann vor der Tür. Detlef hat ihn nicht erkannt, obwohl ich ihm immer wieder ein Bild gezeigt habe. Der hat ‚Onkel‘ zu ihm gesagt. Das war natürlich ein Schock für meinen Mann. Und dann wurd's natürlich etwas eng in der Wohnung, denn wir wohnten jetzt mit meinen Eltern, meiner Schwägerin und den Kindern in ner Zweizimmerwohnung. Die fanden dann aber eine eigene Wohnung. Mein Mann hat sich verändert gehabt, es war schwierig für ihn. In Bamberg hat er gelebt wie die Made im Speck, und dann das hier ...

Da gab es Kabbeleien. Aber ich habe meistens meinen Eltern beigestanden. Das hat ihn geärgert, auch weil wir nie allein sein konnten. Meine Eltern waren immer dabei. Ich war froh, daß die Eltern bei mir waren. Mir wäre auch später überhaupt nicht in den Kopf gekommen, sie in ein Altenheim zu geben, weil wir wirklich glücklich zusammengelebt haben. Mein Gott, es kommt überall mal was vor, aber mein Vater war so friedlich gewesen, der hat immer gesagt, bloß kein Ärger, immer gemütlich.“

Herrn Prochnows Rückkehr stellte die Familie vor neue Probleme. Seine Integration in die Familie führte zu Reibereien und Konflikten. Für Frau Prochnow war das gute Einvernehmen mit ihren Eltern während des Kriegs und in der unmittelbaren Nachkriegszeit ein wichtiger Rückhalt gewesen, was sich auch nach der Rückkehr des Mannes nicht veränderte. Besonders die Unterstützung durch die Mutter war ihr wichtig, da sie ihr viel Arbeit mit dem Kind abnahm und den Haushalt für die gesamte Familie führte. Herr Prochnow mußte sich in dieses eng mit den Eltern verknüpfte Familienleben hineinfinden, was ihm nicht immer leichtfiel. Frau Prochnow versuchte, zu vermitteln und es ihrem

Much work done for barter - Some people knew how to get things - we didn't, many cheated - we didn't -

Mann und den Eltern recht zu machen. Dies kostete viel Kraft und bescherte ihr ein chronisches Gallenleiden. Ganz besonders schmerzlich war es für Herrn Prochnow, daß er zu seinem Sohn lange keinen Kontakt fand:

„Das war nicht einfach. Ich hab viel zurückgesteckt bei meiner Frau und mit dem Kind. Die Erziehung lag in den Händen der Großmutter. Es war nicht möglich, näher an den Jungen ranzukommen. Der war so ängstlich, und ich hab sein Aufwachsen auch gar nicht mitgemacht. Also, das blieb mir fremd. Wir sind erst mehr oder weniger zusammengekommen, als er älter wurde und er auch mit Fußballspielen anfing.

Mit meiner Frau war's auch nicht einfach. Die war so mitgenommen von den ganzen Sorgen; sie wog bloß noch 90 Pfund. Ja, aber man hat sich dann wieder zusammengerauft. Die Initiative hat sie meist mir überlassen, und ich hab ihr keine Vorschriften gemacht. So ging's dann wieder einigermaßen."

Herr Prochnow fand sofort wieder Arbeit als Maurer. Der Arbeitsmarkt war für ihn sehr günstig, da alle Handwerks- und vor allem Bauberufe für den Wiederaufbau der Stadt gefragt waren. Er bekam eine feste Stelle und renovierte abends und an Wochenenden gegen Naturallohn Wohnungen. Das war mindestens ebenso lukrativ wie sein Verdienst, den er durch seine reguläre Stelle hatte:

„Eine Decke ausbessern brachte ein Pfund Schmalz. Als Maurer stand man ganz gut da in dieser Trümmerlandschaft. Und die Verbindungen auf dem Bau, die man so hatte, waren Gold wert. Man konnte ja dieses und jenes mitbringen, was andere nicht hatten: Material vor allen Dingen, ein Fenster, einen Türstock, einen Balken. Ich hab dann angefangen, mir auch ne Laube aufzubauen. Das Material hab ich zusammengeschleppt aus den Ruinen. Ich hatte so 'n Radanhänger und hab dann immer so 30 Steine nach und nach rausgefahren. Ich hab alles zusammengemopst. Und dann hatte ich ja noch das große Glück, hier in der

Hardenbergstraße in so ner halbzerbombten Villa an Sachen ranzukommen. Wir renovierten da die Wohnräume, und unten im Keller lagerte einer seine Sachen vom Schwarzmarkt. Also, der ist im großen Stil mit Lkw rausgefahren und hat Kartoffeln geholt und Steckrübensaft und hat die im Keller gelagert. Ich hab spitzgekriegt, wo er abends den Schlüssel hinlegt. Ich bin dann, wenn's dunkel war, über den Zaun, das Rad natürlich mit rüber, daß es keiner sieht, und dann hab ich immer einen Karton voll Kartoffeln gemacht, alles wieder über den Zaun und ab. Das hab ich beinah zweimal in der Woche gemacht. Da brauchte meine Frau nun nicht mehr hamstern fahren. Da sind wir ganz gut ausgekommen damit, Hunger brauchten wir nicht leiden."

Die Währungsreform beschrieb Herr Prochnow als einen wesentlichen Schritt hin zu normalen Verhältnissen. Das Geld war nun wieder etwas wert, man konnte sich vom Lohn etwas kaufen, und das Warenangebot war wieder ausreichend. Für Frau Prochnow und ihre Mutter war die Währungsreform eher von Nachteil. Da beide für eine Ostberliner Firma arbeiteten, bekamen sie ihren Lohn halb in Ost- und halb in Westmark ausgezahlt. Bei einem Wechselkurs von 1 Westmark = 7–8 Ostmark war ihr Lohn nun wesentlich weniger wert. Da sich das Stricken nun gar nicht mehr lohnte, hörten sie auf, für die Firma zu arbeiten.

Frau Prochnow fand eine Stelle als Aushilfsverkäuferin in einem Trikotagengeschäft und wurde 1951 fest angestellt. Ihre Mutter übernahm nun ganz die Erziehung des Kindes und kümmerte sich um den Haushalt.

„Die Mama hat alles gemacht, gekocht und alles aufgeteilt und gewaschen. Wir waren ja zeitweise neun Personen, wie mein Bruder und die Schwägerin noch da lebten. Sie hat das aufgeteilt, soundsoviel mußte man zahlen. Wir sind prima ausgekommen. Ich hab nie für uns allein gekocht. Denn wenn ich abends kam, war ich müde und kaputt gewesen. Wir hatten ja bis sieben Uhr abends auf und eben auch sonnabends bis zwei. Da war der Sonntag der einzige Tag, den man hatte, und da mußte man alles nachholen, was in

der Woche liegengeblieben ist. Mein Mann, der ist Fußball spielen gegangen. Die Wäsche hat auch die Mutter gewaschen. Da ging sie nach gegenüber, das war ne Ruine, da hatte sie ihren Waschkessel, den hat sie mit Holz aus der Ruine angeheizt, und dort hängte sie auch die Wäsche auf.

1955 hatte Mutter einen Schlaganfall, und dann haben wir sie monatelang gepflegt, bis sie dann ganz friedlich starb. Von da an war's natürlich schwer mit meinem Vater. Der konnte das gar nicht fassen, daß er nun alleine war. Wir haben gedacht, es wird ihm guttun, ein anderes Bild zu kriegen, und räumten das Zimmer um. Wir haben das Zimmer als Wohnzimmer umgeräumt, haben meinen Vater bei uns schlafen lassen. Das ging fünf Jahre so. Für mich war das sehr schwer mit den drei Männern, die ich nun versorgen mußte. Meinem Mann war das nicht so recht mit meinem Vater, wir mußten ja auf alles verzichten. Wir konnten nicht in Urlaub fahren, solange mein Vater noch lebte. 1960 starb er dann.“

1961 mußte dann Herr Prochnow wegen seines Wirbelsäulenschadens, der sich weiter verschlimmert hatte, aufhören, als Maurer zu arbeiten. Dies bedeutete einen finanziellen Rückschlag für die Familie, die gerade angefangen hatte, sich von den Not- und Mangeljahren der Nachkriegszeit zu erholen. Der Traum von den eigenen vier Wänden war nun endgültig ausgeträumt. Herrn Prochnow gelang es zwar wieder, eine Stelle zu finden, die er gesundheitlich verkraften konnte, aber es war doch ein beruflicher Abstieg für ihn. Trotzdem ist Herr Prochnow zufrieden:

„Man muß ja nicht alles haben. Ein Auto haben wir nicht, muß nicht sein. Die Hauptsache, man ist gesund. Mit dem, was ich habe, bin ich zufrieden. Wenngleich ich es in meinem Beruf zu etwas Eigenem hätte bringen können. Wenn dieser Scheißkrieg nicht gekommen wäre, hätte es auch geklappt. Aber das hat einen so zurückgeworfen. Und da fragt man sich eben, für was so 'n Krieg sein muß. Ja! Der Krieg hat mich geläutert, nee, Krieg muß nicht sein, das muß nicht sein.“

Diese pazifistische Haltung, die Herr Prochnow schon in der Vorkriegszeit hatte, war durch die Kriegserfahrungen noch verstärkt worden. Mit Politik wollte er aktiv allerdings nichts mehr zu tun haben. Den real existierenden Sozialismus und Kommunismus in der DDR und in der Sowjetunion beurteilt er sehr kritisch.

Als Herr und Frau Prochnow Rentner wurden, fanden sie das Leben auf ganz neue Weise interessant. Nach entbehrungsreichen Jahren und langsamer finanzieller Besserstellung fuhren sie nun die ersten Male in Urlaub. Nach kürzeren Busreisen in den Frankenwald erklärten sie Mallorca zu ihrem Lieblingsziel. Dort feierten sie auch ihre goldene Hochzeit.

Auch zu Hause versuchen sie, ihren Lebensabend zu genießen. Mittlerweile hat ihr Sohn, der längst verheiratet ist, eine kleine Tochter, die für die Großeltern zu einem wichtigen Lebensinhalt geworden ist. Herr und Frau Prochnow kümmern sich so viel wie möglich um das Enkelkind. Herr Prochnow kann jetzt erst nachholen, was er während des Kriegs und der Gefangenschaft versäumt hat: mitzuerleben, wie ein Kind aufwächst.

4.
„Wir wußten lange nichts voneinander" – Familienalltag zwischen Trümmern

Je näher das Ende des Kriegs rückte, desto mehr Familien wurden auseinandergerissen und über ganz Europa verstreut. Frauen und Kinder waren weitgehend auf sich selbst gestellt und wußten meist nicht, ob die Männer und Väter noch lebten und wo sie sich aufhielten.

Viele Frauen waren bei Kriegsende auf der Flucht vor den feindlichen Soldaten, manche konnten ihre Evakuierungsorte gar nicht mehr verlassen. Abhängig davon, wo die Frauen sich jeweils befanden, erlebten sie die Einnahme ihres Aufenthaltsorts durch fremde Truppen bereits Wochen und Monate vor der offiziellen Kapitulation am 8. Mai 1945. Je verbissener die einzelnen Städte von Soldaten und Volkssturm verteidigt wurden, desto furchtbarer sind die Erinnerungen der Frauen. Viele Frauen berichteten, daß sie Männer an der sinnlosen Verteidigung hindern wollten, da diese damit nur die wehrlose Bevölkerung über Gebühr lange gefährdeten.

Frieda Maaß (Jahrgang 1906), Hausfrau, Heirat 1928 mit Gerd Maaß (Jahrgang 1892), Schrotthändler, mit dem sie zwei Kinder hatte:

„Dieses fürchterliche Dauergrollen kam immer näher. Wir mußten alle in den Keller. Da saßen wir dann und haben auf das Ende gewartet. Das war auch kein Schlafen, sondern wir haben uns auf die Bank gekauert. Nur Kranke und Kinder bekamen eine Pritsche. Die Stimmung war dann am Schluß so schlecht, da mochte einer den anderen nicht mehr. Da wurden dann die Sieger wie Befreier gefeiert, bloß weil endlich alles zu Ende war. Sie kamen dann in den Keller rein und haben Männer gesucht. Wir haben die Kinder auf

dem Schoß gehabt, die haben gezittert vor Angst. Aber dann mußten wir den Keller verlassen, aber ohne Gepäck. Die Ingelore hat aber natürlich ihre Puppe mitgenommen. Da hatten wir ja schon vorher vorsichtshalber unsere Schmuckstücke eingenäht. Das wußte natürlich keiner. Auch das Kind nicht. Die mußte nur immer ihre Puppe mitschleppen."

Für die Frauen, die in Berlin geblieben oder bereits vor Kriegsende zurückgekehrt waren, verlief das Kriegsende besonders schlimm. Am 16. April stand die russische Armee vor der Stadt, und am 24. April wurde der Angriffsbefehl auf die Reichshauptstadt gegeben. Die Straßen im Stadtgebiet Großberlins wurden erbittert umkämpft. Die sinnlose Verteidigung kostete noch viele Männer und Jugendliche das Leben und gefährdete Frauen und Kinder. Es gab für sie oft keine Möglichkeit, den Schutz der Keller zu verlassen. Wasser zu holen oder nach der Wohnung zu sehen, war lebensgefährlich. Zehn Tage dauerten die Kämpfe, bis am 2. Mai die russische Fahne auf dem Reichstag wehte.

Mit der Kapitulation Berlins, die zwar eine Befreiung von unmittelbarer Lebensgefahr durch Bombenangriffe und Kampfhandlungen bedeutete, waren für die Frauen die Gefahren aber noch lange nicht ausgestanden. Nun mußten sie Plünderungen und Vergewaltigungen durch die Sieger ertragen. Junge Mädchen wurden unter Kohlenbergen und auf Hängeböden versteckt. Wegen der Bedrohungen durch die Russen verkleideten sich die Frauen und verschmierten sich das Gesicht, um alt und häßlich auszusehen. Erst nach einigen Wochen beruhigte sich die Lage etwas, und die Gefahren für die Frauen nahmen ab.

Anna Falk (Jahrgang 1914), Hausfrau, war seit 1938 mit Harry Falk verheiratet. 1945 hatte sie zwei Kinder im Alter von einem und vier Jahren und erlebte das Kriegsende in Berlin:

„Es bumste gegen die Kellertür mit Kolbenschlägen. Da waren sie nun, unsere Befreier. Nun gingen die so durch und leuchteten uns mit der Taschenlampe ins Gesicht. Und mei-

ne Schwester hatte ausgerechnet ihre rote Mütze auf. Wir haben gezittert. Zu meiner Schwester haben sie gesagt, ‚gut, gut‘, und haben sie dann auch in Ruhe gelassen.

Ja, und dann haben sie tatsächlich die jungen Frauen rausgeschleppt. Ich bin auch vergewaltigt worden. Ich saß neben meiner Mutter, die wollte mich festhalten. Aber gegen drei Russen kam sie nicht an. Ich hab mich an der Bank festgekrallt, ich hätte sie alle mitgerissen. Aber die paar Männer, die im Bunker waren, haben noch mitgeholfen, daß ich rausgeschleppt wurde. Sie hatten Angst, die Russen lassen den Bunker in die Luft gehen.

Nachts, unter Kugelhagel, neben einer Stalinorgel, sind sie dann über mich hergefallen. Das Recht des Siegers. Unsere Soldaten haben ja dasselbe gemacht in Rußland. Das haben wir dann spüren müssen. Auf allen Vieren bin ich nach Hause gekrochen. Die Kleider waren zerrissen, alles aufgeschunden, alles kaputt. Aber man hat selbst das überstanden.“

Durch die bedingungslose Kapitulation am 8. Mai war der Krieg offiziell beendet. Das Ergebnis der sechsjährigen Kampfhandlungen waren 35 Millionen Verwundete, drei Millionen Vermißte und 55 Millionen Tote. Davon waren 20 bis 30 Millionen Zivilisten, die durch Luftangriffe, Partisanenkämpfe, Massenvernichtung in KZ- und Arbeitslagern, Flucht, Deportation, Vertreibung und Racheakte ums Leben gekommen waren (vgl. Zeittafel).

Auguste Ott (Jahrgang 1910) hatte die Jahre von 1942 bis Anfang 1945 mit ihren beiden Kindern in der Evakuierung verbracht. Sie erlebte das Kriegsende in Berlin:

„Trotz all dem, was wir erleben mußten, war es das glücklichste Gefühl, als ich mich im Mai 1945 wieder auf die Straße traute. Alles lag voller Glassplitter und Trümmer. Aber es war still, kein Schuß, kein Flugzeugdröhnen mehr – nichts. Und ich wußte, es kommt kein Alarm mehr. Jetzt kann ich wieder einmal abends ins Bett gehen und durchschlafen. Ich stand auf der Straße und dachte, mein Gott, ich hab's geschafft, es ist überstanden. Das war ein Gefühl. Es ist unbeschreiblich.“

Die Männer erlebten das Kriegsende und die unmittelbare Nachkriegszeit ganz anders als ihre Frauen. Selbst alte Männer und Jugendliche waren noch zu Volkssturmeinheiten abkommandiert worden und mußten ihre Angehörigen verlassen. Die meisten Soldaten wurden in den letzten Kriegswochen von den Alliierten festgenommen und in Kriegsgefangenenlager gebracht.

Paul Dombrowsky (Jahrgang 1912) war von 1939 an Soldat und geriet in russische Gefangenschaft:

„Ja, auf der Schneekoppe, da war der Krieg am 8. Mai beendet. Als wir das hörten, sind wir runter. Da waren überall Russen. Da mußten wir uns ergeben. Und dann mußten wir marschieren in Richtung Osten. Und es wußte doch keiner, wohin es geht. Was würden wir erleben? Würden wir irgendwann wieder nach Hause kommen? Dann wurden wir in einen Güterzug verladen. Wir sind 32 Tage gefahren, ohne einmal rauszukommen. Manche Tage gab es gar nichts zu essen. Was uns erhalten hat, war die Ration Hartbrot. Und als wir in Nowosibirsk ankamen, waren alle schwach. Wir konnten nicht aussteigen, viele sind rausgefallen. Und dann ging es ins Lager. Zwei Jahre war ich da.

Im Lager waren wir 5000 Mann. Wir waren immer in voller Montur. Ausziehen gab's nicht. Wir schliefen auf Holzgestellen, die waren zwei Meter breit. Darauf mußten sieben Mann schlafen. Also, wenn sich einer umdrehte, mußten sich ja faktisch alle umdrehen. Und als Kopfkissen hatten wir einen Ziegelstein und unsere Fellmützen darauf. Wir mußten bei einer Baufirma schwer arbeiten. Wir sollten Rohre verlegen in dreieinhalb Meter Tiefe. Das Werkzeug war miserabel. Die Spaten waren aus Birkenholzknüppeln, und die Blätter waren nur Stahlblech. Das bog sich hin und her, man konnte kaum damit arbeiten. Wir mußten rackern, um unsere Norm zu erfüllen. Aber das Schlimmste war der Hunger, das war das Allerschlimmste. Wir haben alle im Geiste gekocht und uns von Gerichten erzählt, die wir schon lange nicht mehr gesehen hatten. Ja, das Schlimmste war der Hunger. Und das Zweitschlimmste war die Ungewißheit.

Abbildung 18: Elf Millionen deutscher Soldaten geraten in Gefangenschaft.

Haste noch Eltern, ne Mutter? Lebt deine Frau noch ? Haste noch ne Wohnung? Sind die alle tot? Kommste überhaupt wieder nach Hause?"

Krieg und Gefangenschaft waren für die Männer nur schwer zu verkraften. Vielen sind dabei die Jahre der Gefangenschaft in noch schrecklicherer Erinnerung geblieben als der Krieg selbst. Im Verlauf des Kriegs und bei der Kapitulation waren insgesamt über elf Millionen deutsche Soldaten in Gefangenschaft geraten, davon 7,7 Millionen in westliche und 3,3 Millionen in östliche (vgl. Tab. 5). Die Lebensbedingungen und die Qualität der Unterbringung in den Lagern waren je nach Land und Siegermacht unterschiedlich. Die große Zahl von Kriegsgefangenen, die in den Jahren 1944 und 1945 in die Gefangenenlager strömten, war von den Siegermächten nur durch Improvisation zu bewältigen. Alles war unzureichend. Es gab weder genügend Unterbringungsmöglichkeiten noch Versorgung mit Lebensmitteln und ärztliche Betreuung.

Viele Männer hatten in dieser neuen Situation Orientierungsprobleme. Andere fanden sich in den Lagern schnell zurecht und richteten sich auf die neuen Gegebenheiten ein.

Joachim Schlüter (Jahrgang 1911), seit 1940 mit Meta Schlüter (Jahrgang 1917) verheiratet, war im Saarland als Offizier stationiert:

„Die letzten Tage vor Kriegsende sollten wir noch eine Verteidigungslinie auf den Hügeln bilden. Alle hundert Meter ein MG-Nest mit ein paar Mann. Und schon in der ersten Nacht war klar, daß wir die Linie nie halten können. Da sind wir die Hügel runtergelaufen und wurden von den Amis gefangengenommen. Und dann wurden wir sortiert: Mannschaftsdienstgrad extra und wir Offiziere extra. Wir kamen ins Lager nach Koblenz und dann ins Arbeitslager in Boppard, der Perle am Rhein. Eineinhalb Jahre war ich da. Das war mir schnell klar, daß man sich freiwillig melden mußte zum Arbeiten, weil man dann zumindest ein bißchen Vorteile hatte. Ich hab dann versucht, daß ich möglichst in die Küche kam, das schien mir das Beste.“

In der Gefangenschaft wuchsen die Erwartungen an die Heimat und die Hoffnungen auf Ruhe und Pflege. Viele Männer sehnten sich nach einer aufgeräumten Wohnung, nach Wärme und ein bißchen Geborgenheit. Die Heimkehr war gleichbedeutend mit dem Ende des Schreckens und mit einer Vorstellung von Normalität, die vor vielen Jahren gültig gewesen war. Die meisten Männer konnten sich kein Bild davon machen, unter welchen Bedingungen ihre Familien nun lebten und überlebten.

Anfangs wußten die Frauen nicht, wo sich ihre Männer

aufhielten. Viele hofften, ihre Männer am früheren Wohnort zu finden, oder sie glaubten, daß sie eines Tages dorthin zurückkämen. Deshalb kehrten Berlinerinnen, die das Kriegsende in der Evakuierung erlebten, so schnell wie möglich nach Berlin zurück. Die erste Anlaufstelle in Berlin waren Mütter, Schwestern, Schwägerinnen oder Schwiegereltern. Die Frauen rechneten mit der Unterstützung und Hilfe ihrer Verwandten und Freunde. Sie hofften auf ein Dach über dem Kopf und auf einen Platz, wo sie erst einmal bleiben konnten.

Gertrud Fichte (Jahrgang 1916), verheiratet seit 1937 mit Robert Fichte (Jahrgang 1908), der seit 1940 Soldat war. Frau Fichte war von 1943 bis Mai 1945 mit ihren beiden Kindern evakuiert:

„Ich wollte nicht irgendwo hin. Ich wollte nach Hause. Ich wollte nach Berlin. Ich wollte zu meinen Verwandten. Die hätten mich und meine zwei Kinder ja untergebracht. Ich hab gedacht, wenn ich erst mal da bin, dann wird es schon irgendwie werden. Und als ich in Berlin ankam, haben wir bei meiner Schwiegermutter in der völlig zerbombten Wohnung gehockt: im Korridor, wir hatten einen ganz großen, elf Meter lang. Da haben wir Betten aufgestellt. Wir haben nach Möglichkeit gesehen, daß wir irgendwie durchkamen. Aber wir waren vor allen Dingen glücklich, wieder zusammen zu sein."

Das Familienleben zu organisieren, war in der unmittelbaren Nachkriegszeit ein Kunststück, das es in beschädigten Wohnungen und oft ohne notwendigen Hausrat zu bewerkstelligen galt. Die Familienverbände bestanden aus Frauen, alten Männern und Kindern. Solche „unvollständigen" Familien waren in der unmittelbaren Nachkriegszeit die Regel, weil es meist lange dauerte, bis die Männer aus der Gefangenschaft zu ihren Familien zurückkehren konnten. Familienzusammenhänge, Zusammenarbeit und gegenseitige Unterstützung waren erforderlich, denn durch Selbsthilfe war ein Überleben möglich.

Die zerstörten Wohnungen mußten hergerichtet werden,

Abbildung 19: „Unsere Wäsche haben wir auf der Straße gleich neben der Pumpe gewaschen. Dann brauchten wir das Wasser nicht so weit zu schleppen, denn in der Wohnung gab es monatelang kein fließendes Wasser."

um ein Dach über dem Kopf zu haben. Es gab jedoch kaum Baustoffe oder Glas. Fenster wurden mit Pappe geschlossen oder mußten zugenagelt werden. In vielen Wohnungen gab es weder Gas noch Strom. Die Wasserversorgung war in einigen Stadtteilen durch die Bombardements völlig zerstört, das Wasser mußte täglich von der nächstgelegenen Pumpe geholt werden. Die Wohnungen waren überbelegt, so daß die Enge oft zu Reibereien führte. Die schlechte Versorgung mit Lebensmitteln, Kohlen und Kleidung, der Hunger und die Kälte verschärften diese Konflikte.

Meta Schlüter (Jahrgang 1917), Maschinenbuchhalterin, seit 1940 mit Joachim Schlüter (Jahrgang 1911), Drucker, verheiratet, war während der kriegsbedingten Abwesenheit des Ehemannes bei den Eltern untergekommen:

„Es war eine gereizte Stimmung in der Familie. Meine Eltern hatten den Ersten Weltkrieg schon mitgemacht. Mein ältester Bruder war gefallen. Und dann die Angst um die anderen Brüder und um meinen Mann, von denen wir überhaupt nichts wußten. Das kann man sich gar nicht vorstellen. Wenn so viele erwachsene Menschen aufeinanderhokken und vielleicht der eine oder andere nicht mehr satt wird, das geht doch über die Nerven. Das hat gewechselt – schöne Tage und dann wieder schlechte Tage, wo alles mißmutig war, wo mein Vater dann so schlecht gelaunt war und Angst hatte, daß er verhungert. Das wurde immer schlimmer mit ihm. Er hatte immer das Gefühl, er verhungert, er übersteht das Ganze nicht. Da wurde es in den Familien manchmal recht unangenehm. Zuguterletzt haben wir uns dann wieder gesagt, wir können nichts dafür, also, was soll's, wir können uns nicht selber das Leben noch schwerer machen, als es ist. Dann kam mal wieder so 'n bißchen der Verstand zutage."

Brennmaterial zu beschaffen, war dringend nötig. In den kalten Nachkriegswintern reichten die Kohlezuteilungen bei weitem nicht. In den Monaten Oktober 1945 bis März 1946 waren über 60000 Berliner gestorben, viele davon erfroren. In den Wintermonaten 1946/47 starben weitere 40000 Berliner. Glück hatte, wer an einer Holzauktion teilnehmen konnte. Für das Bäumefällen bekam man dann einige Zentner Brennholz zugewiesen. Müttern mit kleinen Kindern überließ man Stubben, die dann mühevoll ausgegraben und zerteilt werden mußten. Frauen schleppten Eisenbahnschwellen nach Hause und zersägten sie in der Küche. Alle Familienangehörigen mußten zusammen helfen, um mit diesen Plackereien fertig zu werden.

Die meisten Familien kamen am Schwarzmarktgeschäft gar nicht vorbei. Lebensmittel, Baumaterial, Hausrat, Medikamente, Kleidung, alles, was es in Läden kaum oder nicht zu kaufen gab, war dort – zu horrenden Preisen – zu bekommen. „Organisieren" war das Motto dieser Jahre, und oft waren die Übergänge zwischen „Organisieren" und Diebstahl fließend. Diejenigen, die nichts zum Tauschen oder

Abbildung 20: „Tausche Föhn gegen ein Paar Schuhe" – Viele Gebrauchsgegenstände sind in der Nachkriegszeit nur auf dem Schwarzmarkt zu bekommen. Deshalb beteiligen sich die meisten an den „illegalen" Geschäften.

Verkaufen hatten, waren vielfach gezwungen zu stehlen, um ihre Familien mit dem Nötigsten zu versorgen.

Giesela Koch (Jahrgang 1920) und ihr Mann Philipp (Jahrgang 1907), Kaufmann, hatten zu diesem Zeitpunkt eine dreijährige Tochter. Frau Koch wohnte bei ihren Eltern in Berlin-Schöneberg. Von ihrem Mann hatte sie lange keine Nachricht mehr:

„Und dann haben wir auch am Bahnhof Yorckstraße Kohlen geklaut. Nachts sind wir da immer hinmarschiert: meine Mutter, meine Schwester, die Schwägerin und ich. Ich hatte immer meinen Skirucksack dabei, meine Mutter einen Sack und die Schwägerin große Taschen. Da war immer etwas los, da waren wir nie allein. Da war nachts mehr los

als tagsüber auf den Straßen. Aber was sollten wir machen? Erfrieren wollten wir nicht. Der Winter war bitter. Und wir wollten uns ja auch mal warm waschen, nich."

Wurden Angehörige krank, war das für die Frauen eine zusätzliche Belastung. Besonders die Widerstandskraft von Kleinkindern und Alten war durch die körperlichen Anstrengungen, durch Hunger und Kälte geschwächt. Die Verbreitung von Tuberkulose nahm zu wie noch nie seit dem Ersten Weltkrieg. Besonders alte Leute starben daran. Viele Krankenhäuser waren zerstört, die noch bestehenden meist

Abbildung 21: „Die Zuteilung von drei Zentnern Kohlen für den ganzen Winter hat hinten und vorne nicht gereicht. Da sind wir eben klauen gegangen".

völlig überbelegt. Die Ärzte klagten über mangelnde Ausstattung mit Geräten, Verbandsmaterialien und Lebensmitteln. Die Krankenpflege mußte von den Frauen privat organisiert und meist unter Aufbietung der letzten Kräfte geschafft werden.

Wegen der Seuchengefahr war es absolut notwendig, inmitten der Trümmer Sauberkeit und Ordnung herzustellen. Aber schon allein die minimalsten Anforderungen an Hygiene wurden durch den ständigen Schmutz und Staub zu aufwendigen Saubermachaktionen. Es gab kaum Medikamente zu kaufen, Penicillin und andere Antibiotika gab es nur auf dem Schwarzmarkt und wurden teuer gehandelt. Gerade für Säuglinge und Kleinkinder waren Ruhr, Tbc oder Gelbsucht lebensgefährlich. 1946 war die Säuglingssterblichkeit in Berlin doppelt so hoch wie vor dem Krieg.

Auguste Ott (Jahrgang 1910), verheiratet mit Max Ott (Jahrgang 1909), der in englischer Gefangenschaft war, mußte für ihre beiden kleinen Kinder sorgen, was ohne die Hilfe ihrer Mutter und ihrer Schwester sehr viel schlechter gegangen wäre:

„1944 ist mein kleinster Sohn geboren. Und der hatte dann nach Kriegsende die Ruhr. 1945, in dem heißen Sommer, da hat er todkrank in seinem Körbchen auf dem Balkon gestanden. Ich hatte meinen Brautschleier über den Korb gelegt, wegen der Fliegen. Aber den hat er natürlich runtergerissen. Ich wußte nicht, was ich tun sollte. Mir hatte jemand erzählt, mit Äpfeln und Rotwein sollte die Ruhr besser werden. Hab ich meine Mutter weggeschickt, um Äpfel zu besorgen. Meine Schwester hat auf dem Schwarzmarkt einen Viertelliter Wein organisiert, für horrendes Geld. Das haben wir ihm dann eingeflößt. Es war ja auch kaum möglich, die Wohnung sauberzukriegen, alles war nur Dreck und Staub und Ruinen. Kanalisation gab's nicht und Wasser auch nicht. Ein Wunder, daß er's überlebt hat. Ich habe getan, was ich konnte, aber es hätte genau so gut schiefgehen können."

Der Alltag war geprägt durch die spezifische Situation

Berlins: zuerst durch die russische Armee erobert und dann in vier Besatzungszonen geteilt worden zu sein (vgl. Zeittafel). Die Stadt wurde von einer Alliierten Kommandantur, bestehend aus Russen, Briten, Amerikanern und Franzosen, verwaltet. Die Alliierten richteten Arbeitseinsätze für politisch Belastete ein und verpflichteten ehemalige Nationalsozialisten zu Zwangsarbeit bei Aufräumaktionen und Demontagen. Die Strafmaßnahmen trafen dabei oft nicht nur die ehemaligen Parteimitglieder, sondern auch Frauen und Töchter, deren Männer und Väter Parteigenossen gewesen waren.

Bald wurde die allgemeine Arbeitspflicht für alle Berliner erlassen und daran die Lebensmittelzuteilung geknüpft. Lebensmittelkarten bekam nur, wer über Wohnraum verfügte, ständig in einem Bezirk wohnte und sich beim Hauptamt für Arbeitseinsätze erfassen ließ. Bei Umgehung der Meldepflicht drohte der Entzug von Lebensmitteln.

Die Verknüpfung von Meldepflicht und Essensration zwang die Frauen zur Erwerbsarbeit. Nur Alte und Mütter von kleinen Kindern waren davon ausgenommen. Die Zuteilung von Lebensmitteln richtete sich nach unterschiedlichen Gruppen: Schwerarbeiter bekamen das meiste, Hausfrauen die geringsten Rationen. Deshalb versuchten bald viele Hausfrauen und Mütter, deren Männer noch in Gefangenschaft waren, Schwerarbeit zu verrichten, um dadurch mehr Lebensmittel zu bekommen. Sie arbeiteten als Kran- und Baggerführerinnen, als Uhrmacherinnen und Optikerinnen oder als Matrosen in der Binnenschiffahrt. Viele Frauen meldeten sich freiwillig zu Enttrümmerungsarbeiten, weil dafür die höchste Lebensmittelkarte zugeteilt wurde. In Berlin arbeiteten 1946 zwischen fünf und zehn Prozent der Frauen im Baugewerbe (vgl. Zeittafel).

Gertrud Fichte (Jahrgang 1916), Hausfrau, seit 1937 mit Robert Fichte (Jahrgang 1908) verheiratet, der 1940 eingezogen wurde und in russischer Gefangenschaft war, mußte für ihre beiden Kinder alleine sorgen und ging wegen der höheren Lebensmittelkarten enttrümmern:

Abbildung 22: Ein großer Teil der Bevölkerung ist teilweise oder vollständig ausgebombt. 1945 sind in Berlin über 5 000 000 Wohnungen zerstört, das sind 55% des Wohnraumes.

„Na, ich mußte denn auch schippen gehen. Zuerst an der Emdener Straße, dann an der Waldstraße. Meine Kinder hab ich in der Zeit bei meiner Mutter gelassen. Aber meine Mutter war auch fertig mit den Nerven. Sie war richtig krank und konnte die Arbeit mit den Kindern und dem Haushalt nicht mehr schaffen. Da mußte ich die Kinder dann oft mitnehmen. Und wenn es dann Zuteilung auf die Marken gab, ist mein Junge gucken gegangen. Dann kam er zurück und hat gesagt, ‚Mutti, ich stell mich schnell an, es gibt Margarine, aber du mußt dann kommen'. An Kinder haben die Krämer nicht ausgegeben. Ich hab dann ne Zeit lang weitergearbeitet, und dann hab ich meinen Jungen abgelöst."

Die Lebensmittelversorgung blieb in Berlin bis zum Ende der Blockade 1949 völlig unzureichend. Trotz der ausgege-

Abbildung 23: „Stundenlanges Anstehen vor den Lebensmittelläden gehört bis zum Ende der Blockade 1949 zur täglichen Hausarbeit."

benen Lebensmittelkarten und Bezugsscheine waren die darauf zugesicherten Rationen oft nicht zu bekommen, weil die Läden leer waren. In den meisten Berliner Familien wurde gerade in der Nachkriegszeit gehungert und gefroren. Konflikte und eine Verschlechterung der Stimmung in den Familien waren die Folge. Manche Familienmitglieder gingen heimlich an die knapp bemessenen Rationen und nahmen den anderen die Lebensmittel weg. In vielen Familien wurden Brotkasten und Speisekammer abgeschlossen.

Meta Schlüter (Jahrgang 1917), Maschinenbuchhalterin, seit 1940 mit Joachim Schlüter verheiratet, wohnte während der Abwesenheit ihres Mannes bei ihren Eltern:

„Als wir gar nichts mehr hatten, hat mein Vater dann unsere Ziege geschlachtet und im Schornstein geräuchert. Davon hat er meiner Mutter nie etwas abgeben wollen. Also, das kann man sich gar nicht vorstellen, wie sich die Menschen verändern, wenn sie Angst haben zu verhungern. Da setzt dann etwas aus. Ich hab das auch bei anderen ähnlich erlebt. Jeden Tag ist er an seinen Schornstein gegangen und hat von seiner Ziege ein Stück abgeschnitten. Dann hat er sich in die Küche gesetzt und hat uns etwas vorgegessen. Na ja, und dann sind wir natürlich auch an den Schornstein. Wir Kinder haben davon nichts gegessen, aber für unsere Mutter haben wir heimlich etwas abgeschnitten. Das hat er gemerkt am Schnitt. Na ja, und da gab es natürlich wieder Krach.“

Wegen der anhaltenden Lebensmittelknappheit fuhren die meisten Berliner hamstern, um von den Bauern in der Umgebung Kartoffeln und Gemüse direkt zu kaufen oder einzutauschen. Sie standen stundenlang in überfüllten Zügen, saßen auf Trittbrettern oder Kohlenanhängern, um Bauern zu finden, von denen sie etwas ergattern konnten. Schlechte Voraussetzungen hatten jene, die im Krieg ausgebombt worden waren und den Hausrat verloren hatten, denn nun konnten sie den Bauern kaum etwas anbieten. Die Frauen versuchten dann, bei den Bauern tageweise zu helfen und für sie zu arbeiten. Hamstern war gerade für Mütter mit kleinen

Abbildung 24: „Kartoffelexpress“

Kindern schwierig, denn wenn sie diese nicht mitnehmen konnten, mußten sie irgendwo untergebracht und betreut werden. Kindergarten- und Hortplätze waren rar und in den ersten Nachkriegsjahren kaum zu bekommen. Meist mußten Tanten und Großmütter einspringen und die Betreuung der Kinder übernehmen, damit die Mütter hamstern fahren konnten.

Dora Brandenburg (Jahrgang 1910), verheiratet mit dem Töpfermeister Karl Brandenburg (Jahrgang 1908), der in amerikanischer Gefangenschaft war, mußte vier Kinder allein durchbringen:

„Hamstern fahren war mit vier Kindern ja nicht so einfach. Den Ältesten hab ich mitgenommen. Die beiden Mädels hab ich bei ihrer Tante untergebracht. Und den Kleinen, der war ja erst zwei Jahre alt, den mußte ich hierlassen. Ich hab sein Bettchen immer an den Kachelofen gestellt. Dann hab ich ihm kleine Brotschnittchen gemacht und in die Röhre gestellt. Raus konnte er noch nicht aus seinem Bettchen, dazu war er noch zu klein. Aber die Tür von der Röhre aufmachen und die Schnittchen rausnehmen, das hab ich ihm beigebracht. Das mußte gehen, und das ging auch. Und wenn ich dann heimkam, war er natürlich naß bis zum Stehkragen. Aber was sollte ich denn machen? Das erste Wort, was mein Jüngster sprechen konnte, war dann ‚Appel', nicht etwa Mama oder Papa – Appel!"

Die Probleme mit der Unterbringung der Kinder veranlaßten gerade Mütter mit kleinen Kindern, Arbeiten zu suchen, die mit Haushalt, Alltagsverpflichtungen und Kinderbetreuung zu vereinbaren waren. Viele Frauen strickten oder nähten zu Hause von Alt auf Neu. Manche begannen Gegenstände für die Alliierten herzustellen oder produzierten Schuhe oder Haushaltsgegenstände, die sie auf dem Schwarzmarkt verkauften oder gegen Lebensmittel eintauschten. Gegenstände für den Tauschhandel zu produzieren, war auch oft lukrativer, da das Geld, das in einem geregelten Beruf verdient wurde, ständig an Wert verlor. Brot kostete auf dem Schwarzmarkt z.B. 80 Mark. Oftmals halfen mehrere Familienmitglieder zusammen, um gemeinsam etwas herzustellen. Diese Handlungsweisen ergaben sich aus den unmittelbaren Notwendigkeiten der Nachkriegszeit.

Anna Falk (Jahrgang 1914), deren Ehemann Harry in englischer Gefangenschaft war, lebte und arbeitete zu dieser Zeit mit zwei Kindern und ihrer Mutter zusammen:

> „*Das Geld war alle, wir kriegten ja nichts. Meine Mutter und ich, wir konnten ganz gut nähen. Da kamen dann alle möglichen Bekannten und haben sich was nähen lassen. Aus zwei alten Sachen was Neues. Das ging ganz gut. Jetzt hatten wir wenigstens ein bißchen Geld. Aber wir saßen abends lange und stichelten und trennten. Die Leute trennten das nicht auf. Der ganze Dreck war in den Säumen. Aber wir haben alles gemacht, weil wir Geld brauchten. Und manchmal, wenn jemand zur Anprobe kam, also, die Hafergrütze brodelte, die Windeln hingen, das Holz lag rum und das Kind krabbelte mit rum, war's ganz schön eng in einem Zimmer. Es kostete ganz schön Nerven, diese Zeit.*“

Die Arbeiten für das Überleben der Familie gestatteten keine Erholungspause. Die Bewältigung des Alltags verlangte, daß jeder nach seinen Möglichkeiten und Fähigkeiten mithalf. Auch die Kinder wurden ihrem Alter entsprechend einbezogen. Die Mütter hatten kaum Zeit, mit ihnen zu spielen. Statt dessen halfen die Kleinen bei der täglichen Arbeit. Manche Kinder taten sich mit Freunden oder Nachbarskindern zusammen, um gemeinsam Holz in den Ruinen zu sammeln, oder stöberten nach brauchbaren Gegenständen und Hausrat. Sie stellten sich für ihre Mütter vor den Läden an und halfen ihnen, mit der umfangreichen Hausarbeit fertigzuwerden. Aber es gab auch richtige Kinderbanden, die klauten und alte Leute überfielen, um an Eßbares zu kommen.

Viele Kinder waren stolz darauf, ihren Müttern Unterstützung zu sein. Sie wurden gefordert, waren aber manchmal auch überfordert. Die Hilfe der Kinder erhielt einen wichtigen Stellenwert in den Überlebensstrategien der Familien.

Der älteste Sohn Frau Brandenburgs war gerade zehn Jahre alt und eine unerläßliche Hilfe für sie:

„Von Bekannten konnte ich dann für 80 Mark einen Zentner Kohlen kriegen. Mein Sohn besorgte so nen kleinen Plattenwagen, so 'n flaches Ding. Der zieht sich verdammt schwer. Mein Ältester und ich sind los mit den Kohlen auf dem Wagen. Und ich war manchmal so müde und kaputt, ich konnte nicht mehr und hab mich einfach hingesetzt. Und Hans immer ‚Mutter, nun komm! Jetzt hast du es so weit geschafft, das Ende schaffen wir auch noch. Komm, Mann, es wird schon gehen.' So sind wir dann doch nach Hause gekommen. Und der Zentner mußte nach oben geschleppt werden. Hans hat einen Eimer geholt, vollgepackt und hochgetragen. Also, der war unbezahlbar."

Viele Mütter wären ohne ihre halbwüchsigen Kinder besonders schlecht daran gewesen. Vor allem Frauen, die ohne Unterstützung durch Verwandte dastanden, waren notwendigerweise auf die Hilfe der Kinder angewiesen. Gleichzeitig wurden die Kinder oft zu vertrauten Gesprächspartnern, mit denen die Mütter ihre Alltagssorgen besprachen. Söhne begannen, die Stelle ihrer Väter einzunehmen und Verantwortung für die anderen zu tragen. Viele Kinder entwickelten in diesen Jahren Fähigkeiten, die ihnen zu Friedenszeiten kaum jemand zugetraut hätte. Die Nachkriegsverhältnisse erzwangen frühe Selbständigkeit, was die Beziehungen zwischen Kindern und Müttern insgesamt veränderte.

Ein besonders pfiffiger kleiner Bursche war Roland Hoffmann, der mit seiner Mutter Gerda Hoffmann (Jahrgang 1916) versuchte, Lebensmittel zu beschaffen. Vater Paul Hoffmann (Jahrgang 1912) war in russischer Gefangenschaft. Frau Hoffmann berichtet:

„Und zwar haben wir das so gemacht. Ich bin zu den Bauern gefahren und hab die gefragt, was die so brauchten. Das waren meist Nägel oder Garn oder Kerzen oder so was. Und dann hat mein Sohn unsere Zigarettenration oder Milchmarken am Schwarzmarkt gegen die Sachen ge-

*Abbildung 25: Kinder sind eine große Hilfe für ihre Mütter.
Diese drei holen Holz aus den Ruinen und schleppen es nach Hause.*

tauscht, die die Bauern brauchten. Mein Sohn war damals erst elf Jahre alt, aber handeln konnte der. Mir lag der Schwarzmarkt gar nicht, ich war zu doof dazu. Aber auf meinen Sohn konnte ich mich verlassen. Der hat schon die Nägel irgendwie aufgetrieben. Und ich bin dann mit den Nägeln und dem Garn und so zu den Bauern gefahren und hab sie gegen Kartoffeln und Gemüse getauscht. Ich war kein großer Schieber, aber ein gehobener Hamsterer. So hatten wir am Ende viel mehr, als wir auf die Karten in Berlin gekriegt hätten."

Den Familienalltag zu organisieren, das eigene und das Überleben der Angehörigen zu sichern, war für die Mütter äußerst anstrengend und hat sich deshalb tief in die Erinnerungen eingegraben. Von den Kindern wurde dies oft als gar nicht so dramatisch empfunden. Neben der Enge, der Kälte, dem Hunger und der gereizten Stimmung, die meist deswegen entstand, gab es für Kinder auch schöne Augenblicke.

Abbildung 26: Weihnachten 1945 bekommen Haushalte mit Kindern als Sonderzuteilung je eine Kerze, 100 Gramm Trockenfrüchte und eine Tüte Backpulver.

Dora Brandenburgs Ehemann war in amerikanischer Gefangenschaft. Trotz der Not gelang es ihr, für ihre Kinder etwas Familienglück zu schaffen:

„Der Zusammenhalt in der schlechten Zeit war ganz wichtig. Meine Tochter sagt, ‚Mutter, eigentlich war das die schönste Zeit'. Man saß eng zusammen in der Küche, weil man nur ein Zimmer heizen konnte. Und das Licht war ja genau so knapp wie das Heizmaterial. Da saßen wir denn bei einer Kerze, und ich hab vorgelesen. Das fanden die Kinder schön. Da hat man auch alles viel mehr genosssen. Weihnachten gab's Erbsensuppe. Die Verwandten haben

Päckchen geschickt, zweihundertgrammweise – mehr war nicht erlaubt –, Speck und Erbsen. Das war ein Festessen.“

Bei einer solchen Schilderung darf nicht übersehen werden, wieviel Arbeit gerade von den Müttern nötig war, damit so eine Stimmung überhaupt aufkommen konnte. In dieser schweren Zeit so etwas wie Familienleben herzustellen, erforderte viel Phantasie, Flexibilität und Geschick, Erfindungsgabe, Mut und Stärke. Aus der Bewältigung der extremen Anforderungen entwickelten sich Selbständigkeit und Selbstbewußtsein.

Gleichzeitig bedeuteten die Nachkriegsjahre einen immensen Arbeits- und Verantwortungszuwachs, um das Überleben zu sichern. Die Arbeit brach für die Frauen nie ab. Viele waren durch die Alltagsbewältigung und die Erfordernisse des Haushalts erschöpft und an der Grenze ihrer Kräfte angelangt.

Auguste Ott (Jahrgang 1910), verheiratet mit Max Ott (Jahrgang 1909), der in englischer Gefangenschaft war, berichtet:

„Also, wenn ich dann abends die Kinder in den Betten hatte, bin ich völlig erschöpft gewesen. Das Schlimmste war mit dem Baby, das ständig gewickelt werden mußte. Windeln hatten wir kaum welche. Und solche zum Wegschmeißen wie heute gab es ja noch gar nicht. Wir hatten einen Eimer, da wurden die Windeln reingeschmissen. Und im Winter war das Wasser und die Windeln gefroren morgens. Dann kloppte man das auf. Dann wurde das so ein bißchen auf den Kohlenherd gestellt. Viel Feuerung hatten wir nicht, das Wasser ist kaum aufgetaut. Dabei hab ich mir meine Hände so erfroren vom Windelrubbeln, daß ich offene Froststellen an beiden Händen bekam. Ich mußte dann zum Arzt, und der hat Erfrierungen zweiten Grades festgestellt.“

Neben diesen andauernden körperlichen Anstrengungen war es für Frauen eine große seelische Belastung, nicht zu wissen, ob ihre Männer noch lebten oder wo sie sich aufhielten. Viele hatten seit Anfang 1945 nichts mehr von ihnen gehört. Erst nach und nach erfuhren die Angehörigen, wie es den Männern ergangen war. Manche erhielten eine Nachricht von entlassenen Kameraden, die vorbeikamen, um ihnen mitzuteilen, daß der Mann lebte und wo er war. Andere erhielten Zettel, die die Männer auf dem Weg in die Gefangenschaft Passanten zugesteckt hatten mit der Bitte, sie weiterzuleiten. In den Gefangenenlagern erhielten die Männer erst allmählich die Erlaubnis, offiziell an ihre Angehörigen zu schreiben. Frühestens ab Herbst 1945, oft erst im Laufe des Jahres 1946 kam eine Postverbindung zwischen den Angehörigen zustande. Zunächst war es den Kriegsgefangenen nur erlaubt, eine Karte mit einer beschränkten Anzahl von Wörtern an ihre Angehörigen zu schicken. Auf der angehängten Antwortkarte, die durch die Gefangenennummer gekennzeichnet war, durften die Frauen dann ihren Männern schreiben.

Auguste Ott, die über ein Jahr nichts von ihrem Mann gehört hatte, bekam endlich Nachricht von ihm:

„Zu Weihnachten 45 kam dann die erste Karte von ihm aus der Gefangenschaft. Das war das schönste Weihnachtsgeschenk! Und auf dieser Gefangenenkarte durfte man antworten, aber nur mit 35 Wörtern. Ich hab gedacht, mein Gott, er muß doch etwas von seiner Familie erfahren. Ich hab mich und die zwei Jungs fotografieren lassen, hab einen Brief geschrieben und die Fotos drangeheftet. Das durfte man eigentlich nicht. Auf den Umschlag hab ich die Gefangenennummer geschrieben und ‚Bitte nachsenden, das ist das erste Lebenszeichen seiner Familie‘. Und tatsächlich, er hat den Brief mit den Bildern gekriegt.“

Der Briefkontakt mit den Angehörigen zu Hause war für die Kriegsgefangenen eine wichtige Stabilisierung und wurde von vielen als ebenso nötig empfunden wie Unterbringung oder Verpflegung. Denn die Informationen, die die Männer von der Lagerleitung über die Verhältnisse zu Hause erhielten, waren meist nur spärlich. In den Lagern waren die Männer von der Außenwelt isoliert, und nur die Post stellte den Kontakt zur Realität her. Durch die Briefe erfuh-

Abbildung 27: Geschichtsunterricht, wie hier in einem amerikanischen Gefangenenlager, soll ehemalige deutsche Soldaten auf eine neue Gesellschaftsordnung vorbereiten.

ren die Männer von den neuen politischen Verhältnissen, vom Verbleib ihrer Familien und deren täglichen Sorgen. Anhand der Briefe konnten sie sich zumindest ein wenig vorstellen, was nach der Entlassung auf sie zukommen würde. Das Ende des Dritten Reichs und die bedingungslose Kapitulation der deutschen Wehrmacht hatte viele verunsichert und ihnen eine Orientierung erschwert. Wurde die Postverbindung mit den Angehörigen unterbrochen oder kam sie gar nicht zustande, wurde die Isolation der Männer mit all ihren negativen Folgen verstärkt.

Gerd Knobloch (Jahrgang 1910), Buchhalter, verheiratet mit Lotte Knobloch (Jahrgang 1912), mit der er zu diesem Zeitpunkt zwei Söhne hatte, war in russische Gefangenschaft geraten:

„Von meiner Frau wußte ich in der Gefangenschaft ja erst mal gar nichts. Ich hatte 1943 den letzten Urlaub gehabt,

dann hab ich noch Post gekriegt bis Anfang 1945. Anfang 1945 kam die letzte Nachricht von meiner Frau, abgeschickt noch in Berlin. Dann war sie eine Zeit lang mit den Kindern in Thüringen evakuiert, und dadurch wurde der Kontakt auch immer schwieriger. Und dann hat sie 1946 von mir das erste Lebenszeichen bekommen durch entlassene Mitgefangene. Und daß meine Frau noch lebte, das hab ich dann erst 1947 erfahren. So lange wußte ich nichts von ihr. Und da wächst natürlich die Angst. Wird sie auf dich warten? Hat sie einen anderen?"

Viele Männer hatten Angst, daß ihre Frauen nicht auf sie warten würden. Andere hielt gerade der Glaube an die zuhause wartende Ehefrau aufrecht und ließ sie die Strapazen der Gefangenschaft ertragen. Die meisten wußten nicht, wie schwer ihre Frauen arbeiteten und wie sie es schafften, ihr eigenes und das Überleben der Kinder und Angehörigen zu sichern.

Die Kriegsereignisse rissen die Familien auseinander und zwangen den Familienmitgliedern unterschiedliche Lebenssituationen auf. Während die Männer sich militärischen Hierarchien unterordnen mußten und kaum eigene Initiative ergreifen konnten, waren die Frauen für das Überleben der restlichen Familie verantwortlich und wurden dadurch gezwungenermaßen selbständiger. So veränderte der Krieg und die Nachkriegszeit Männer, Frauen und Kinder in unterschiedlicher Weise.

5.
Anna und Heinrich Wilke – Eine Familiengeschichte

Anna Wilke, geborene Lange, wurde 1911 im Osten Berlins geboren. Ihr Vater starb im Ersten Weltkrieg. Die Mutter mußte alleine für sich und die Tochter sorgen. Während des Kriegs arbeitete Annas Mutter in einer Munitionsfabrik und blieb auch nach dem Krieg Fabrikarbeiterin.

Anna wurde von der Großmutter und der Schwester ihrer Mutter, die beide im selben Haus wohnten, versorgt. Die Großmutter arbeitete als Heimarbeiterin, und Anna mußte von klein auf mithelfen. Auch in den großen Ferien mußte sie arbeiten, während andere Kinder draußen spielen durften.

Nach der Volksschule besuchte sie eine Fachschule für das Schneiderhandwerk und ging dann im dritten Lehrjahr zu einer Schneidermeisterin, um dort ihre Gesellenprüfung abzulegen:

„Siebzehn Jahre alt war ich, als ich ausgelernt hatte. Ich hab dann auf eine Annonce hin eine Stelle bei einer Maßschneiderei gefunden. Als jung Ausgelernte bekam ich zwanzig Mark bei der Maßstelle. Doch dann waren da die Aufträge zu Ende, und ich mußte eine andere Stelle suchen. Ich fand eine in einer Zwischenmeisterei in Wilmersdorf. Nun war's in der Konfektion immer so, daß Weihnachten Flaute war. Da mußten wir immer stempeln gehen. So ging das immer: ein paar Monate Arbeit, dann wieder stempeln. 1930 war's dann ganz aus. Wenn man da auf eine Annonce hinging, da standen die Leute bis auf die Straße Schlange.

Eine Schneidermeisterin hat mir dann Heimarbeit verschafft. Das war besser als nichts. Ich hab 35 Mark verdient, hab mich ganz gut durchgesetzt und wohlgefühlt.

Dann kam die Brüningsche Notverordnung. Da hieß es, Heimarbeiterinnen dürften nur bis 25 Mark verdienen. Weil meine Mutter zu der Zeit arbeitslos war und ich sie mitversorgen mußte, war mir das zu wenig. Also, mein Chef hat mir geraten, ‚melden Sie doch Gewerbe an, dann können Sie verdienen, was Sie wollen'. Der hat mir denn auch Tips gegeben, wie ich's machen muß. Ein bißchen Buchführung hatte ich ja in der Fachschule gelernt. Dann hatte ich mir inzwischen auf Abzahlung eine Maschine gekauft, ne richtige Konfektionsmaschine mit einem großen Schwungrad. Meine Mutter hatte eine einfache Maschine. Dann hab ich noch ne frühere Kollegin aus der Zwischenmeisterei angelernt, und dann haben wir losgelegt. Meine Mutter hat den ganzen Haushalt gemacht, ist für mich liefern gegangen, und ich konnte mich ganz der Arbeit widmen."

Durch den Mut, ein Gewerbe anzumelden, hatte Anna die Möglichkeit, die Brüningsche Notverordnung zu umgehen und etwas mehr zu verdienen. Allerdings mußte sie nach wie vor rund um die Uhr arbeiten.

Die wenige freie Zeit, die sie hatte, verbrachte sie mit einer Freundin in einem Wassersport-Club. Die beiden kauften sich ein Paddelboot und waren bald so oft wie möglich in ihrem Club. Dort lernte Anna ihren späteren Mann, Heinrich Wilke, kennen. Heinrich Wilke war acht Jahre älter als Anna und arbeitete als Tischler in einer Möbelfabrik. Dort verdiente er so gut, daß er sich zusammen mit seinem Bruder ein Häuschen in Berlin-Britz mieten konnte. Herr Wilke war schon einmal verheiratet gewesen, aber seine erste Frau hatte ihn verlassen, als er mit Tuberkulose ein Jahr in einem Sanatorium verbringen mußte.

„Wir haben uns sehr gut verstanden und uns über den Wassersport immer öfter getroffen. Naturfreunde waren wir beide, und wir haben schöne Fahrten zusammen gemacht. Es dauerte gar nicht lange, da beschlossen wir zu heiraten.

Wir haben dann 1936 geheiratet. Ich war 14 Tage verheiratet, da kam jemand von der Gesundheitsfürsorge. Die Fürsorgerin sagte zu mir, ‚na, da haben Sie sich schnell noch

Abbildung 28: Verlobte 1936

beeilt mit dem Heiraten. Da werden jetzt unter Hitler Bestimmungen gemacht, da dürfen Lungenkranke keinen gesunden Menschen heiraten, weil sie eben ein gesundes Volk haben wollen.' Darüber waren wir natürlich sehr erschrokken. Ich wußte ja, daß er Tbc gehabt hatte, aber er hat gesagt, ich soll mir keine Sorgen machen, so schlimm sei es nicht, und offene Tuberkulose wäre es auch nicht gewesen. Es hat unserer Ehe nicht geschadet. Ich hab zu meinem Mann gehalten. Er mußte zweimal im Jahr zur Untersuchung und ich einmal. Meine Gesundheit hing ja etwas von seiner mit ab."

Das Ehepaar hatte mit dem Zeitpunkt der Heirat Glück. Denn ein paar Monate später wurden die Gesundheitsbestimmungen für heiratswillige Paare verschärft. Bald gab es neben rassischen Heiratsverboten auch solche aus Gesundheitsgründen.

„Also, wir haben geheiratet, da war er 33 und ich 25 Jahre alt. Ich bin dann vom Osten Berlins zu ihm nach Britz gezogen. Er hatte zusammen mit seinem Bruder und dessen Frau ein kleines Haus. Wir wohnten unten in der Küche und Stube, und die beiden andern wohnten oben.

Dadurch daß ich hier nach Britz gezogen war, konnte meine Heimarbeiterin nicht mehr für mich arbeiten, der Weg war zu weit. Nun hab ich mich bemüht, hier Heimarbeiterinnen zu bekommen. Das ging 'ne Weile, dann hörten die wieder auf. Mittlerweile spürten wir schon die Kriegsvorbereitungen, weil Uniformen sehr gefragt waren. Dafür hatte ich nicht die richtigen Maschinen. Meine Maschinen waren mehr für dünne Stoffe, für Georgette und so weiter. Ich hab dann das Gewerbe stillegen lassen und bin wieder ins Atelier außer Haus arbeiten gegangen. Das hat meinem Mann nicht gepaßt. Ich sollte lieber zu Hause bleiben. Aber er brachte als Tischler nur 40 Mark in der Woche nach Hause, und ich verdiente ja 25 bis 30 Mark dazu. Meinen Lohn konnten wir gut gebrauchen. Dann wollte ich natürlich weiterhin mein eigenes bißchen Geld in der Hand haben, denn ich war ein selbständiger Mensch und bin deshalb auch weiter arbeiten gegangen. Ich hab dann in einem Atelier Arbeit gefunden. Das war im Sommer 39. Da wurde schon leise gemunkelt von wegen, daß es Krieg geben würde. Das war so eine Stimmung unter der Bevölkerung. Manche munkelten, die Lebensmittelkarten seien schon gedruckt. Da ist also manches an Information durchgesickert. Andere erzählten, daß nachts zwischen zwei und drei Uhr Panzer vorbeirollten gegen Osten, und wir selbst haben die großen Lastwagen bei einem Ausflug zu unserem Wassersport-Club versteckt gesehen. Da dachte ich mir, na, das bißchen Geld, was ich nun gespart hatte, wer weiß, ob ich nachher noch was dafür kriege. Ich hab nicht lange überlegt und für's Haus einen Treppenläufer und einen Staubsauger gekauft."

Heinrich Wilke wurde zu Kriegsbeginn nicht eingezogen. Wegen seiner Lungenkrankheit galt er als kriegsuntauglich und konnte deshalb in Berlin bleiben und weiter in seinem Beruf arbeiten.

„Am Anfang haben wir den Krieg gar nicht so gespürt. Nach wie vor haben wir jede freie Minute draußen am Wasser verbracht. Heinrich war nicht gern zu Hause, er wollte lieber unter Menschen sein. Und ich bin natürlich immer mitgegangen. In unserem Club waren wir eine sehr nette Gruppe von sieben Paaren, die sich regelmäßig getroffen haben. Die Männer kannten sich schon lange, besonders Heinrich war mit jedem gut Freund. Wir Frauen haben uns auch schnell angefreundet. Es war eine schöne Zeit. Dann

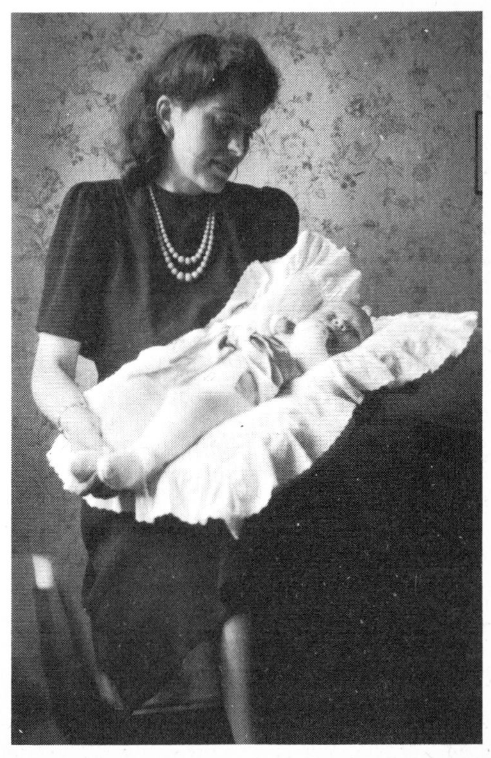

Abbildung 29: Taufe 1942

ging das los, daß die Frauen da eine nach der anderen Kinder kriegten. Ich hatte mir immer schon ein Kind gewünscht, aber anfangs klappte das gar nicht. Erst 1942 war es dann soweit. Da haben wir dann unser Mädelchen gekriegt. Mein Mann hat sich sehr gefreut. Er hat eine Wiege gebaut, eine wunderschöne Wiege.“

Von 1942/43 an wurde der Krieg auch in Berlin spürbar. Die Luftangriffe der Alliierten auf deutsche Städte nahmen zu. Die Luftschutzsirenen waren immer öfter zu hören. Die Aufregungen, das Hetzen zum Bunker und die vielen nächtlichen Störungen bekamen Wilkes Tochter Marlene gar nicht. Sie war sehr verschreckt, schlief schlecht und wollte nichts mehr trinken. Wilkes waren sehr besorgt um ihre Tochter. Deshalb entschloß sich Frau Wilke im Sommer 1943, als Mütter mit Kleinkindern zum Verlassen der Stadt aufgefordert wurden, sich von ihrem Mann zu trennen und mit der kleinen Marlene nach Ostpreußen zu fahren. Sie machte sich die größten Sorgen um ihren Mann, weil nun niemand mehr für seine regelmäßigen Mahlzeiten und den Haushalt sorgen würde. In der Evakuierung ging es Frau Wilke und dem Kind anfangs recht gut. Sie nähte nebenbei, was die Lebensmittelrationen ein wenig aufbesserte, und förderte den Kontakt zu anderen Frauen in dem Ort, in dem sie untergebracht war.

„Im Sommer 44 besuchte mich Heinrich. Die kleine Marlene und ich waren überglücklich. Wir verbrachten ein paar schöne Tage miteinander. Ich zeigte meinem Mann meine Unterkunft und das Dorf und stellte ihm die Leute vor, die ich kennengelernt hatte. Wir sind viel spazierengegangen, und Heinrich erzählte aus Berlin. Es war immer schlimmer geworden mit den Bomben, aber unser Haus hatte Gott sei Dank nichts abgekriegt. Auch in dem Dorf war die Situation nicht mehr sicher genug. Am liebsten wäre ich mit Heinrich zurück nach Berlin. Aber das ging nicht. Er mußte allein zurückfahren.

Dann wurden wir Evakuierten aufgefordert, das Dorf zu verlassen. Die russische Armee kam immer näher. Marlen-

chen und ich wurden in die Nähe von Halle gebracht. Von da aus sahen wir die Flugzeugformationen, so klein wie Silberfischchen, in Richtung Berlin fliegen. Ich hatte meine ganze Verwandtschaft in Berlin. Mir war so elend zumute. Meine Mutter war berufstätig, ihre Schwester war dienstverpflichtet, und mein Mann durfte ja auch nicht weg. Zu der Zeit war es so, daß alle Frauen unter 50 und alle Männer unter 60 in die Fabriken dienstverpflichtet wurden. Die durften nicht raus aus Berlin. Mir war das nur möglich gewesen wegen dem kleinen Kind, das ich hatte. Und nun mußte ich zusehen, wie Berlin bombardiert wurde. Von meinem Mann hatte ich seit Wochen keine Nachricht mehr und von meiner Mutter auch nicht."

Der kleine Ort in der Nähe von Halle wurde einige Male von Tieffliegern angegriffen, aber es passierte nichts. Bei Kriegsende wurde der Ort von der amerikanischen Armee eingenommen und besetzt. Die Bevölkerung mußte sich registrieren lassen, die Ernährung wurde erneut rationiert.

Frau Wilke versuchte sich mit Näharbeiten durchzubringen. Für ihre Arbeit verlangte sie statt Geld Naturalien. Von einer Familie, für die sie nähte, bekam sie Mohrrüben, von einer anderen Kohlrabi und Zwiebeln. Obst, das in dieser Gegend reichlich angebaut wurde, klaute sie und kochte Marmelade daraus.

Mit Steintöpfen voller Marmelade und eingemachtem Gemüse, die sie im Kinderwagen verstaute, obendrauf das Kind, machte sie sich auf den Weg. Der schwierigste Abschnitt war der Übergang vom amerikanisch besetzten Teil Deutschlands in den russischen. Tagelang mußte sie an der Elbe auf einen Passierschein warten. Endlich konnte sie nach Berlin weiterziehen, um nach ihrem Mann, von dem sie keine Nachricht hatte, zu suchen und nach ihren Verwandten zu schauen. Nach einer Woche, in der sie teils zu Fuß, teils in Zügen vorwärts gekommen war und im Freien übernachtet hatte, erreichte sie Berlin.

„*Die Wohnung stand noch. Ob mein Mann noch lebte, wußte niemand. Meine Schwägerin erzählte, daß es ihm*

Abbildung 30: Nach wochenlangen Fußmärschen Ankunft im zerstörten Berlin.

schlecht ergangen war. Er mußte noch die letzten Wochen zum Volkssturm und sollte Berlin verteidigen. Als die Russen dann da waren, hatte er sich tagelang versteckt gehalten, aber er kam dann doch in Gefangenschaft. Seitdem hatten wir nichts mehr von ihm gehört. Meine Schwägerin war fast verhungert, als ich ankam. Sie hatten überhaupt nichts zu essen in Berlin. Da war nur gut, daß ich das Eingemachte mitgebracht hatte. Wir haben erst mal ein richtiges Festessen veranstaltet. Danach ging's los mit der Hungerei. Das war das Schlimmste. Nach einem halben Jahr war ich völlig unterernährt."

Im Oktober erfuhr Frau Wilke, daß ihr Mann lebte und bald aus der Gefangenschaft entlassen würde. Es dauerte aber noch bis Weihnachten 1946, bis er endlich zu seiner Familie zurückkehren konnte.

„Im Januar wurde Heinrich dann krank. Er bekam ein Furunkel am Oberschenkel, das Bein war fast doppelt so dick geschwollen. Ich hab ihn verbunden. Aber man hat ja nicht viel Verbandszeug gekriegt. Alte Wäschestücke hab ich ihm rumgewickelt. Den Verband mußte ich nach dem Wechseln immer auswaschen, den konnte man nicht wegschmeißen, weil wir ja so wenig hatten. Waschmittel hatten wir auch nicht, und so hab ich die vereiterten Binden zwei Tage eingeweicht und dann in einem Topf auf dem Gaskocher gekocht. Und nach dem Kochen hab ich sie mit der Hand gerubbelt und gespült. Dabei muß ich mich irgendwie infiziert haben. Ich bekam an einer Hand ne Blutvergiftung, mußte ins Krankenhaus. Und das eiterte und wurde nicht besser. Es gab ja 47 weder Penicillin noch sonst welche Antibiotika. Ich hätte den ganzen Arm verlieren können. Ich hatte aber Glück. Es wurde nur ein Finger abgenommen, und dadurch wurde die Hand steif."

Frau Wilke lag wochenlang im Krankenhaus, doch die Ärzte konnten ihr kaum helfen. Die Versorgung mit Medikamenten war in Berlin nach dem Krieg völlig unzureichend. Nur langsam erholte sie sich von der Infektion und der Fingeramputation. Als sie entlassen wurde, war ihre Hand steif und dick verbunden. Zu Hause fand sie ihren Mann ebenfalls krank vor. Er hatte Wassersucht, eine häufige Folgeerscheinung extremer Unterernährung. Frau Wilke versuchte, so gut es ging, den Haushalt zu versorgen und ihren Mann zu pflegen. Das fiel ihr nicht leicht, denn mit der kranken Hand konnte sie kaum etwas anfangen.

„Die Finger haben aus dem Verband rausgeguckt, und ich hab versucht den Haushalt zu führen.

Aber Heinrich war ganz komisch und unzufrieden. Er hat nun erwartet, daß ich ihn hochpäppeln würde. Aber wie und wovon denn? Mit der Ernte im Garten war es ja noch etwas hin. Er wurde immer unleidlicher, und wir stritten uns immer häufiger. Er nörgelte ständig herum.

Er hatte tatsächlich Angst zu verhungern. Er machte mir Vorwürfe, daß ich ihm zu wenig zu essen geben würde und dem Mädel zuviel. Dabei hat er das meiste abgekriegt. Ich hab für das Mädel Milch gekriegt, die hat ausschließlich er genommen. Wenn ich für das Kind eine Tasse genommen hab, hat er getobt. Ich hab natürlich mit ihm gezankt, weil mir mein Mädel auch wichtig war. Die war ja noch so klein und im Wachsen.

Dann machte er mir auch noch Vorwürfe wegen meiner steifen Hand. Da bin ich aber hochgegangen, weil ich die ja nur durch ihn gekriegt habe. Ich habe ihn gepflegt und mich an seinem Eiterfurunkel infiziert. Da machte er mir Vorwürfe!"

Die körperliche Behinderung durch die Handverletzung machte viele Bewegungen und bislang alltägliche Arbeitsabläufe unmöglich. Die tägliche Arbeit machte Frau Wilke Mühe, alles dauerte länger und war kompliziert geworden. Am meisten litt Frau Wilke darunter, daß sie mit der steifen Hand nicht mehr nähen konnte.

Im Sommer erkrankte Frau Wilkes Mutter an Typhus. Frau Wilke zog zu ihr, um sie zu pflegen. Auch für die Mutter waren kaum Medikamente aufzutreiben. Sie starb bereits nach einigen Tagen. Frau Wilke blieb noch eine Weile in Pankow, um die Wohnung der Mutter aufzulösen.

„Geerbt hab ich nicht viel. Die Russen hatten ganz schön geplündert in dem Haus. Da war nicht viel übriggeblieben. Aber ihre Ohrringe hab ich geerbt. Für die hab ich drei Küken und Körner gekauft. Die Küken hab ich in einem Pappkarton mit einem Tuch zugedeckt und einer Glühlampe drüber als Wärmestrahler großgezogen. Als wir sie dann draußen hatten, wie sie noch jung waren, haben die Nachbarn gerätselt und gewettet, daß das Hähne sind. Aber es waren Gott sei Dank drei Hühner. Für jeden ein Huhn. Also, die Eier, die haben uns sehr geholfen.

Besonders als dann die Blockade kam und man nur dieses Trockenpulver und Eipulver kaufen konnte, war ein Ei ein kleines Vermögen wert. Ein Ei, das war soviel wert wie mein Mann in der halben Woche verdient hat. Das Geld war ja nicht soviel wert in der Zeit. Da haben die Naturalien ge-

Abbildung 31: In den Berliner Parkanlagen werden bis zum Ende der Blockade im Mai 1949 Kartoffeln und Gemüse angebaut.

zählt. Später konnte ich sogar ein Kaninchen auf einer Hamstertour besorgen. Erst hatten wir nur eins, dann konnte ich noch eins kriegen. Meine Tochter hat mitgeholfen und ist Gras rupfen gegangen und hat auch mal Kohlblätter mitgebracht.

Meine Tochter und ich haben auch verschiedene Früchte und wilde Kräuter gesammelt, zum Beispiel Eicheln haben wir gesammelt, die waren etwas fetthaltig. Wir haben uns gesagt, wenn die Schweine die fressen können, werden wir auch nicht eingehen davon. Ich hab die Eicheln mit der Kaffeemühle gemahlen und zusammen mit Mehl und Kartoffeln Klöße daraus gemacht. Allein konnte man sie nicht essen, aber so im Kloß war's eben ein bißchen mehr und hat den Magen gefüllt. Dann haben wir Brennesseln als Spinat gegessen und Rübenblätter als Gemüse. Wir sind auch zum Stoppeln gefahren nach Lichtenrade raus, da gab's Kornfelder. Wir haben immer gesagt, die Bauern gehen mit der Hungerharke, also, die harken zum Schluß nochmal alles zusammen. Aber wir hatten es genau abgepaßt. Die Hungerharke war noch nicht drüber gegangen, und wir nun schnell raus und die Ähren gelesen. Ich hatte mir eine Schürze genäht mit einer großen Tasche und hab denn immer in die Tasche reingelesen. Das ist mir mit der Hand nicht leicht gefallen, aber es mußte eben gehen. Da kam vom anderen Ende der Bauer angerannt mit einem großen Knüppel. Marlenchen und ich, wir waren ja nicht die einzigen auf dem Acker. Da waren noch mehr Leute. Und der hat uns alle mit seinem Knüppel vertrieben. Aber wenigstens ein paar Körner hatten wir ergattert."

Durch Frau Wilkes Initiative war die Lebensmittelversorgung im Vergleich zu der anderer Familien recht gut, selbst in der Blockade, als sich die Ernährungssituation in Berlin nochmals verschlechterte. Durch die Beteiligung an Schwarzmarktgeschäften konnte Frau Wilke das Haushaltsbudget zusätzlich aufbessern.

Herr Wilke fand wieder Arbeit als Tischler. Sein alter Betrieb existierte nicht mehr, weshalb er in einer Fabrik anfing.

„Mein Mann hatte Arbeit in einer Registrierkassenfabrik, er hat da die Holzteile eingesetzt, aber die haben nur bis Donnerstag gearbeitet, weil sie nicht genug Material und zu wenig Strom hatten. So hat er eben nur für vier Tage Lohn bekommen.

Für das Geld, das man regulär verdient hat, konnte man auf dem Schwarzmarkt nichts kaufen. Mein Mann hat 90 Pfennige Stundenlohn gekriegt, und ein Brot hat auf dem Schwarzmarkt 90 Mark gekostet. Also, ernähren konnten wir uns damit nicht, das hat gerade gereicht für das, was wir auf Lebensmittelkarten gekriegt haben. Und bei mir war das so, daß die Arbeit, die ich nun gemacht habe, das Viehzeug füttern, Gemüse einmachen, sammeln, stoppeln, hamstern, Schwarzmarktgeschäfte, das hat ja alles mehr gebracht, als in irgendeinem Betrieb für ein bißchen Geld zu arbeiten."

Herr Wilke fühlte sich aus der Ernährerrolle der Familie verdrängt und nicht mehr genügend anerkannt, weil Frau Wilkes Aktivitäten mehr einbrachten. Dadurch kam es zu immer neuen Spannungen zwischen den Eheleuten.

„Mein Mann hat das nur schwer verkraftet, daß ich so aktiv war und für uns mitgesorgt habe. Knapp war das Essen deswegen trotzdem noch. Und da hat er bei jeder Gelegenheit gemeckert, weil es so wenig war, was auf den Tisch kam. Er war ein großer Mann von 1,82 m und brauchte entsprechend viel. Aber wo sollte es denn herkommen? Er dachte immer, wir würden ihm was vorenthalten, und oft gab es Schreiereien, weil er so ungerecht war und völlig maßlos. Ich mußte die Rationen doch einteilen, sonst hätten wir alles auf einmal gegessen. Das wollte er nicht verstehen. Einmal wollte er sogar das Mädel schlagen, weil er dachte, sie hätte ein Stück Brot gemopst. Aber ich hatte es ihr gegeben. Das war ihm nicht recht. Also, es waren unerträgliche Situationen teilweise.

Da gab's mal ne Szene zwischen uns, wo ich für vier Mark zwei neue Brenner für den Gasherd gekauft hatte. Also, da war er baß erstaunt, daß ich ohne seine Einwilligung zwei neue Brenner bestellt habe. Aber da bin ich gewachsen und hab zu ihm gesagt: ‚Hast du schon mal was von der Schlüsselgewalt der Frau gehört? Dazu bin ich ohne weiteres berechtigt, ich plage mich schließlich auch den ganzen Tag ab für die Familie. Da werde ich doch solche Kleinigkeiten selbständig entscheiden können. Schließlich bin ich ja sonst auch den ganzen Tag auf mich selbst gestellt, auch wenn mir das schwerfällt mit der behinderten Hand. Also, wenn ich einen echten Perser bestellen würde, dann könntest du Einspruch erheben, aber nicht wegen zwei Brennern!'"

Nach Aufhebung der Blockade wurde die Versorgung in Berlin schlagartig besser. Es gab wieder genügend Lebensmittel zu kaufen, und das Geld – Herrn Wilkes Lohn – war wieder etwas wert. Dadurch normalisierte sich auch das Familienleben ein wenig.

„Wir haben uns dann nicht mehr streiten müssen, weil genug zu essen da war, also im Vergleich zu vorher. Sparen mußte ich jetzt auch noch, aber es ging eben viel besser. Es war richtig schön, wieder eine ruhige Familie zu sein. Wir sind wandern gegangen mit dem Mädel und schwimmen. Dann sind wir wieder in einen Naturfreunde-Verein eingetreten, damit das Mädel mit verreisen konnte, und wir hatten Geselligkeit. Mein Mann war ja schon vor dem Krieg ein geselliger Typ gewesen. Und bald war er dann wieder jeden Sonntag bei den Naturfreunden. Da war er Wanderführer, und außerdem war er gleich nach dem Krieg in die SPD eingetreten. Da war er Kassierer, und dann war er noch in der Gewerkschaft, und da war er auch Kassierer. Da hat er wer weiß was um die Ohren gehabt. Ich konnte ja wegen der Hausarbeit, die mit meiner steifen Hand so langsam voranging, nicht immer mit. Wenn ich Gemüse eingeweckt habe, zum Beispiel grüne Bohnen, das hat furchtbar lang gedauert, bis ich die abgepusselt habe mit meiner Hand. Er hat mir bei der Hausarbeit kaum geholfen, obwohl er ja mitgekriegt hat, wie ich mich plagen mußte. Ich war auch körperlich nicht gut beieinander, meine Kräfte waren irgendwie erschöpft. Ich stand mit meiner Arbeit, die zu Hause anfiel, ob im Garten oder im Haus, allein da. Das hab ich

nur mit Hängen und Würgen geschafft. Wenn ich abends schlafen gegangen bin, sind mir sofort die Augen zugefallen und ich war weg. Da hat man denn für den Mann – für seine Wünsche ist man da nicht so aufgeschlossen – nicht mehr so viel übrig.

Na ja, und dann war ich auch noch etwas schwerhörig. Deswegen bin ich zu den Heimabenden auch nicht immer mitgegangen, weil ich ja nichts verstanden hab, und ein Hörgerät konnte ich mir nicht leisten zu der Zeit. Die Schwerhörigkeit und dazu noch die behinderte Hand. Also ich war ganz schön deprimiert. Für die anderen Frauen da im Verein war ich ‚Doofken'. Na, der arme Mann ist mit so einer Frau belastet. Und die, die keinen hatten, die stürzten sich auf ihn wie auf so 'n Objekt, kann man schon sagen.

Die ganzen Kriegerwitwen und geschiedenen Frauen hatten ein Auge auf ihn. Dadurch kam's denn, wie's kommen mußte. 51 hatte ich denn authentische Beweise, daß er mit ner andern ... Wie ich ihn zur Rede gestellt hab, sagt er, das kann er sich erlauben. Dann hab ich auch noch von den

Abbildung 32: Anfang der 50er Jahre

Nachbarn erfahren, daß er vorher, als ich in der Evakuierung war, auch schon ne Freundin hatte. Also, ich war fertig mit den Nerven. Und dann hat er mich nicht in Ruhe gelassen, obwohl er ja die andere hatte. Da wär ich ja mit einverstanden gewesen zu der Zeit. Aber nicht beides. Da hab ich zu ihm gesagt, ‚wenn ich dir nicht genüge, such dir, was du brauchst, aber zu mir brauchst du nicht mehr zu kommen'."

Nach dieser Enttäuschung mit Herrn Wilke begann für seine Frau eine traurige Zeit. Das Verhalten des Ehemannes führte bei Frau Wilke zu schweren Depressionen. Obendrein machte er ihr Vorwürfe wegen ihrer Behinderungen und ihrer finanziellen Abhängigkeit. Frau Wilke versuchte seine Vorwürfe auszugleichen, indem sie noch intensiver arbeitete:

„Er ist seiner Wege gegangen, ich saß zu Hause, um alles zu schaffen. Mit dem Hintergedanken im Kopf, daß ich es vielleicht schaffe, mich wieder auf eigene Füße zu stellen, hab ich mir dann eine Arbeit besorgt: erst Heimarbeit, Marlenchen zuliebe, die war damals zehn Jahre alt. Ich hab natürlich nicht viel geschafft mit meiner Hand und konnte auch nur ganz einfache Konfektion anfertigen. Ich hab von morgens bis spät in die Nacht gesessen, bin keinen Sonntag mehr mit raus, keinen Heimabend, nichts mehr. Für ihn war das selbstverständlich. Im Gegenteil, er hat nur gemeckert, wenn irgendwas im Haushalt nicht so war, weil ich's nicht geschafft habe. Da war er für mich, als Mann sowieso und jetzt aber auch als Mensch, erledigt. Ich hab ihn mit ganz anderen Augen gesehen. Für mich war er vom Charakter her untendurch. Also, ich war so weit, wenn das Mädel nicht gewesen wäre, ich glaube, ich wäre aus dem Leben geschieden. Aber ich wollte das Mädel nicht belasten. Das wär ja 'n Schock für sie gewesen. Dann bin ich zum Psychiater gegangen."

Frau Wilke fand bei einer Beratungsstelle für Gemütskranke Verständnis für ihre Eheprobleme. In Anbetracht ihrer schwierigen finanziellen Verhältnisse riet ihr der Arzt, sich von ihrem Mann wenigstens räumlich zu trennen. Eine Trennung von Tisch und Bett würde ihr psychische Entlastung bringen. Dem Rat folgend, zog sie in das ausgebaute Dachgeschoß des Hauses. Aber die Querelen mit ihrem Mann ließen nicht nach. Er begann, seine Freundin mit ins Haus zu bringen, was Frau Wilke als Provokation empfand:

„1954 hab ich dann die Scheidung eingereicht. Er hat dagegen geklagt, auf Verweigerung der ehelichen Pflichten. Daraufhin hab ich geklagt, weil er seinen häuslichen Pflichten nicht nachgekommen ist, dauernd abwesend war und seinen Ambitionen nachging, ohne auf die Familie Rücksicht zu nehmen. Daraufhin wurden wir zu beiden Seiten schuldig geschieden. Ich kriegte aber keinen Pfennig Unterhalt von ihm, nur für's Mädel mußte er was zahlen. Aber ich selbst hatte nur das, was ich mir noch erarbeitet habe. Ich hab dann nur gehofft, daß ich das Mädel irgendwie durchbringe, bis sie mit der Schule fertig ist, ne Lehre macht und dann aus dem Haus geht. Das war meine größte Sorge."

Wegen der allgemeinen Wohnraumnot in den 50er Jahren konnte Frau Wilke so schnell keine eigene Wohnung finden. Das Scheidungsurteil gestattete ihr jedoch, so lange in dem Haus zu wohnen, bis sie eine andere Bleibe gefunden hatte.

Durch die Mitgliedschaft in einem Bauverein bekam sie 1958 nach jahrelanger Wartezeit endlich eine eigene Wohnung. Sie lag nur ein paar Häuser von dem Haus entfernt, in dem sie mit ihrem Mann gewohnt hatte. Darüber war sie sehr froh, denn sie hatte viele gute Bekannte unter den Nachbarn, und der Kontakt der Tochter zum Vater würde nicht durch räumliche Entfernung erschwert. Sie unterstützte die Vater-Tochter-Beziehung, indem sie Marlene, so oft diese wollte, mit dem Vater im Naturfreunde-Verein wandern und auch verreisen ließ.

„Wenn sie ihn unten pfeifen gehört hat, ist sie runter zu ihrem Vater. Da hab ich nie was dagegen gehabt. Das hab ich ihr immer offengelassen. Da hat er ihr auch mal einen

Mantel oder Schuhe gekauft. Sie hat verstanden, ihm ein bißchen was rauszulocken: ein Geburtstagsgeschenk oder zu Weihnachten etwas. Sie wurde ja auch älter und wollte mal 'n bißchen schick sein. Von mir hat sie nur selbstgenähte Sachen bekommen, aus Resten genäht und von Alt auf Neu umgearbeitet. Zu mehr hat's nicht gereicht.

Die Miete für die Wohnung war nicht so hoch. Wir hatten Stube, Küche und Bad und haben 42 Mark bezahlt. Marlene hat in der Küche auf dem Sofa geschlafen, und wir hatten es so ganz gemütlich. Ich hab in der Stube mein Bett und meinen Arbeitsplatz gehabt. Aber mittlerweile hab ich dann nicht mehr Konfektion genäht, ich war einfach zu langsam. Wenn ich es auf eine Mark Stundenlohn gebracht hatte, mußte ich schon zufrieden sein. Da bin ich in die Fabrik gegangen. Von 1957 bis 1961 war ich in der Fabrik. Da konnte ich dann endlich auf Prämie arbeiten und kam auf zwei Mark 76 Stundenlohn. 1961 wurde ich entlassen, weil die neue Maschinen angeschafft haben, daß sie Leute einsparen konnten. Wir hatten Maschinen, wo vorher drei Leute dran arbeiten mußten und dann eben nur noch eine Person. Und irgendwann waren wir Frauen überflüssig. Die hatten dann auch einen Teil der Firma nach Westdeutschland verlegt, weil das hier in Berlin mit dem Mauerbau zu brenzlig wurde. Also nur einen Teil, für alle Fälle, damit sie nicht ganz aufhören müssen, wenn's hier mal zappenduster ist. Das war zwischen 1960 und 1961. Na ja, 61 war ich dann entlassen, hab aber bei ner anderen Firma gleich was gefunden und konnte dort in der Materialausgabe arbeiten. Die Firma hatte auf einen Schlag 300 Ost-Berliner verloren durch den Mauerbau, und die haben natürlich händeringend Leute gesucht. Die waren froh, wie ich gekommen bin. Ich hab gern da gearbeitet. Für mich war's auch nochmal was Neues. Ich mußte lernen, was ein Meßwerkzeug ist, wie ein Fräser aussieht und so weiter. Und das mit 50 Jahren. Es ist mir aber ganz gut gelungen, alle Werkzeuge und Namen auseinanderzuhalten. Im Laufe der Jahre wurde es in der Firma dann auch wieder knapper mit den Aufträgen. Jedenfalls haben sie mir gekündigt. 67 war's wieder so weit. Da hab ich im Urlaub die Kündigung zugeschickt gekriegt, trotz meiner Schwerbeschädigung."

Frau Wilkes Versuche, über die Arbeitnehmervertretung des Betriebs Unterstützung zu bekommen, scheiterten. Sie blieb über ein Jahr arbeitslos. In dieser Zeit kümmerte sie sich viel um ihre beiden Enkelkinder. Ihre Tochter, die Serviererin geworden war, hatte einen Bäcker geheiratet. Die junge Familie wohnte in der Nähe, so daß Frau Wilke sie oft besuchen konnte. Es war schwierig, in ihrem Alter und mit der Behinderung Arbeit zu finden. 1968 gelang es ihr noch einmal, in einer Fabrik eine leichte Arbeit zu bekommen, aber nach einem Jahr konnte sie die Arbeit körperlich und psychisch nicht mehr durchhalten. In völliger Erschöpfung brach sie zusammen und mußte in eine Nervenklinik gehen.

Sie mußte versuchen, mit ihrer sehr kleinen Rente auszukommen. Von ihrer Tochter konnte sie kaum finanzielle Unterstützung erwarten, da deren vierköpfige Familie auch gerade so ihr Auskommen hatte. Jede Preiserhöhung oder Kürzung von Sozialleistungen traf sie so direkt, daß sie versuchen mußte, am Nötigsten zu sparen.

„Als jetzt die Schwerbehindertenermäßigung bei den öffentlichen Verkehrsmitteln gestrichen wurde, das hat mich empfindlich getroffen. Ich bin nämlich einmal die Woche mit meinem Alten-Sportclub ins Schwimmbad. Da muß ich aber mit dem Bus fahren. Und nun kann ich das Fahrgeld nicht mehr aufbringen. Zu Fuß ist mir das zu weit, das schaffe ich nicht mehr."

Frau Wilke lebt heute noch in derselben Wohnung, in die sie nach der Scheidung gezogen war. Da die Wohnung Kohlenheizung hat, ist die Miete noch erschwinglich. Seit es für Rentner Ermäßigung bei Rundfunk- und Fernsehgebühren gibt, kann sie sich einen gebrauchten Fernseher leisten. Aber der Wintermantel muß noch ein paar Jahre halten, und auch Kaffee kann sie sich nur selten kaufen. Trotzdem ist Frau Wilke mit ihrem Leben zufrieden.

6.
„Man war sich fremd geworden" – Die Männer kehrten heim

Es vergingen manchmal Jahre, bis die einzelnen Familienmitglieder nach Kriegsende voneinander Nachricht erhielten. Hatten die Ehepartner endlich ein Lebenszeichen voneinander, wußten sie doch immer noch nicht, wann sie sich wiedersehen würden. Das lange Warten auf die Rückkehr des Partners steigerte die damit verbundenen Hoffnungen und Wünsche. Frauen erwarteten, daß sich ihre Männer tatkräftig für das Weiterkommen der Familien einsetzen würden, während sich die Männer eine Frau erhofften, die sie für die überstandenen Strapazen und entbehrungsreichen Jahre entschädigen würde.

Manche sahen dem Wiedersehen aber auch mit eher gemischten Gefühlen entgegen. Besonders Ehepaare, die kurz vor oder während des Kriegs geheiratet und kaum Zeit und Gelegenheit gehabt hatten, eine Ehe zu führen, hatten Zweifel, ob ihr Partner nach all den Jahren der Trennung noch zu ihnen stehen würde.

Frauen, die selbst oder deren Männer in der Partei gewesen waren, hatten in der unmittelbaren Nachkriegszeit im Zuge der Entnazifizierungsmaßnahmen durch die Sieger Zwangsarbeit leisten müssen und waren in vielen Fällen aus ihren Wohnungen ausquartiert worden. Sie fürchteten, daß nach der Rückkehr der Männer nochmals Schwierigkeiten auf sie und ihre Männer zukommen könnten.

Über elf Millionen deutsche Soldaten waren bis zur Kapitulation im Mai 1945 in Kriegsgefangenschaft geraten. Lediglich ein Teil von ihnen wurde bereits im Verlauf des Jahres 1945 entlassen (vgl. Tab. 5). Bis Ende 1948 wurden alle Gefangenen aus britischen, amerikanischen, französischen

Abbildung 33: Obwohl schon viele Kriegsgefangene entlassen sind, warten zum Jahresbeginn 1948 noch über 1,3 Millionen Frauen auf ihre Männer.

und belgischen Lagern in ihre Heimatorte zurückgeschickt. Die Kriegsgefangenen aus Jugoslawien und der Tschechoslowakei kehrten – die verurteilten Kriegsgefangenen ausgenommen – bis Anfang 1949 zurück. Aus der Sowjetunion traf im Mai 1950 und aus Polen im April der letzte Gefangenentransport ein. Zurück blieben die wegen Kriegsverbrechen Beschuldigten und Verurteilten, die erst Mitte 1956 (bis auf einige wenige) entlassen wurden.

Die Rückkehr der Männer und das langersehnte Wiedersehen der Familien brachten neben Freude und Erleichterung auch große Enttäuschungen, denn die vorgefundene Realität stimmte zu oft nicht mit den Erwartungen und Wünschen überein.

Die Männer hatten in der Gefangenschaft wenig Informationen über die tatsächlichen Lebensverhältnisse in der Heimat erhalten. Das Ausmaß der Zerstörung und des Mangels war ihnen vor der Heimkehr meist unklar. In ihren Phantasien hatten sie sich ganz andere Verhältnisse vorgestellt. Deshalb waren viele über das verhärmte und magere Aussehen ihrer Frauen schockiert, denn es entsprach nicht ihren Vorstellungen und Erinnerungen.

Gerd Knobloch (Jahrgang 1910) war in russischer Gefangenschaft und wurde 1949 entlassen. Er hatte seine Frau Lotte und die beiden Söhne seit fünf Jahren nicht mehr gesehen:

„Dann ging es mit dem Zug in Richtung Deutschland. Im Rundfunk wurden jeweils die Namen der Heimkehrer bekanntgegeben. Daraufhin haben mehrere Leute versucht, meine Frau zu erreichen, um ihr zu sagen, daß ich komme. Sie hat mich dann am Bahnhof abgeholt.

Ulkigerweise hat mich mein kleiner Sohn, den hatte ich in meinem Leben vorher nur zweimal kurz gesehen, als erster in der dunklen Bahnhofshalle aus dem Fenster gucken sehen. Und da hat der geschrien, ‚der Papa, der Papa!'. Und ich hatte plötzlich keine Beine mehr, als ich meine Leute gesehen habe. Die waren wie Butter, ich konnte einfach nicht mehr vom Fenster weg.

Meine Frau hab ich kaum wiedererkannt. Ich war ja zehn Jahre weggewesen. Mit 29 Jahren wurde ich eingezogen, und mit 39 kam ich aus Rußland zurück. Einige Ähnlichkeiten gab es zwar mit der Frau, die ich verlassen hatte, aber die Notjahre in Berlin hatten sie alt werden lassen. Sie war nicht mehr das junge, aufrechte Mädchen, von dem ich so oft geträumt hatte. Sie war abgemagert und grau und sah elend aus ...“

Manche Frauen erkannten ihre Männer kaum wieder. Mit schweren Kriegsverletzungen, bis auf die Knochen abgemagert und mit geschorenen Köpfen kamen viele aus der Gefangenschaft wieder. Im Gegensatz dazu ähnelten manche Männer, die aus westlicher Gefangenschaft, besonders aus amerikanischer, heimkehrten, eher Urlaubern. Die Ernährung in den amerikanischen Lagern war im Vergleich zu Berliner Verhältnissen fast üppig.

Im Gegensatz zu den Männern waren die Frauen eher auf die Realität der Heimkehrer vorbereitet. Da die Kriegsgefangenen über Jahre verteilt zurückkamen, waren die Frauen mit deren gesundheitlicher und seelischer Verfassung eher vertraut. Außerdem wurde damals in den Zeitungen ausführlich über die Heimkehrerprobleme berichtet. Den Frauen wurden Ratschläge erteilt, wie sie sich der Männer annehmen und ihnen die schwierige Rückkehr erleichtern könnten.

Der angegriffene Gesundheitszustand der Männer wurde zu einer Belastung für die ganze Familie. Bis sie überhaupt wieder zu körperlichen Kräften kamen, mußten sie monatelang gepflegt werden. Für die Frauen war die Fürsorge für den Mann trotz eigener Entbehrungen und Zusatzbelastungen selbstverständlich. Sie sparten an den Lebensmittelrationen der Kinder und vor allem an den eigenen, um dem Kranken die nötigen Kalorien zur Genesung zukommen zu lassen. Bei der angespannten Versorgungslage in Berlin bedeutete für sie das Heranschaffen von zusätzlichen Nahrungsportionen eine enorme Arbeitsbelastung.

Lina Wagner (Jahrgang 1921), verheiratet seit 1942 mit Horst Wagner (Jahrgang 1918), Buchhalter, der ab 1940 Soldat war und 1946 zurückkam:

„Er war aus der russischen Gefangenschaft entlassen worden, weil er zu elend war zum Arbeiten. Er kam ganz krank nach Hause und kriegte Rippenfell- und Lungenentzün-

dung. Wir haben ihn damals nicht ins Krankenhaus gebracht, weil da so schlimme Zustände herrschten. Das haben wir also zu Hause durchgestanden. Da wir alle nur die niedrigsten Lebensmittelkarten hatten, bin ich auf den Bau arbeiten gegangen. Fünf Monate hab ich's durchgehalten. Er war todunglücklich, daß ich das machte, aber es war die einzige Möglichkeit, um zu einer höheren Lebensmittelkarte zu kommen. Auf dem Bau gab's die höchste Karte I. Natürlich war's Schwerarbeit, also, das war nicht nur Steineklopfen, sondern Aufräumungsarbeiten mit der Spitzhacke, entrümpeln und die Karren schieben. Und das bei der schlechten Ernährung. Man hat ja dem Mann viel zu essen gegeben, damit er wieder hochkam."

Die Pflege der geschwächten Kriegsheimkehrer war eine Aufgabe, die meist von den Familien alleine getragen werden mußte. Eine Betreuung im Krankenhaus war wegen der zerstörten Kliniken und der Engpässe in der medizinischen Versorgung nur in seltenen Fällen möglich. Auch war es den Männern lieber, wieder bei ihren Angehörigen zu sein und dort gepflegt zu werden. Oft war die Betreuung der Heimkehrer eine Belastung, die längerfristig anhielt, da viele Männer bleibende Schäden und Behinderungen behielten und deshalb von ihren Frauen über lange Zeit betreut werden mußten. So waren zum Beispiel im Sommer 1949 in West-Berlin über 43000 Kriegsversehrte Männer zu versorgen. Im Bundesgebiet wurden im November 1950 über 2,01 Millionenen Kriegsbeschädigte des Ersten und Zweiten Weltkriegs registriert. Davon waren ca. 1,5 Millionen zu 30 Prozent und mehr in ihrer Erwerbsfähigkeit beeinträchtigt.

Die Männer hatten nicht nur den Krieg verloren, sondern auch ihre Gesundheit eingebüßt. Aber auch diejenigen, die bei ihrer Heimkehr „lediglich" schwach oder erschöpft waren, kamen nur schwer damit zurecht, ihren Familien zunächst keine Stütze sein zu können. Dauerte die Genesung sehr lange, hatten die Männer oft seelische Probleme. Die Erniedrigungen und Strapazen der Gefangenschaft, der Verlust des Selbstbewußtseins durch den verlorenen Krieg und

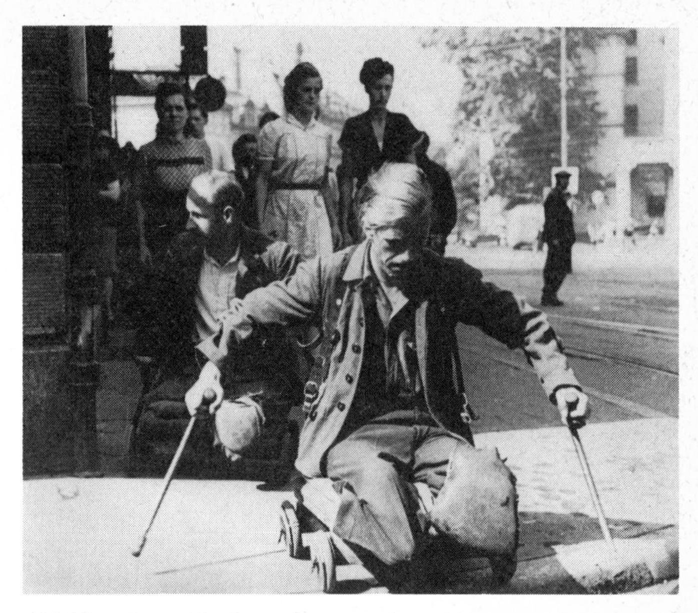

Abbildung 34: 1953 gibt es über 1,4 Millionen Kriegsversehrte in der Bundesrepublik Deutschland. Davon sind knapp die Hälfte schwerbeschädigt.

die lange Krankheit, verbunden mit körperlicher Schwäche, ließen viele Männer apathisch und depressiv werden.

Margarete Leopold (Jahrgang 1902) war seit 1930 verheiratet mit Franz Leopold (Jahrgang 1898), Jurist. Er war 1939 eingezogen worden und kam 1945 aus der Gefangenschaft zurück. Das Ehepaar hatte drei Kinder.

„Mein Mann war durch die Nachkriegszeit deprimiert und niedergedrückt. Er hatte eben keinen Lebensmut mehr. Dieser Auftrieb, den ich notgedrungen wegen der Kinder aufbringen mußte, der fehlte ihm. Er saß die meiste Zeit und starrte vor sich hin. Ich hatte das Gefühl, er ist noch gar nicht hier. Ich war ganz verzweifelt, weil ich nicht wußte, wie ich ihm Mut machen sollte. Den Krieg hatten wir nun mal verloren. Und es war auch gut so. Aber ihn hat es völlig zerstört. Auf die Kinder hat er auch nicht reagiert, die hat er

fast abgelehnt. Er war richtiggehend desinteressiert an der Familie.“

In den meisten Fällen mußten die Frauen auch nach Rückkehr der Männer noch lange alle Energien und Kräfte in das Organisieren des Über- und Weiterlebens investieren. Sie konnten sich kaum schonen. Viele Frauen wollten ihre Enttäuschung über den mangelnden Einsatz ihrer Männer nicht zu deutlich zeigen und versuchten, trotzdem ihren Lebensmut aufrechtzuerhalten. Die Männer spürten diese unterschwellige Enttäuschung ihrer Frauen jedoch, was sie zusätzlich niedergeschlagen machte.

Die Frauen hatten sich verändert. Sie waren selbständiger und aktiver geworden. Die Männer mußten erkennen, daß die Frauen ganz gut ohne ihren Beistand das Chaos der End- und Nachkriegszeit bewältigt hatten. Dadurch fühlten sie sich aus ihrer Rolle als Ernährer und Haushaltsvorstand verdrängt und kamen sich überflüssig vor.

Peter Klein (Jahrgang 1920) war seit 1940 mit Johanna Klein (Jahrgang 1922) verheiratet. Das Ehepaar hatte zwei Kinder, die Frau Klein während der ganzen Jahre alleine aufgezogen hatte. Herr Klein kam erst 1949 aus russischer Gefangenschaft zurück:

„Meine Frau war sehr tüchtig in ihrer Art. Die ersten Kriegsjahre hatte sie meinen Schwiegereltern im Lokal geholfen, und dann war sie jahrelang mit den Kindern ganz allein in Ostpreußen und in Thüringen evakuiert. Und als ich 1949 zurückkam, hatte sie schon wieder die Wohnung hergerichtet und alles war wieder so einigermaßen. Im Grunde war sie mir fremd. Auch die Jungs kannte ich ja kaum. Den Kleinen hatte ich erst zweimal gesehen, die waren ja nur von der Frau erzogen worden. Das hat sie alles ohne mich geschafft. Als ich zurückkam, wußte ich gar nicht, ob sie mich überhaupt noch brauchen würde.“

So wie Herr Klein erlebten viele Männer ihre Frauen. Sie waren zwar erleichtert, wieviel sie geschafft und damit das Durchkommen der Familie während ihrer Abwesenheit ermöglicht hatten, konnten sich aber nur schwer in der veränderten Situation zurechtfinden. Die gewohnten Verhaltensweisen und Rollenvorstellungen, nach denen die Männer bislang gehandelt hatten, funktionierten nicht mehr. Die Konfrontation mit ihren selbständig gewordenen Frauen verunsicherte sie und führte zu einem distanzierten Verhältnis.

Joachim Schlüter (Jahrgang 1911), seit 1940 mit Meta Schlüter (Jahrgang 1917) verheiratet, war in amerikanischer Gefangenschaft und kam 1947 zurück:

„Die große Familie war noch oder schon wieder intakt, als ich nach Hause kam. Mit der Familie war's anfangs erst mal schwierig. Die Frauen haben sich ganz allgemein in der Zeit, wo wir nicht zu Hause waren, recht emanzipiert, obwohl sie den Ausdruck gar nicht kannten. Die mußten alles selber machen. Es fiel mir schwer, mich da reinzufinden. Wir hatten beide den Eindruck, daß wir uns sehr verändert hatten.

Im März 1940 hatten wir geheiratet, und im Dezember wurde ich eingezogen. Die paar Monate reichten ja nicht, um bestätigt zu finden, daß der Mensch, den ich an mich gebunden hatte, so war, wie ich mir das vorstellte und so weiter. Bevor es zu Belastungsproben kam, war ich beim Barras, und sie hat hier in Berlin allein leben müssen. Und als ich wiederkam, war's schwierig. Nach all dem, was mir da zwischendurch passiert war. Meine Frau sah sich also einem Mann gegenüber, der früher immer sehr schnell gesagt hatte, ‚na ja, warum nicht, da machen wir das so und so', und jetzt ging das nicht mehr. Und sie war genau so, da sie sich hatte auch behaupten müssen. Wir waren wie zwei Hakensteine eine Zeit lang."

Die Jahre der Trennung und das daraus resultierende Gefühl der Fremdheit machten es den Eheleuten schwer, miteinander zu sprechen. Besonders die Erlebnisse und Erfahrungen, die zeitlich in die Abwesenheit des Partners fielen, waren nur schwer zu vermitteln. Manche Frauen hatten für ihre Männer Tagebuch geschrieben, damit sie einen Eindruck bekämen von dem, was ihnen alles widerfahren war.

Einige hatten sich auch während der Abwesenheit des anderen mit einem neuen Partner zuammengetan. Frauen hatten sich in Situationen, in denen sie nicht wußten, ob ihr Mann jemals wiederkäme, einen anderen gesucht. Auch Männer haben manchmal gezögert, zu ihren Frauen und Kindern zurückzukehren. Viele hatten Schwierigkeiten, bestimmte Dinge anzusprechen, sie wollten gewisse Erfahrungen lieber vergessen, als sie mit dem Partner zu besprechen.

Frauen, die vergewaltigt worden waren, fiel es schwer, ihren Männern davon zu erzählen. Viele waren schockiert, obwohl sie wußten, daß ihre Frauen an dem Geschehnis unschuldig waren und selbst darunter litten. Für manche Männer war die daraus resultierende Entfremdung so tiefgreifend, daß sie sich sogar scheiden ließen oder sich jahrelang sexuell verweigerten. Auch Frauen verweigerten sich ihren Männern wegen der Vergewaltigungen, die sie hatten ertragen müssen.

Gisela Koch (Jahrgang 1920) war seit 1939 mit Philipp Koch (Jahrgang 1907) verheiratet, der 1946 zurückkam:

„*Wir hatten uns sechs Jahre praktisch nicht mehr gesehen. Als er dann zurückkam, hatten wir natürlich zuerst einmal versucht, miteinander warm zu werden. Ich hab ihm dann die ganzen Ereignisse geschildert, die in seiner Abwesenheit vorgefallen waren. Und da hab ich ihm dann auch gesagt, daß ich in Pommern bei Kriegsende mehrmals vergewaltigt worden war. Es war schrecklich für mich gewesen, darüber noch einmal zu sprechen, aber ich dachte, er müsse es wissen. Ich hab ihn dann gefragt, ob er noch mit mir zusammenleben könnte. Er war so schockiert über das, was ich da durchlebt hatte, daß er sagte, er müsse Zeit haben, darüber nachzudenken. Er konnte nicht sagen, wie er sich entscheiden würde. Das wären so gravierende Ereignisse, die eigentlich genügten, um eine Ehe einfach nicht mehr bestehen zu lassen.*“

Die verschiedenen Probleme, mit denen die Ehepartner bei ihrem Wiedersehen konfrontiert wurden, führten zu einem beträchtlichen Anstieg der Scheidungsraten in der Nachkriegszeit. Zwischen 1946 und 1948 verdoppelte sich die Scheidungsrate im Vergleich zur Vorkriegszeit (vgl. Tab. 2). Vorrangig waren es die sogenannten Kriegstrauungen der Jahre 1942–1945, die aufgelöst wurden, da sich die Paare kaum kannten. Aber auch viele Ehen, die länger bestanden hatten, wurden geschieden, weil die Spannungen und Konflikte der Eheleute nicht lösbar schienen. Frauen war es nur dann möglich, sich scheiden zu lassen, wenn sie ein eigenes Einkommen hatten, wie es Frau Wilke in ihrer Familiengeschichte schildert. Denn auf der Grundlage des damaligen Scheidungsrechts war ein Ehemann nur dann zur Unterhaltszahlung an seine Frau verpflichtet, wenn ihm die Schuld am Scheitern der Ehe nachgewiesen werden konnte. Langjährige Zerrüttungen infolge des Kriegs oder „schlichtes" Auseinanderleben boten hierfür keine Rechtsgrundlage. Für Männer war der Entschluß, sich zu trennen oder scheiden zu lassen, meist leichter.

Gerd Knobloch (Jahrgang 1910) war zehn Jahre von seiner Frau getrennt:

„Meine Frau hatte sich überhaupt durch den Krieg sehr verändert gehabt. Wir hatten sehr jung damals geheiratet. Ich war ihr erster Mann gewesen. Im Bildungsstand war ich etwas weiter als sie, so daß sie zu mir aufblickte, wie das so schön heißt ... Aber das hatte sich nach den vielen Jahren alleine natürlich sehr geändert. Sie hatte sich durchboxen müssen und war selbständig geworden, sie nahm nicht mehr alles so hin ...

Und es wurde ja dann auch gleich tragisch zwischen uns, gleich in der ersten Nacht. Meine Frau teilte mir mit, daß sie seit zwei Jahren einen Freund hatte. Der Mann, mit dem sie mich betrogen hat, war Fleischer. Das ist dann schön ... Was wollen Sie denn machen? Und da hab ich mir meine beiden Jungs angesehen und hab mir gesagt, na ja, du hast ja auch kein Töpfchen anbrennen lassen, solange du weg warst ...

Na ja, es war schlimm, aber meine Frau brach diese Geschichte dann auch gleich ab. Es tat ihr sehr leid. Aber wir hatten uns eben auseinandergelebt, irgendwie. Wir haben es miteinander versucht, trotzdem, aber es war schwierig ... Es ist einfach ein Bruch gewesen. Sie hat sich eben – wie man heute so schön sagt – verselbständigt. Sie ist mehr Persönlichkeit geworden ...

Die Reihenfolge war die: Zuerst eine furchtbare Kränkung, als ich ihr Verhältnis mit dem anderen Mann mitbekommen habe, dann kam natürlich die lange Abstinenz des Mannes gegenüber dem weiblichen Geschlecht. Und die fand in unserer Ehe keine völlige Erfüllung mehr, da diese Beziehung ja belastet war. Und insofern folgte dann meinerseits schon so ein inneres Weggehen, Vergleiche ziehen. Und ich gebe auch offen zu, daß ich mich dann nicht mehr mit dieser Verbindung begnügt habe, sondern auch anderweitig Beziehungen hatte ...“

Viele Männer waren durch die jahrelange Gewöhnung an andere Lebensverhältnisse nach der Rückkehr völlig orientierungslos. Beim Militär hatten sie sich jahrelang den strikten Hierarchien unterordnen müssen und konnten kaum eigene Entscheidungen treffen. Im Gefangenenlager mußten sie sich ähnlichen Strukturen fügen. Hinzu kam, daß sie aufgrund der spärlichen Informationen im Gefangenenlager kaum über die Verhältnisse in der Heimat Bescheid wußten; so hatten sie z.B. oft keine Ahnung von den bestehenden Rationierungen und dem Lebensmittelkartensystem. Sie hatten falsche Vorstellungen von Tauschwerten und davon, was beim Hamstern zu holen war. Vor allem war es nicht einfach, mit der Berliner Bürokratie umzugehen und sich zurechtzufinden. Durch den Vier-Mächte-Status der Stadt wurden Bestimmungen, Verordnungen und Maßnahmen der jeweiligen Machthaber in den Sektoren teilweise unterschiedlich gehandhabt. Die heimgekehrten Männer mußten sich erst wieder einleben.

Auguste Otts Ehemann Max kam Weihnachten 1946 aus englischer Gefangenschaft nach Hause. Für Frau Ott begannen damit neue Probleme:

„Da mein Mann praktisch illegal über die grüne Grenze nach Berlin gekommen war, gingen die Probleme los. Er

kriegte nur Wohnerlaubnis und Lebensmittelkarten, wenn er Arbeit hatte. Arbeit kriegte er aber nur, wenn er Wohnerlaubnis hatte. Bis ich dann losgegangen bin und sich einer erbarmte, diesen Teufelskreis zu durchbrechen. So lange, von Weihnachten bis Februar, mußte ich diesen verhungerten Mann nun noch mit meinen Karten durchfüttern. Im Winter saßen wir in der Küche. Die Kohlen waren knapp, das Essen war knapp, und immer der Ärger. Also, die Zeit war sehr, sehr schwer. Ich ging dann immer zwischendurch hamstern, weil das unser Budget ein bißchen auffrischte. Er holte mich dann vom Bahnhof ab, da brauchte ich nicht mehr so viel zu schleppen. Aber mitgefahren ist er nicht. Hat er sich nicht getraut.“

Die Integrationsprobleme und die Orientierungsschwierigkeiten der Männer wirkten zusätzlich belastend auf das Familienleben. Die Frauen hatten sich eine tatkräftige Unterstützung durch die Männer erhofft und mußten nun versuchen, deren Probleme mitzulösen.

Eine der Hauptschwierigkeiten der Männer war der Wiedereinstieg in die unterbrochene Berufstätigkeit. Die Chancen der Männer, eine Stelle zu finden, waren unterschiedlich und abhängig vom Gesundheitszustand, der politischen Belastung, dem Alter, der Dauer der kriegsbedingten Abwesenheit und ihrer beruflichen Qualifikation. Hatten Männer die Möglichkeit, in ihrem alten Beruf oder gar am früheren Arbeitsplatz unterzukommen und gelang auch die nahtlose Anknüpfung an eine angemessene Bezahlung, ging es den Familien verhältnismäßig gut. Gerade in Berufssparten, die nach dem Krieg für den Wiederaufbau gefragt waren – wie Maurer, Maler, Glaser, Ofensetzer etc. –, war dies eher möglich. Dies schilderte auch Herr Prochnow in seiner Familiengeschichte. Solch ein glatter Wiedereinstieg gelang jedoch nur einem Teil der Männer. Viele fanden ihre alte Arbeitsstelle gar nicht mehr vor, da der Betrieb zerbombt, demontiert oder geschlossen war.

Viele waren gezwungen, andere Berufe zu ergreifen; sie versuchten deshalb, eine Umschulung oder Weiterbildung

Abbildung 35: Nach Jahren des Kriegseinsatzes finden viele Männer keinen Einstieg ins Berufsleben mehr, obwohl Heimkehrer bei der Besetzung freier Stellen vorgezogen werden.

zu machen. Herr Lehmann wird in der nächsten Geschichte davon erzählen und schildern, wie er vom Bankkaufmann zum Maler umgeschult wurde. Für ihn hat sich dieser Entschluß ausgezahlt. Er eröffnete in den 50er Jahren einen eigenen Betrieb. Oft halfen die Frauen ihren Männern bei dem ungewohnten nochmaligen Lernen. Sie machten ihnen Mut und versuchten, während ihrer Ausbildungszeit die Familie alleine zu ernähren, so daß der Mann die Umschulung überhaupt machen konnte.

Horst Wagner (Jahrgang 1918), Buchhalter, war sechs Jahre in Krieg und Gefangenschaft und hatte dadurch Schwierigkeiten, in seinem Beruf wieder Fuß zu fassen:

„*Das Bankgewerbe lag darnieder, da konnte ich nicht mehr arbeiten. Ein Freund sagte mir dann, daß politisch unbelastete Lehrer gebraucht würden. Ich mußte einen Prüfungsaufsatz schreiben – ‚Ich und die Welt' – und bin angenommen worden. Ich mußte gleich hospitieren und gleichzeitig Kurse machen. Gleich nach ein paar Wochen wurde ich wieder krank. Ich wollte mit dem Kurs aber doch weitermachen, es war unsere Chance. Und da ist dann meine Frau für mich hingegangen. Sie hat mitstenographiert und auf einer geliehenen Schreibmaschine nachts alles abgetippt. So hab ich den Anschluß nicht verloren und hab den Kurs dann auch geschafft.*"

Nicht alle Männer hatten nach ihrer Rückkehr die Möglichkeit, Weiterbildungs- oder Umschulungskurse in Anspruch zu nehmen. Viele hätten auch gar keine Kraft dazu gehabt – teils wegen ihres angeschlagenen Gesundheitszustands, teils aus Enttäuschung über den verlorenen Krieg. Für andere war es vordringlich, sofort Geld zu verdienen, da die Familien die Unterstützung dringend brauchten. Sie mußten dann Stellen annehmen, in denen sie wesentlich weniger verdienten als in ihren Berufen vor dem Krieg. Noch schlechter erging es jenen, die nach ihrer Rückkehr längerfristig arbeitslos wurden oder völlig unterqualifizierte Stellen annehmen mußten.

Die Berlin-Blockade 1948/49 brachte eine nochmalige

Verschlechterung der Lebensverhältnisse (vgl. Zeittafel). Vom 1. August an war der Verkehr zwischen dem Westen und den Berliner Westsektoren durch die sowjetischen Alliierten unterbrochen. Die Versorgung der Stadt konnte nur noch mit Hilfe einer Luftbrücke durch die Westalliierten gewährleistet werden. Wegen der politischen Krise und der drohenden endgültigen Teilung der Stadt verlagerten viele Berliner Firmen ihre Betriebe nach Westdeutschland. Damit wirkte sich die Blockade, neben der Verknappung der Lebensmittelversorgung, direkt auf die Erwerbschancen der Männer aus. Die Arbeitslosenzahl lag im Juni 1948 in Berlin bei ca. 47000. Während der Blockade von Juni 1948 bis Mai 1949 stieg die Erwerbslosenquote erheblich, im Mai 1949 gab es über 137000 Arbeitslose.

Durch die materiellen Verschlechterungen während der Blockade entstanden neue Konflikte zwischen den Eheleuten. Immer wieder gab es Streit wegen des zu geringen Haushaltsbudgets und der rationierten Lebensmittel. Viele hatten Angst zu verhungern.

Während die Frauen seit Jahren mit der knappen Versorgungssituation vertraut waren, argwöhnten die Männer, zu kurz zu kommen, und gingen heimlich an den Brotkasten. Dieses egoistische Verhalten wird nur verständlich im Zusammenhang mit der Verrohung durch den Krieg und die Gefangenschaft. Die Frauen hingegen hatten bestimmte Überlebenstechniken entwickelt, die nicht nur für sie selbst galten, sondern auch ihre Angehörigen einschlossen. Die Frauen waren eingebunden in enge verwandtschaftliche Beziehungen, die ihnen in den Notjahren das Überleben erleichterten. Auch nach der Rückkehr ihrer Männer hielten sie den Austausch von Hilfe und Unterstützung zwischen den Verwandten aufrecht. Mütter und Schwiegermütter halfen bei der Versorgung der Kinder und der Männer. Die Männer fühlten sich in diesen eingespielten Beziehungen anfangs überflüssig. Nach ihrer langjährigen Abwesenheit mußten sie sich erst langsam wieder in die größeren familiären Zusammenhänge einfügen. Eine Reihe von Konflikten entstand dabei aus den engen Wohnverhältnissen, in die die

Abbildung 36: Wegen der Wohnungszerstörung müssen zumeist mehrere Familien in einer Wohnung zusammenleben, wie hier in einer Fünf-Parteien Wohnung in Berlin-Schöneberg. Oft gibt es Reibereien bei der Benutzung der gemeinsamen Küche.

Männer kamen. Oft lebten mehrere Generationen in einem einzigen Zimmer.

Harry Falk (Jahrgang 1912), seit 1938 verheiratet mit Anna Falk (Jahrgang 1914), kam nach neun Jahren Trennung aus der Gefangenschaft in eine Einzimmerwohnung:

„*So, nun waren wir fünf Personen in einem Zimmer – drei Generationen. Meine Schwiegermutter und die beiden Kinder, meine Frau und ich hausten zusammen im einen Zimmer. Das war natürlich sehr erhebend. Also, wir waren praktisch mit meiner Schwiegermutter verheiratet. Durch die Notzeit waren Mutter und Tochter ganz aufeinander eingespielt. Ich hatte meine Schwierigkeiten damit. Ich saß wie in einer Zwickmühle. Ich wollte meine Schwiegermuter nicht verletzen, weil sie meiner Frau und den Kindern beigestanden hatte, aber ich wollte sie loswerden. Es gab sehr, sehr viel Ärger deswegen.*“

Diese Probleme waren für viele Männer nur schwer zu verkraften. Krieg und Gefangenschaft hatten die berufliche Existenz zerstört und die Realisierung ihrer früher gesteckten Ziele unmöglich gemacht. Sie waren enttäuscht, dem Krieg soviel geopfert zu haben. Darüber hinaus mußten viele erkennen, daß sie ihren Familien nicht die Hilfe bieten konnten, wie sie es gern getan hätten. Dies machte ihren Optimismus und Lebensmut zunichte. Depression und Mutlosigkeit waren die unausweichliche Folge. Viele konnten ihrer Betroffenheit keinen Ausdruck verleihen. Sie fraßen die Probleme in sich hinein, da sie die Familie mit ihren Schwierigkeiten nicht zusätzlich belasten wollten. Aber gerade unter dieser Sprachlosigkeit der Männer litten Frauen und Kinder besonders.

Frieda Maaß (Jahrgang 1906), verheiratet seit 1928 mit dem Schrotthändler Gerd Maaß (Jahrgang 1892), der versuchte, mit den Alliierten Geschäfte zu machen:

„Wenn mein Mann irgendwelche Schwierigkeiten im Beruf oder so hatte, konnte er nicht darüber sprechen. Vielleicht wollte er uns nicht belasten, vielleicht konnte er es auch nicht zugeben. Ich weiß nicht. Aber mein Mann hat es fertiggebracht, daß er ohne einsichtigen Grund 14 Tage kein Wort mit mir gesprochen hat. Nicht ‚gute Nacht', nicht ‚guten Morgen', nichts, nichts. Also, die ersten drei Tage hab ich das immer mit Humor getragen. Aber dann fing's an, daß ich das nicht mehr ertragen konnte und Magenschmerzen gekriegt habe. Und wenn ich ihn dann mal gestellt habe und gesagt habe, ‚was ist denn nun, mein Schatz, sprich dich doch aus', war nichts zu machen. Er konnte auch nicht über seine Probleme reden. Es war überhaupt kein Grund zu erfahren. Das hat mich furchtbar gewurmt. Es hat wehgetan, wenn er diese Tour bekam. Da haben auch die Kinder furchtbar darunter gelitten, denn mit denen hat er ja dann auch nicht gesprochen. Hinterher, wenn wieder alles in Ordnung war, dann sprach er wieder. Und wenn man ihn dann gefragt hat, hat er nur gelacht. Und um des lieben Friedens willen hab ich dann nicht mehr gebohrt und hab

Abbildung 37: „Ich habe den Kindern immer wieder das Photo gezeigt, auf dem sie mit ihrem Papa abgebildet sind. Sie sollten ihren Vater nicht vergessen!"

klein beigegeben, auch schon wegen der Kinder. Aber auf die Dauer sind mir diese Schwierigkeiten in meiner Familie und mit meinem Mann richtig auf den Magen geschlagen. Ich hatte dann eine chronische Magenschleimhautentzündung. Als ich meinen Mann kennenlernte, hab ich schon mal 135 Pfund gewogen. Aber im Laufe meiner Ehe bin ich immer schlanker und schlanker geworden. Ich hab mich richtig aufgezehrt. Ich bin ja nun vielleicht auch so ein Typ, der alles so ein bißchen schwer nimmt."

Neue Probleme ergaben sich aus den Beziehungen zwischen Kindern und ihren Vätern. Viele Kinder erkannten den Vater bei dessen Rückkehr nicht wieder. Die jüngeren hatten ihn in vielen Fällen noch nie gesehen. Selbst wenn die Mütter ständig mit den Kindern über den abwesenden Vater gesprochen hatten, war er für die Kinder eine fremde Person. Die Kinder reagierten auf die heimgekehrten Väter intuitiv und folgerichtig mit Scheu bis hin zur völligen Ablehnung. Die Väter litten unter der Reaktion ihrer Kinder und konnten deren Verhalten oft nicht verstehen.

Anna Falk (Jahrgang 1914), Hausfrau, seit 1938 verheiratet, zwei Kinder. Ihr Mann, Harry Falk, war neun Jahre in Krieg und Gefangenschaft. Sie berichtet über die Probleme zwischen ihren Kindern und ihrem Mann:

„Der Junge hat auch Probleme gemacht. Der war sehr distanziert. Der Vati war bisher nur ein Wort oder ein Bild. Obgleich wir oft von ihm gesprochen haben und die Kinder jeden Abend dem Vati auf dem Bild gute Nacht gesagt haben. Aber das war nur was Gesprochenes. Und nun war plötzlich ein Mann da, den er nicht kannte. Wenn wir zusammen spazierengegangen sind, dann ist er immer an meine Seite gekommen. Er ist nie zu seinem Vater gegangen. Es hat über ein halbes Jahr gedauert, bis der Junge sich daran gewöhnt hatte, daß nun ein Mann mit zur Familie gehört und daß dieses Bild oder dieses Wort ‚Vati' ein Mensch war, der bei uns blieb."

Die Kinder hatten sich in der Abwesenheit der Väter weiterentwickelt und verändert. Sie waren älter und damit erwachsener geworden. Während des Kriegs und der unmittelbaren Nachkriegszeit mußten sie wichtige Aufgaben in der Familie übernehmen. Besonders die älteren waren die Vertrauten ihrer Mütter gewesen, hatten Verantwortung für die kleineren Geschwister übernommen und oftmals den Vater ersetzt. Welche Veränderungen die Notwendigkeiten der unmittelbaren Nachkriegsjahre bei den Kindern bewirkten, konnten sich die Väter kaum vorstellen, und vielfach wollten sie es auch nicht akzeptieren. Sie behandelten ihre Kinder in derselben Weise wie zu dem Zeitpunkt, als sie sie verlassen hatten. Besonders die älteren Kinder fühlten sich durch das Verhalten der Väter ungerecht behandelt und in einen Kinderstatus zurückversetzt, den sie längst verlassen hatten. Die Kinder rebellierten und wandten sich von ihren Vätern ab. Die Väter hingegen erwarteten, als Respektsperson und oberste Erziehungsinstanz anerkannt zu werden.

Auguste Otts Mann war 1946 aus der Gefangenschaft

zurückgekommen. Die Zeit davor hatte sie mit den beiden Kindern zusammengelebt:

„Als der Vater wiederkam und natürlich alles an sich riß, was der Mann in der Familie ja tun muß, da ist ein Bruch entstanden. Der Große, also der Sechsjährige, der sollte jetzt wieder ein Kind sein. Vorher hatte er Verantwortung für die Kleinen und er war mein Helfer. Der kam nach Hause: ‚Mutti, da gibt's Zucker. Soll ich mich anstellen?' So in dem Stil. Er war also der Mann in der Familie, und ich hatte ein furchtbar schlechtes Gewissen, weil ich dachte, ich bring das Kind um seine Jugend. Er hat aber nicht gelitten unter der Last der Verantwortung, sondern er fand das sehr schön. So, und jetzt sollte er bloß wieder Kind sein und der fremde Mann machte alles."

Oft versuchten die Väter, mit Strenge ihre Autoritätsposition gegenüber den Kindern durchzusetzen. Mit teilweise militärischen Disziplinierungsmaßnahmen wie z.B. Kniebeugen sollten die Kleinen erzogen werden. Die Männer hatten sich der Hierarchie der Wehrmacht und der Gefangenenlager anpassen und viele Jahre lang Unterordnung und Gehorsam, Herrschaft und Befehlsgewalt ertragen müssen und übertrugen diese Erfahrungen und Verhaltensweisen auf die Erziehung ihrer Kinder. Mit solchen Methoden ließ sich die Entfremdung zwischen heimgekehrten Vätern und heranwachsenden Kindern nur schwer überbrücken. Denn die Kinder hatten während der Abwesenheit der Väter Verhaltensweisen erlernen müssen, die eher in Richtung Eigenständigkeit, Kooperation und Verantwortung gingen. Sie konnten die Anweisungen und Erziehungsversuche der Väter oft gar nicht verstehen.

Dora Brandenburg (Jahrgang 1910), verheiratet mit Karl Brandenburg (Jahrgang 1908), Töpfermeister, der nach neunjähriger Abwesenheit 1948 wiederkam:

„Der Rolf, der Jüngste, der hat seinen Vater überhaupt nicht anerkannt. Der wußte überhaupt nicht, was ein Vater ist. Wir hatten hier in der Bekanntschaft keinen Mann, der Vater war. Also, mit den Kleinen ging das gar nicht: ‚Mutti,

Abbildung 38: „Ich gab die Hoffnung nie auf, meine kleine Tochter wiederzufinden, die ich auf der Flucht aus Ostpreußen verloren hatte. Ich habe alle Suchdienste für vermißte Kinder eingeschaltet.“

ist das der Meister, zu dem ich Vater sagen muß?‘ Der Kleine kam morgens so gern zu mir ins Bett. Also, er lag bei mir im Bett, und jetzt kam mein Mann, setzte sich auf die Bettkante, sagte der Kleine: ‚Weg hier, weg hier, siehst du nicht, daß hier besetzt ist?!‘ Und ein andermal, ich weiß nicht, mein Mann hatte irgendwas zu Rolf gesagt, was ihm nicht gepaßt hat. Und ich seh ihn noch. Da stand er noch, die Fäuste geballt, und der Kopf wurde immer dicker wor Wut. Ging er um den Tisch rum auf seinen Vater zu, sagte: ‚Du, du, du hast hier überhaupt nichts zu sagen.‘

Also, es war wirklich ganz dramatisch. Der Älteste sagte mal zu mir: ‚Mutti, es war viel schöner, als Vater noch nicht da war.‘ Da war nun plötzlich einer, der noch mitreden wollte und befehlen wollte. Das hat ihm nicht gepaßt, daß da noch einer war, der mitreden wollte, wo es langgeht. Der

Älteste, der hat mir viel geholfen, der war unbezahlbar. Eine große Stütze war der mir, und ich konnte das irgendwie verstehen, daß er sich verdrängt fühlte vom Vater. Er hat nicht ganz so gut gelernt in der Schule. Das fiel ihm ein bißchen schwer. Er konnte nicht gut lesen. Mein Mann kommt nach Hause: ‚Was, der kann nicht lesen?' Da mußte der Junge 25 Kniebeugen machen, als ob er deswegen besser lesen könnte.

Der Junge hat ihn völlig abgelehnt, und mein Mann hat darunter gelitten, sehr gelitten. Da mußte ich immer vermitteln, immer wieder zureden: ‚Du kannst doch den Kindern nicht übelnehmen, daß sie dich nicht kennen, daß sie nicht wissen, was ein Vater ist. Du kommst hier plötzlich rein, für sie als wildfremder Mann, und du willst hier Vorschriften machen und sagen ‚kleckere nicht beim Essen' und solche Sachen.'"

Die Männer machten ihren Frauen Vorwürfe, weil diese ihrer Meinung nach die Kinder schlecht erzogen hatten. Die Kinder wiederum spürten die Differenzen der Eltern hinsichtlich der Erziehung und orientierten sich um so stärker an der Mutter. Durch die lange Abwesenheit der Väter war das Verhältnis zwischen Müttern und Kindern um so enger geworden. Viele Väter reagierten darauf mit Eifersucht, denn sie fühlten sich ausgeschlossen und zurückgesetzt.

Gerd Knobloch (Jahrgang 1910) kam 1949 aus russischer Gefangenschaft zurück. Seine Söhne kannte er kaum:

„Die Jungs hielten mehr zu ihrer Mutter. Wenn ich sie anpfiff, krochen sie unter ihre Fittiche. Sie sind zu ihr in die Küche gelaufen, haben geheult und sich bei ihr beschwert. Und sie hat sie dann natürlich verteidigt. Ich kam da lange nicht dazwischen. Immer hatte ich das Gefühl, daß ich gegen eine Einheit stehe – Mutter und Kinder. Die waren richtig vertraut miteinander, und ich kam als Fremder dazu."

Die Spannungen in den Familien und die Entfremdung zwischen Vätern und Kindern waren nur schwer auszuhalten. Meist waren die Mütter gezwungen, zwischen Vater und Kindern zu vermitteln. Sie mußten die mangelnde Erfahrung der Väter mit der Sozialisation der Kinder ausgleichen und die Erziehungsfehler der Väter an den Kindern wiedergutmachen. Andererseits versuchten sie, den Kindern das Verhalten der Väter zu erklären und bei ihnen Verständnis für sie zu wecken.

„Mein Mann kam nach Hause und hatte das Gefühl, ‚ach Gott, die Kinder sind bloß bei Mutter aufgezogen, die sind womöglich verzogen'. Wir haben eine sehr gute Ehe geführt miteinander, aber um die Kinder gab's Streit. Ich weiß noch, daß ich gesagt habe, ‚laß sie dich doch erst lieben, dann kannst du sie ja erziehen, aber fang nicht damit an'. Es wären viele Fehler vermieden worden, wenn mein Mann die Entwicklung der Kinder miterlebt hätte. Aber er wurde ja mit einem zweieinhalbjährigen Sohn konfrontiert, den er vorher nie gesehen hatte. Und den anderen, den hatte er als Zweijährigen verlassen, der ging nun beinahe in die Schule. Das war für meinen Mann schwierig. Er hat manchmal zuviel von ihnen verlangt. So weit waren sie noch nicht. Manchmal hat er sie aber auch noch zu sehr als Kinder behandelt. Das Verhältnis zwischen Vater und Kindern war dadurch sehr gespannt. Ich mußte sehr viel ausgleichen. Das war das einzige Problem. Zwischen meinem Mann und mir gab's sonst keine Probleme, aber ich stand dann manchmal zwischen meinem Mann und den Kindern – natürlich mehr auf Seiten der Kinder. Für die ist es doch erst mal der fremde Mann, und er blieb eben leider ein bißchen der fremde Mann."

Das Vermitteln zwischen Vätern und Kindern bedeutete für die Mütter eine zusätzliche Belastung, der sie neben ihrer Arbeit im Haushalt, ihrer Sorge für das materielle Auskommen der Familie und der Betreuung der Familienmitglieder gerecht werden mußten. Die Hoffnung, durch die Rückkehr des Ehepartners Erleichterung und Unterstützung bei der Kindererziehung zu finden, kehrte sich oftmals ins Gegenteil. Die Frauen halfen ihren Männern auch, wieder Beziehungen zu den Verwandten herzustellen. Mit viel Einfühlungsvermögen versuchten sie so, die Probleme der ganzen Familie auszugleichen. Darüber hinaus nutzten sie die in den Jahren der kriegsbedingten Abwesenheit der Männer gewonnene Selbständigkeit und Stärke dazu, ihre Männer bei der Wiedereingliederung in die Berufstätigkeit zu unterstützen und ihnen bei der Reintegration in die Nachkriegsgesellschaft zu helfen. Die innerfamiliale Machtverschiebung zugunsten der Frauen ergab für viele Frauen also spezifische Belastungen, die sich durch die Intensivierung der Arbeit auszeichneten und nur begrenzt zu ertragen waren.

7.
Hedwig und Wilhelm Lehmann – Eine Familiengeschichte

Wilhelm Lehmann, 1909 geboren, war in Berlin-Pankow, heute ein Ost-Berliner Stadtteil, aufgewachsen. Er hatte dort die Mittelschule besucht und eine Banklehre absolviert. Bei der Bank arbeitete er bis 1937. Als er seine Stelle verlor, meldete er sich freiwillig zum Militär.

Hedwig Lehmann, geborene Schmitz, wurde 1914 in Berlin-Wedding geboren. Ihr Vater, im Ersten Weltkrieg schwer verwundet, war bei der Eisenbahn angestellt, und ihre Mutter arbeitete in Heimarbeit als Putzmacherin, um den Familienetat aufzubessern. Hedwig machte nach der Schule eine Lehre als Buchhalterin und begann 1931, durch Vermittlung einer Freundin, in einer Spielzeughandlung als Lohnbuchhalterin. Als sie 18 Jahre alt war, starb ihre Mutter. Da Hedwig keine Geschwister hatte, versorgte sie den Vater. Die 30er Jahre waren für sie sehr schön. Durch die Angebote der NS-Organisationen konnte sie verreisen, sie ging wandern und fuhr mit Freundinnen in die Berge. Dort lernte sie ihren späteren Mann, Wilhelm, kennen. Herr Lehmann erinnerte sich gut daran, wie er seine Frau 1939, kurz vor dem Ausbruch des Zweiten Weltkriegs, zum ersten Mal traf:

„Im März 1939 hab ich dann meine Frau beim Skilaufen kennengelernt. Ich hatte bei Verwandten im Gebirge Ferien gemacht, und meine Frau war in demselben Dorf. Wir waren sehr verliebt, aber als die Ferien um waren, haben wir uns erst mal lange nicht gesehen. Damals war ich nämlich schon Soldat gewesen, denn ich hatte mich bereits 1937 zur Marine-SA verpflichtet. Nach dem Urlaub mußte ich auch sofort zurück zu meiner Einheit.

Am 27. August 1939, kurz vor Kriegsbeginn, wurden wir

Abbildung 39: Abschied kurz vor Kriegsbeginn

dann in Frankfurt an der Oder zusammengezogen und neu eingeteilt. Dann ging's runter nach Oberschlesien und dann an die polnische Grenze. Ich kam als Fernsprecher zur Infanterie, obwohl ich davon gar keine Ahnung hatte. Aber wir hatten ein paar Aktive dabei, die uns anderen das beigebracht haben, sofern wir es noch nicht konnten.

Und dann marschierten wir am 1. September in Polen ein. Und als wir so Richtung polnische Grenze marschierten, da tauchte der Regimentskommandeur auf und erzählte uns, die Polen hätten uns überfallen und wir müßten uns jetzt wehren. Ab morgen würde geschossen. ‚Unserem Führer Adolf Hitler ein dreifaches Hurra, Hurra, Hurra!' Und beim ersten Hurra, das weiß ich noch ganz genau, da hat niemand geantwortet. Beim zweiten Mal waren es dann zwei oder drei, da war keiner begeistert. Wir wußten ja so ungefähr, was auf uns zukam, zwar nicht in dem Ausmaß, was dann kam. Denn wir dachten ja, daß der Krieg zu Ende wäre in Polen.

Aber man mußte ja mitmarschieren, man konnte ja nichts dagegen unternehmen. Man wäre ja sofort an die Wand gestellt worden. Heute kann man das so sagen, daß wir Polen überfallen haben. Aber damals waren wir davon überzeugt, daß wir unser Vaterland verteidigen würden. Das hat man uns ja auch oft genug gesagt, und wir haben daran geglaubt. Aber als es dann soweit war, war's schrecklich. Wir haben ihre Dörfer niedergebrannt und alles kaputtgeschossen, was sich uns in den Weg stellte. Aber damals war man doch überzeugt, daß man richtig handeln würde."

Der Krieg war in Polen keineswegs zu Ende; der Angriff auf Frankreich wurde vorbereitet. Herr Lehmann wurde einem Fernmeldetrupp zugeordnet und nach Frankreich versetzt. Er war verantwortlich für die Verlegung und Instandhaltung von Telefonleitungen zwischen Regiments- und Bataillonsstab.

„Wir waren vier Mann, immer vorne dabei. Das war so, hier lag der Regimentsstab, und 500 Meter weiter lag der Bataillonsstab, und vielleicht 100 Meter weiter lagen die

einzelnen Kompanien. Und zwischen denen haben wir die Kabel verlegt zum Bataillon und zu den einzelnen Kompanien. Und dann passierte es natürlich, daß die Kabel zerschossen wurden. Und da wurde dann der Störungssucher auf den Weg geschickt, um den Schaden zu flicken. Das mußte dann auch einer von uns machen, meistens ich. Das hatte natürlich auch seine Vorteile, aber ansonsten war das das Mieseste, was es gab. Man war auf sich allein gestellt, hatte niemanden bei sich. Man war allein, den Werkzeugkasten in der Hand, das Kabel auf dem Buckel, ein Paar Kopfhörer. Damit mußten Sie die zerschossenen Stellen suchen. Na ja, ich hab Glück gehabt, aber oft knallte es rechts und links, und viele sind dabei abgeschossen worden. Einmal saß ich ein paar Stunden hinter meiner Kabeltrommel, weil oben im Baum ein Franzose saß und mich beschoß. Oder manchmal robbte man noch über das freie Feld, wenn die Granaten flogen.

Natürlich bin ich dafür auch ausgezeichnet worden. Ich hab nen Orden für besondere Tapferkeit bekommen und bin zum Unteroffizier befördert worden. Aber dafür kann ich mir heute auch nichts mehr kaufen. Ich hab den Frankreichfeldzug mitgemacht bis zum Ende, bis zur Kapitulation. Aber von Frankreich hab ich nichts kennengelernt, vom schönen Frankreich.

Wir kamen dann gleich nach Osten, nach Rußland. Mit meinem Nachrichtentrupp bin ich die ganze Zeit zusammengeblieben, wir vier Mann blieben immer zusammen: Polenfeldzug, Frankreichfeldzug, Rußlandfeldzug. Die drei waren meine Heimat draußen, meine Familie. Wir waren wie zusammen verklettet, weil wir ja soviel miteinander erlebt haben. Jeder hat den anderen ganz genau gekannt, kennengelernt in den Jahren. Diese Kameradschaft hat das Leben da draußen erträglich gemacht, sonst hätte das keiner ausgehalten.

An und für sich bin ich gar kein Soldat. Heute kann ich nicht einmal einen Fisch totmachen. Und damals war man ja gezwungen zu handeln. Man konnte ja nichts dagegen unternehmen. Was sollte man denn tun? Man wäre doch so-

fort an die Wand gestellt worden. Es wurde ja auch immer schlimmer. Einmal sollte ich in Rußland Partisanen erschießen. Ich bekam den Auftrag von meinem Chef, und da hab ich gesagt, das mach ich nicht. Der hat mir sofort mit dem Kriegsgericht gedroht, ich mußte das mitmachen. Es war schrecklich. Nee, also Krieg ist was Furchtbares."

Im Winter 1942 wurde Herr Lehmann an der südrussischen Front verwundet. Eine Panzergranate detonierte über ihm, zerschlug ihm den Stahlhelm und verwundete beide Schultern. Mit schweren Kopfverletzungen und zertrümmerten Schulterblättern wurde er nach Wien ins Lazarett gebracht. Seine Frau besuchte ihn dort, denn er mußte lange liegen. Nach seiner Genesung war Herr Lehmann nicht mehr frontverwendungsfähig, was er nur schwer verkraften konnte. Denn 1942, nach dem Fall von Stalingrad, der entscheidenden Niederlage der deutschen Wehrmacht an der Ostfront, glaubte er noch an die Rechtmäßigkeit des Kriegs und an den Sieg Hitlerdeutschlands.

Herr Lehmann wurde nach Zwickau versetzt und zum Ausbilder für Brandschutzfragen geschult. Er führte Lehrgänge für Wehrmacht und Feuerwehr durch. Dies war eine wichtige Aufgabe, da von 1942 an der Luftkrieg über Deutschland immer heftiger wurde und die Alliierten begannen, nicht nur kriegswichtige Betriebe und Rüstungsfabriken, sondern auch Wohnbezirke der Städte zu bombardieren. Herr Lehmann blieb bis Anfang 1945 Ausbilder in verschiedenen Städten und Kasernen und wurde in dieser Funktion zum Feldwebel befördert. Während dieser Zeit sahen sich Herr und Frau Lehmann einige Male:

„*Und ab 1943 war dann mein Mann in der Kaserne in Zwickau. Ich war unheimlich erleichtert, daß er nicht mehr draußen war an der Front, und froh, daß ihm nichts mehr passieren konnte. Ich bin dann auch mal hingefahren, um ihn zu besuchen. Da konnte ich ihm dann auch ganz offen erzählen, wie es stand in Berlin und was mein Vater machte und wie es seinem Bruder ging. Und von den Bombenangriffen hab ich ihm erzählt, denn ab 1943 saßen wir ja dauernd*

Abbildung 40: Nur selten kann man sich treffen, die Männer bekommen nur wenig Fronturlaub.

im Luftschutzkeller. So richtig vorstellen konnte er sich das, glaub ich, nicht, was das für mich bedeutete. Er wußte ja auch nicht viel von mir. Kaum hatten wir uns kennengelernt, da wurde Wilhelm nach Polen eingezogen. Das erste Mal, als ich ihn wiedersah, war zu Weihnachten 1939, da bekam er Urlaub. Und da haben wir uns gleich verlobt. Zu der Zeit ist dann seine Mutter schwer krank geworden. Sie hatte Unterleibskrebs. Und da bin ich schon teilweise zu ihr nach Pankow gezogen, um sie zu pflegen. Seine Mutter ist dann Silvester 1940 gestorben, und am 15. Februar 1941, als mein Mann das nächste Mal Urlaub hatte, haben wir dann geheiratet. Der Hauptgrund war, daß sein kleiner Bruder, der damals 10 Jahre alt war, wieder ein Zuhause bekam und natürlich damit wir die Wohnung seiner Eltern, eine Dreizimmerwohnung, behalten konnten.

Nach der Heirat hatte er noch einmal Urlaub, Weihnachten 1941, sonst hab ich ihn bis zu seiner Verwundung nicht wiedergesehen. Man konnte die Tage an zwei Händen abzählen, die wir zwischen 1939 und Winter 1942 zusammen waren. Na ja, und bald darauf war ich dann in anderen Umständen. Aber das Kind ist im 8. Monat tot geboren worden. Das hat mich sehr mitgenommen. Während der Zeit wohnte ich in der Wohnung in Pankow, denn ich war in einer Rüstungsfabrik im Ostteil Berlins dienstverpflichtet. Da mußten wir Munition für die Soldaten an der Front verpacken. Sechs Tage in der Woche und oftmals auch nachts."

Anfang 1945 war das Kriegsende nicht mehr weit. Die Alliierten rückten immer näher, die deutschen Verluste wurden immer größer. Kurz vor Kriegsende wurden alle Reservekräfte an die Front eingezogen. Die oberste Heeresleitung befahl Jugendlichen und Männern, die eigentlich nicht mehr frontverwendungsfähig waren, zu kämpfen und den Gegner aufzuhalten. Auch Herr Lehmann war davon betroffen:

„Ich wurde nach Dresden abkommandiert und mußte dort ein Volkssturmgrenadierregiment aufstellen. Das bestand aus 28 Prozent Landsern, 22 Prozent Fahnenjunkern und 50 Prozent Volkssturmleuten. Die sollte ich in Richtung Breslau bringen, um dort die Front zu verteidigen. Wir hatten kaum noch Waffen. Teilweise waren die Gewehre noch von 1914. Und die Volkssturmleute konnten ja damit gar nicht umgehen. Auf dem Transport hab ich ihnen klargemacht, wie sie laden sollen und sichern mußten. Also, das waren keine Soldaten mehr. Eigentlich hat auch keiner mehr daran geglaubt, daß das alles Zweck hätte. Man hat uns erzählt, wir sollten durchhalten, mitten in Deutschland gäbe es noch eine Geheimarmee, die uns alle raushauen würde. Aber daran geglaubt haben wir zu dem Zeitpunkt nicht mehr. Wir waren alle kriegsmüde. Wir lagen dann südlich von Breslau. Als der erste russische Angriff kam, war das Regiment sofort aufgeflogen. War ja absehbar. Und wer überlebt hat, ist getürmt. Ich auch. Ich wollte mich dann über's Riesengebirge Richtung Heimat durchschlagen. Alleine hätte ich es auch vielleicht geschafft, aber mir schloß sich gleich ein ganzer Troß Volkssturmleute an. Bald wurden wir von Tschechen gestoppt und eingesperrt. Dann ließen sie

uns wieder laufen. Ich blieb dann zusammen mit einem Kameraden, der sich mir angeschlossen hatte, bei einem Bauern, ungefähr fünf Wochen, bis uns die Russen geschnappt haben.

Dann kamen wir in ein Lager, das war ein ehemaliges KZ. Da haben wir dann vegetiert. Das war kein Krieg mehr. Da ging's uns dreckiger. In den Lagern waren nicht nur Soldaten, das war die Minderzahl. Ob Großmutter, Großvater, Säugling – alle Volksdeutschen wurden damals eingesperrt. Von den viertausend sind dreitausend an Fleckfieber und Typhus regelrecht krepiert. Da haben wir, hab ich möglichst versucht, die Toten rauszuschleppen zum Friedhof. Wir hofften, wenigstens ein Stück Brot zu kriegen bei der Bevölkerung. Aber das war schwierig. Die hatten ja selber nichts.

Ich hab selbst Fleckfieber gehabt. Ich hab versucht, mich zu infizieren. Ich wollte nicht mehr. Wenn morgens ein Toter neben mir lag, hab ich mich auch damit infiziert, aber

Abbildung 41: Gefangennahme

das heilte, ich wurde gesund. Ich wollte nicht mehr. Ich hab das alles gesehen, und das war kein Krieg mehr. Wenn draußen jemand gefallen war, na gut. Aber hier, das war doch kein Krieg mehr, das waren doch Zivilisten.

Türmen hab ich als sinnlos eingeschätzt, das wäre in dem Land unmöglich gewesen. Die Polen haßten uns doch. Ich hab die Polen sogar verstehen können, daß sie nun die Wut auf uns hatten. Unbedingt! Wir haben sie ja schließlich überfallen. Wir haben ja ihre Dörfer niedergebrannt. Also, es war schrecklich für zivilisierte Menschen, mitanzusehen, wie wir all ihre Dörfer kaputtgeschossen haben."

In dem Lager, in das Herr Lehmann kam, waren 200 Personen in einem Raum untergebracht. Die Lagervorsteher sorgten mit drakonischen Maßnahmen für Ordnung und Ruhe. Die Verpflegung bestand aus 100 Gramm Brot und einer Wassersuppe. Um der Enge und dem Hunger zu entkommen, ließen sich viele Gefangene zum Untertagebergbau abkommandieren.

„Ich spielte immer den Kranken. Ich hatte immer Tbc, da haben sie alle Angst davor in den Ostblockstaaten. Ich wurde dann immer wieder rückgestellt. Mich wollte keiner haben. Ich sagte mir, das mußt du durchhalten, denn irgendwann wird's ihnen ja mal leid werden, uns durchzufüttern. Eines schönen Tages war's dann soweit. Wir wurden abtransportiert in Güterwagen. 140 Personen in einem Güterwagen. Beim nächsten Halt waren dann 30 davon krepiert. Nicht gestorben, sondern krepiert. Es gab nen Eimer, der hatte ein Loch, und ein Loch wurde in den Fußboden geschnitten, da mußte dann jeder seine Notdurft verrichten. Die Türen waren immer verschlossen, wurden nur einmal am Tag aufgemacht. Da hat man den Kochgeschirrdeckel voll Wasser und ne Scheibe Brot gekriegt. Wir waren alle mehr oder weniger krank, und es krepierten viele. Da wurde dann umgeräumt. Alle Toten, die ganze Stückzahl mußte in Deutschland ankommen. Die Toten kamen in einen Waggon. Dann kamen wir nach Frankfurt/Oder, die wollten uns aber nicht aufnehmen. Dann kamen wir nach Landsberg,

nördlich von Berlin, die konnten uns auch nicht aufnehmen, weil das Lager noch nicht fertig war. Da sollten wir weiter nach Altenburg in Thüringen. Da hab ich zu dem Leiter in Landsberg gesagt, ‚jetzt bin ich in Berlin, da fahr ich nicht mehr nach Thüringen, gib mir irgendein Papier und laß mich laufen'. Zuerst hat der gezögert und gezaudert, er hätte keinen Stempel und dürfte das nicht unterschreiben. Das war mir aber inzwischen schietegal. Ich hab so lange randaliert, bis er mich hat gehen lassen."

Kurz vor Silvester 1945 waren für Wilhelm Lehmann Krieg und Gefangenschaft vorüber. Nach seiner Entlassung fuhr er mit Zug und S-Bahn nach Berlin-Pankow in der Hoffnung, seine Frau zu finden. Endlich stand er vor seiner alten Wohnungstür. Das Haus war zwar teilweise zerstört, aber die Wohnung existierte. Es dauerte lange, bis er wagte, an die Tür zu klopfen. Dann stand er seiner Frau gegenüber. Das war ein Augenblick, den Frau Lehmann nie vergessen wird:

„Am 28. Dezember hatte ich erfahren, daß mein Mann lebte und daß er auf dem Weg zu mir war. Mein Mann hatte in Landsberg einem entlassenen Kameraden einen Zettel mitgegeben, daß er bald käme. Und dieser Kamerad hat mir tatsächlich Bescheid gegeben. Ab dem Moment hab ich natürlich Tag und Nacht auf ihn gewartet.

Am 31. morgens, um acht Uhr, war er dann da. Ich hab ihn kaum wiedererkannt, so anders sah er aus. Ganz voll Wasser, aufgedunsen, zerlumpt und ohne Haare auf dem Kopf. Ich hatte mir meine Freundinnen eingeladen, drei oder vier, die auch alleine waren und auf ihre Männer warteten. Wir wollten zusammen Silvester feiern. Sie sollten bei mir übernachten, weil man ja nachts noch gar nicht auf die Straße durfte. Die kamen dann am Nachmittag, und der Wilhelm war da. Es war mein schönstes Silvester. Es gab so schrecklich viel zu erzählen, daß wir am nächsten Nachmittag um vier noch dagesessen haben. Wir sind immer abwechselnd schlafen gegangen. Wenn einer mal nicht mehr konnte, hat er sich hingelegt und kam dann wieder. Mein

Mann wußte ja überhaupt nichts! Der war ja wie ein neugeborenes Kind! Dieses Jahr, das er weg war, diese Monate waren ja die schlimmsten, die wir erlebt haben. Es war soviel passiert, und nichts war mehr wie früher. Da konnte er sich erst gar nicht reinfinden. Er hat immerzu gefragt ‚Wie war das?' und ‚Warum ist das so?'. Da mußten wir ihm alles erklären. Ich hab ihm dann versucht zu erzählen, wie das Kriegsende bei uns in Pankow verlief. Wie das war, als die Russen immer näher kamen. Wir hockten tagelang im Keller und über uns wurde geschossen. Und dann rollten die ersten russischen Panzer durch die Straßen. Zusammen mit einer anderen jungen Frau hab ich mich versteckt, bis das Schlimmste vorbei war. Dadurch ist mir nichts passiert, aber ich hab gehört, wie die anderen Frauen geschrien haben. Es war schrecklich! Als es etwas ruhiger wurde, hatte ich Angst, alleine in meine Wohnung zurückzuziehen. Und da ist dann eine Dame aus dem Haus, deren Mann als Nazi verhaftet worden war, zu mir gezogen. Und mit der bin ich dann auch immer zusammen arbeiten gegangen. Wir mußten ja, weil unsere Männer Parteimitglieder waren, für die Russen Zwangsarbeit machen.

Ja, und dann hat man eben versucht, sich irgendwie durchzuwursteln. So hat man also zugesehen, wie man weiterkam und nicht verhungert ist und nicht erfroren. Wir haben Holz geklaut und Kohlen organisiert und sind hamstern gefahren. Satt war man nie, aber man ist auch nicht verhungert.

Das konnte sich mein Mann alles gar nicht vorstellen. Am meisten gestaunt hat er, was wir Frauen alles alleine geschafft hatten. Aber wir mußten ja. Was sollte ich denn machen? Es ist mir alles sehr schwergefallen ohne ihn, aber ich mußte ja anpacken und versuchen, auf meinen eigenen Füßen zu stehen."

Frau Lehmann hatte von Januar 1945 bis zur Rückkehr ihres Mannes Tagebuch geführt, damit er besser verstehen können sollte, was während seiner Abwesenheit geschehen war. Trotzdem blieb für Herrn Lehmann schwer nachvollziehbar, wie das Leben seiner Frau von den Auswirkungen des Kriegs geprägt worden war. Seine Frau hatte sich in den Jahren seiner Abwesenheit sehr verändert.

„*Ich kannte meine Frau gar nicht mehr. Es hat lange gedauert, bis ich begriffen hab, daß sie gelernt hat, ‚ich' zu sagen, solange ich weg war. Immer hieß es, ‚ich habe', ‚ich bin'. Und ich sagte dann immer, ‚entschuldige, wir haben' und ‚wir wollen'. Wir bekamen erst langsam miteinander Kontakt. Wir kannten uns ja auch kaum. Wir haben mal ausgerechnet, wie lange wir zusammen waren in den sieben Jahren, die wir uns kannten. 231 Tage sind dabei rausgekommen. Na ja, und nach dem Krieg mußten wir uns erst mal kennenlernen. Wir mußten uns richtig zusammenraufen und anfangen, eine Ehe zu führen. Das war gar nicht so einfach. Da kam dann noch dazu, daß ich keine Arbeit fand. In meinem alten Beruf in der Bank durfte ich als ehemaliger Parteigenosse nicht mehr arbeiten. Statt dessen mußte ich mich nach meiner Rückkehr gleich beim Arbeitsvermittlungsbüro melden. Und weil ich Parteigenosse und bei der SA war, wurde ich gleich zur Zwangsarbeit eingeteilt. Die haben mich dann zum Arbeitsbataillon 4 der Roten Armee in Köpenick vermittelt. Ich hab dann Kohlen abladen müssen, ein halbes Jahr lang. Das ist mir verdammt schwergefallen, ich war ja gesundheitlich ganz schön runter. Und meine Schulter war noch vom Krieg kaputt. Ich wollte da möglichst schnell wieder weg. Also, was tun? Bin ich zu dem russischen Kommandanten gegangen und hab gesagt, ‚ich will Umlerner werden'. Meine Frau hatte eine Freundin, und deren Mann hat sich nach dem Krieg im amerikanischen Sektor selbständig gemacht. Der war Maler. Handwerk war das einzige, was damals ging. Der hat mich genommen. Da hab ich dann eineinhalb Jahre eine Malerlehre im Westen gemacht.*"

Für Frau Lehmann war das Wiedersehen mit ihrem Mann auch nicht einfach. Das lange Warten hatte die Hoffnung, daß ihr Leben mit seiner Rückkehr leichter würde, immer weiter anwachsen lassen. Sie sehnte sich nach Unterstützung und Beistand. Sie kannten sich bisher kaum und mußten sich erst aneinander gewöhnen, was unter den gegebenen Umständen zu massiven Konflikten führte. Die finanzielle Lage blieb durch die beruflichen Eingliederungsschwierigkeiten Herrn Lehmanns belastend und verhinderte zusätzlich, daß Frau Lehmann sich ausruhen konnte.

„All die Monate waren mit Warten auf ihn ausgefüllt, auf seine Heimkehr ausgerichtet. Die ganze Zeit war ich so stolz gewesen auf unsere schöne Harmonie, und als er da war, war alles so anders. Ich hab mich nicht mehr zurechtgefunden. Ich wollte nicht glauben, daß er sich so verändert hatte, daß er selbst seine Angehörigen anders behandelt hat als vorher. Viel hat Wilhelm durchmachen müssen, und ich hab immer versucht, das in Betracht zu ziehen. Ich hab versucht, ihm manches nachzusehen, was eigentlich Grobheiten waren. Ich hab ihn seelisch einfach nicht wiedergefunden. Ich hab aber auch an mir gezweifelt und gegrübelt, ob ich zuviel von ihm verlangt habe. Ich hab dauernd überlegt, was ich tun könnte, um ihn wiederzufinden.

Ich hab mir die allergrößte Mühe gegeben, ihn zufriedenzustellen. Manchmal wurd's mir aber auch leid. Nie kam ein nettes Wort aus seinem Mund, nur gebrummt und geschimpft hat er. Ich hab oft Angst gehabt, grantig und niedergedrückt zu werden, denn eigentlich bin ich ein fröhlicher Mensch. Ich hab so viele Monate auf ihn gewartet und die Zähne zusammengebissen, so einsam war ich. Und als er wieder da war, hab ich mich weiter allein gefühlt und mußte warten, daß er sich wieder im Leben zurechtfinden würde. Ich hab mir eingeredet, daß es besser würde, wenn Wilhelm einen neuen Beruf hätte. Ihm hat einfach ein neuer Lebensanfang gefehlt. Ich hab gehofft, er würde dann das Leben wieder mit anderen Augen sehen und auch unser Zusammenleben.

Und dann hat er die Malerlehre gemacht. Erst war ich glücklich. Aber es blieb schwer. Er hat kaum etwas verdient. Ich mußte für's Essen und das Nötigste sorgen. Da bin ich eben weiter hamstern gefahren und hab weiter Brennesseln gesammelt für Spinat und Melde und Tomaten auf dem Balkon angebaut und Kartoffeln im Hof.

Und durch diese schwere Arbeit, die ich in der Zeit hab machen müssen – wir haben auch Eisenbahnschwellen rangeschleppt zum Heizen und Stubben gerodet –, hab ich mir dann gesundheitlich was geholt. 1947 wurd' ich wieder lungenkrank, nachdem ich das 1935 schon mal war. Der Arzt hat aber zuerst nichts feststellen können. Er meinte, es wäre nichts. Und da hab ich einfach weitergeschuftet. Und 1949 war's dann wieder soweit. Da fing ich wieder an, Blut zu spucken. Und da wurde dann festgestellt, daß es die andere Seite der Lunge war. 1935 war's links, und 49 war's dann rechts. Und da mußte ich dann wieder ins Sanatorium. Und wenn man Tbc hat, muß man da ein Vierteljahr bleiben, da kam ich nicht drumrum.

Mein Mann hat denn inzwischen alleine gewirtschaftet. Ist ihm nicht leichtgefallen. Er ist alle 14 Tage hingekommen. Das war nochmal 'ne schwere Zeit für uns. Aber ich hab's geschafft, daß ich wieder gesund geworden bin. Aber natürlich, mit Arbeiten war nichts mehr drin. Ich hab mich nur ganz langsam erholt. War ja auch ganz schön runter.

Und Wilhelm hat für uns dann alleine sorgen müssen. Viel hat er ja auch nicht verdient als Malergehilfe. Na ja, es ging uns also nicht sehr gut. Und Anfang der 50er Jahre, also nach der Währungsreform, ging es ja im Osten eher schlechter. Das war ganz anders als im Westen. Und wenn man etwas im Westen kaufen wollte, mußte man 1:6 oder 1:7 das Geld umtauschen. Das konnte sich drüben kaum einer leisten. Und die Westler sind zu uns billig einkaufen gekommen, bis es bei uns nicht mehr genug Essen und Kleidung und so weiter gab. Da mußte man dann wieder anstehen wie in der Nachkriegszeit. Und dann hat mein Mann noch mit dem Meisterkurs angefangen, und das Geld reichte vorne und hinten nicht. Und zwischen uns wurde es dadurch natürlich auch nicht gerade besser. Wie's gar nicht mehr ging, hab ich dann gesagt, ‚also, jetzt muß hier etwas passieren'. Da bin ich dann als Näherin gegangen und hab Konfektion genäht zu Hause, in Heimarbeit. Wir hatten hier in der

Nachbarschaft so nen Zwischenmeister, der hat die Arbeit verteilt. Aber das hab ich nur ein Jahr gemacht. Dann war es soweit, daß wir uns etwas erholt hatten und daß es irgendwie weiterging. Da hab ich dann wieder aufgehört. War 'ne Plackerei und brachte auch nicht viel."

Herr Lehmann schloß seine Umschulung erfolgreich ab und erhielt den Gesellenbrief. In Pankow fand er eine gute Anstellung und verdiente von nun an auch etwas mehr. Doch Familie Lehmann blieb sehr sparsam und versuchte möglichst viel Geld zurückzulegen, denn die Lehmanns wollten sich mit einem Malerbetrieb selbständig machen. 1955 machte Wilhelm Lehmann die Meisterprüfung – sie hatten es endlich geschafft:

„Ich hab auch viel Glück gehabt. Dadurch, daß ich als junger Mann Bankangestellter in Pankow war, kannte ich viele Leute. Und darunter auch Leute, die selbst Betriebe hatten. Und da gab es auch einen Malermeister, der schon alt war. Und wie wir soweit waren, hat der uns seinen Betrieb übergeben. Er hatte große Räume, weil der vor dem Krieg ein großes Geschäft hatte. Das haben wir alles übernommen. Der hatte auch noch große Reserven an Farben zum Beispiel, die es damals gar nicht mehr gab und die man im Osten gar nicht mehr bekommen hätte. Dadurch hatten wir 'nen ganz guten Anfang. Und dann hat er uns noch sein Dreirad vermacht, so etwas war damals ein Vermögen wert. Und vier Leute hat er uns gleich noch mit übergeben. Das ging ja damals noch. In den 50er Jahren durfte man im Osten ja noch Leute einstellen. Dadurch sind wir gleich ganz schön groß eingestiegen. Und Aufträge kamen auch rein. Es wurde ja viel gebaut damals. Privatleute, die ihre Bude gemalert haben wollten, kamen vorbei. Aber das brachte ja nicht so viel, denn mit einzelnen Zimmern hat man nicht viel verdient.

Wenn es um größere Sachen ging, wurde die Arbeit vom Bezirk vergeben: Krankenhäuser, Schulen oder Heime. Da hab ich mich dann darum bemüht, und es hat auch ganz gut geklappt. Und so sind wir ganz gut ins Geschäft gekommen und waren schon nach drei Jahren schuldenfrei. Da konnten wir ab 1958 anfangen, für uns zu arbeiten. Und ab da wurde es auch zwischen meiner Frau und mir besser. Durch den gemeinsamen Betrieb haben wir uns richtig zusammengerauft. Mußte man ja auch, wenn man zusammenbleiben wollte. Da haben wir dann eben Kompromisse geschlossen. Und da haben wir dann festgelegt: sie ist der Ministerpräsident und Vergnügungsminister und Kultur- und Verpflegungsminister, und ich bin der Arbeitsminister. Auf der Basis haben wir's dann geschafft. Und früher hab ich dann immer gesagt, ‚darf ich vorstellen, mein Staatsratsvorsitzender'. Das hab ich auch mal gesagt, wenn's ganz offiziell war. Da hat dann da drüben nicht jeder gelacht. Wir haben immer zwischen uns ausgehandelt, wer an die Regierung kam. Darüber sind wir uns sehr einig geworden, und so lief es zwischen uns wunderbar."

Nur die Kollegen verweigerten Herrn Lehmann die Anerkennung als Malermeister. Für sie blieb er der „Umlerner". Da er aber durch seine Vorbildung als Bankkaufmann für die geschäftlichen Seiten des Handwerks Qualifikationen einbrachte, die andere nicht hatten, wurde er zum Obermeister gewählt, und wenig später wurde er Funktionär in der Handwerkskammer.

„Aber dann begann drüben die Zeit, daß man nicht mehr so viele Leute haben durfte als Privatmann und daß sie versuchten, Firmeninhaber in die Partei zu kriegen. Das hab ich nicht mitgemacht. Ich hab denen gesagt, ‚einmal Partei und einmal betrogen, ist genug'. Schwierigkeiten hab ich dadurch Gott sei Dank keine bekommen, auch nur, weil ich in der Handwerkskammer wer war. Ich hab für die Partei viel gearbeitet: Erholungsheime gemalert und all so etwas. Ich hab sogar die Räume des Staatssicherheitsdienstes herrichten dürfen. Die haben mich wohl durchleuchtet, aber nichts mehr gefunden, obwohl ich doch mal Nazi und bei der SA gewesen war. Nu bin ich ganz gut damit durchgekommen, daß ich in der Handwerkskammer Funktionär war. Wir ha-

ben dann ganz gut verdient, meine Rechnungen wurden von der Partei anstandslos bezahlt.

So ab 1960 ging es uns eigentlich sehr gut. Ich war ja selber Kaufmann. Ich hab meine Bilanzen und alles selber gemacht. Hedwig hat die Lohnbuchhaltung gemacht und die Rechnungen geschrieben. Dadurch konnten wir uns das Leben etwas besser einteilen als andere. Wir mußten ja nicht dauernd von acht bis sechs arbeiten. Wir konnten auch Samstag, Sonntag arbeiten, wenn wir wollten, und sind statt dessen einmal unter der Woche spazierengegangen. Wenn denn mal schönes Wetter war und wir hatten Lust, sind wir eben auch mal verreist.

Zu der Zeit sind wir dann auch nochmal umgezogen. Da wir ja mit Architekten zusammengearbeitet haben, kriegten wir auch 'ne bessere Wohnung. Die war zwar nicht größer, aber die hatte Bad und Heizung. Dadurch, daß wir einen Betrieb hatten und gut verdienten und keine Kinder hatten, konnten wir uns eigentlich auch leisten, was wir gerade wollten. Wir haben auch dann nochmal mit dem Skilaufen angefangen – wie damals, als wir uns kennenlernten. Jedes Weihnachten sind wir 14 Tage zum Wintersport gefahren: ins Riesengebirge und in die Niedere Tatra und später nach Bulgarien. Wir hatten später ein Auto und noch den Lastwagen für den Betrieb. Wir hatten keinen Grund zu klagen. Das bißchen, was uns fehlte und was man drüben nicht bekam – wie Bohnenkaffee oder Schnaps –, das haben wir aus dem Westen geholt, jedenfalls so lange das noch ging, bis 1961.“

Während es betrieblich aufwärts ging und sich auch die Ehe der Lehmanns einspielte, wurde das Leben auf politischer Ebene komplizierter. Der Mauerbau, der Berlin 1961 endgültig teilte, zerriß verwandtschaftliche und freundschaftliche Beziehungen nach West-Berlin. Frau Lehmann litt ganz besonders darunter, denn sie stammte aus West-Berlin. Ihr Vater wohnte noch im Bezirk Wedding, und sie hatte viele Freunde dort. Von einem Tag auf den anderen konnte sie ihn und die Freunde nicht mehr besuchen. Es

Abbildung 42: Anfang der 50er Jahre

dauerte Jahre, bis sie sich wiedersahen und West-Berliner in den Ostteil der Stadt fahren durften. Frau Lehmann erinnert sich noch sehr genau daran.

„Wir waren eben nun einfach ganz plötzlich von allem abgeschnitten. Das ging ja bis 1964, glaub ich, zu Weihnachten. Das war dann das erste Mal, daß West-Berliner sich nach irgendwelchen Papieren anstellen konnten, um uns zu besuchen. Die haben da halbe Nächte gestanden. Das haben unsere Freunde auch alle gemacht. Alle sind zwischen Weihnachten und Neujahr dagewesen."

Es war ein Trost für Lehmanns, daß ihre Freunde im Westen sie trotz der Teilung der Stadt immer wieder besuchten und auch der Briefkontakt nicht abriß. Doch je älter Frau Lehmann wurde, desto mehr zog es sie nach West-Berlin zurück, das sie schon so lange nicht mehr gesehen hatte. Als ihr Vater 1972 starb, durfte sie nicht einmal zu seiner Beerdigung fahren. Frau Lehmann konnte kaum darüber hinwegkommen. Ihr Entschluß, für immer in den Westen überzusiedeln, nahm mehr und mehr konkrete Formen an. Herr Lehmann willigte ein, mit 65 Jahren die DDR zu verlassen.

1975 verkauften sie den florierenden Betrieb und stellten einen Ausreiseantrag, der auch problemlos genehmigt wurde. 1977 siedelten Lehmanns nach Britz über, einem südlichen Bezirk West-Berlins. Ihre Freunde hatten ihnen dort eine Zweieinhalbzimmer-Neubauwohnung besorgt, in der sie heute noch leben.

Die langen Jahre der kriegsbedingten Entfremdung, der Nachkriegszeit und der Krankheiten sind überwunden. Hedwig und Wilhelm Lehmann sind rüstig und vergnügt und haben fest vor, die ihnen verbleibenden Jahre zusammen mit ihren zahlreichen Freunden zu genießen. Herr Lehmann ist Kassenwart in einem Senioren-Kegelverein, Frau Lehmann trifft sich regelmäßig mit anderen Frauen zum Kaffeekränzchen. Auch in Ost-Berlin haben die beiden noch viele Kontakte zu Bekannten. Sie fahren oft nach Pankow, um alte Freunde zu besuchen.

Noch heute wird das Amt des Ministerpräsidenten in der Ehe zwischen den beiden ausgehandelt: Einmal ist sie seine, einmal ist er ihre Regierung.

8.
„Wie es mit uns weiterging“ – Familienleben im Wirtschaftswunder?

Der Heimkehr der Männer folgte eine Phase der Wiedereingliederung in die Familien, die fast überall sehr schwierig verlief. Die Ehepartner mußten wieder zusammenfinden, die Väter wieder Kontakte zu ihren Kindern und Verwandten knüpfen. In den meisten Familien, mit denen wir sprachen, dauerte es ein bis drei Jahre, bis sich die Familienmitglieder wieder aufeinander eingespielt hatten.

Besonders problematisch verlief die Reintegration der Männer, die psychisch gebrochen aus der Gefangenschaft kamen oder kriegsversehrt bzw. erwerbsunfähig waren (vgl. Tab. 6 und 7). Da die Kriegsversehrten-Renten meist kaum ausreichten, mußten fortan die Frauen als Hauptverdiener für die Familie sorgen. Dies bewirkte langfristige Veränderungen der Familienstrukturen, die für diese Männer nur schwer zu verkraften waren. Viele litten unter lange andauernden Depressionen und Minderwertigkeitsgefühlen, da sie ihrer angestammten Rolle als Familienvorstand nicht mehr so gerecht werden konnten wie vor dem Krieg.

Gertrud Fichte (Jahrgang 1916) seit 1937 verheiratet mit Robert Fichte (Jahrgang 1908), der erst nach zehn Jahren 1951 zurückkehrte:

„Mein Mann war Spätheimkehrer aus Rußland. Der ist erst 1951 wiedergekommen. Er war krank. Er hat keine Arbeit gefunden, denn seine Krankheit hat ihn ja behindert. Von dem bißchen Unterstützung, das er gekriegt hat, konnten wir nicht leben. Da mußte ich arbeiten gehen. Er hat dann mal irgendwo ausgeholfen, aber beruflich ist es nicht mehr geworden. Und deshalb ist er auch nicht mehr froh geworden. Wir haben uns ganz gut vertragen, aber die zehn

Abbildung 43: „Nach der Entlassung aus dem Lager kamen wir zerlumpt und mit durchgelaufenen Sohlen endlich in Berlin an."

Jahre, die wir uns nicht gesehen hatten, konnte man natürlich nicht überbrücken. Er konnte mir nicht reinreden. Ich habe das Geld verdient, und er saß zu Hause und mußte mit sich selber fertig werden. Und wenn wir uns dann etwas anschafften, konnte er es gar nicht richtig genießen. Und dann saß er manchmal so in der Wohnung und hat auf seine Holzkiste geschaut, die er aus Rußland mitgebracht hatte. Und dann hatte er seinen selbstgemachten Stahlkamm in der Hand und war innerlich so weit weg. Noch Jahre später hatte ich das Gefühl, daß er immer noch in Rußland ist. Er ist nicht mehr froh geworden, und das hat dann unsere Ehe natürlich geprägt all die langen Jahre."

Die Möglichkeiten der Frauen, ihre Familien zu ernähren, verschlechterten sich durch die Währungsreform. Die Stabilisierung des Geldwertes verringerte die Notwendigkeit der Subsistenzarbeit, die es vielen Frauen ermöglicht hatte, durch Hamstern, Gartenarbeit und Schwarzmarktgeschäfte für ihre Angehörigen zu sorgen. Nun gab es wieder ausreichend Waren zu kaufen, der Schwarzmarkt verschwand. Viele Frauen mußten deshalb versuchen, erwerbstätig zu werden, um zur ökonomischen Absicherung der Familien beizutragen.

Doch gerade Anfang der 50er Jahre war es für Frauen nicht leicht, ihre Stellen zu behalten oder neue zu finden. Bei einer Neubesetzung der ohnehin knappen Arbeitsplätze in qualifizierten Berufen wurden Kriegsheimkehrer bevorzugt und Frauen in schlechter bezahlte Tätigkeitsbereiche abgedrängt. In der Wirtschaftskrise 1950–52 erhöhte sich auch in Berlin der Anteil der Frauen, die keine Erwerbsarbeit fanden, deutlich. 1951 waren z.B. über 57 Prozent der Erwerbslosen Frauen im Vergleich zu knapp 43 Prozent Männern.

Besonders diejenigen Frauen, die ihre Berufstätigkeit im Krieg und in der unmittelbaren Nachkriegszeit unterbrochen hatten, wurden nun auf dem Arbeitsmarkt besonders benachteiligt. Die Frauen wurden wieder vom Einkommen des Mannes abhängig, und die Männer übernahmen erneut die Rolle des Ernährers und Haushaltsvorstands. Der relative Machtzuwachs, den Frauen in der unmittelbaren Nachkriegszeit durch ihre ökonomische Verantwortung für die Familie gewonnen hatten, verkleinerte sich.

Anna Falk (Jahrgang 1914), verheiratet mit Harry Falk (Jahrgang 1910), der 1948 aus englischer Gefangenschaft zurückgekommen war, berichtet:

„Was ich in fünf Jahren geschafft hatte, schaffte mein Mann in fünf Monaten, als er wieder da war. Er bekam gleich eine Stelle am Flughafen Tempelhof, verdiente zwar

nicht übermäßig, aber mittlerweile war das Geld ja wieder was wert. Es gelang ihm dann auch bald, eine Wohnung zu bekommen. Wenn ich daran denke, wie ich von Pontius zu Pilatus gerannt bin, um dieses eine Zimmer zu bekommen, wie ich mich abgeschleppt habe beim Hamstern, und wie meine Mutter und ich Tag und Nacht genäht haben, nur um an ein bißchen Mehl oder Zucker ranzukommen, das war alles äußerst mühsam gewesen. Aber mir ging es gut dabei. Ich hab mich stark gefühlt. Ich mußte es schaffen, und ich hab es auch geschafft, für meine Kinder und meine Mutter zu sorgen.

Als mein Mann wieder den Haushaltsvorstand übernahm, kam ich mir richtig überflüssig vor. Er hat es mich auch irgendwie spüren lassen, daß er meinte, ich hätte das auch alles nicht so gut hingekriegt ohne ihn. Er hat dabei völlig übersehen, daß es ja eine ganz andere Zeit war, in der es zum Beispiel viel schwerer war, an einen Zentner Kohlen ranzukommen, den es nirgendwo zu kaufen gab.“

Je besser die berufliche Integration der Männer verlief, um so stärker wurde ihre Position in der Familie. Die meisten Männer steckten ihre ganze Energie in den beruflichen Aufstieg, worüber manche ihre Familien vergaßen. Die 48-Stunden-Woche und dazu noch Überstunden ließen den Männern kaum Zeit für ein Familienleben.

Die Frauen mußten nach wie vor mit den innerfamiliären Schwierigkeiten alleine fertig werden. Besonders die Probleme der Kinder, die in den letzten Kriegsjahren geboren waren und als Säuglinge und Kleinkinder die Kriegswirren und Notjahre erlebt hatten, bereiteten ihren Müttern als Schulkinder und Jugendliche große Sorgen. Viele reagierten nervös und schreckhaft. Die Entfremdung zwischen heimgekehrten Vätern und Kindern, deren für die Kinder oft nicht einzusehender Erziehungsstil und die Spannungen zwischen den Eltern hatten ihre Spuren hinterlassen.

Auguste Ott (Jahrgang 1910) mußte in den Kriegswirren ihre beiden Söhne durchbringen; der jüngere war 1944 in der Evakuierung in Ostpreußen geboren worden:

„Ich denke, durch diese ganze Hungerzeit und die Aufregungen hat mein Jüngster am meisten gelitten. Denn das war ja schon in der Schwangerschaft so aufregend: ‚Kommen erst die Russen oder erst das Kind?‘ Und mit drei Jahren ist er fast an der Ruhr gestorben. Die Auswirkungen waren gar nicht so sehr körperlich, aber nervlich. Er war ein furchtbar nervöses und unkonzentriertes Kind und hat dadurch auch in der Schule immer Schwierigkeiten gehabt. Ich hab mich sehr mit ihm beschäftigen und mich um ihn kümmern müssen. Aber die Nervosität ist geblieben. Zum Beispiel hat er dann keinen Führerschein gemacht. Er hat immer Angst gehabt, er baut einen Unfall, und dann ist er auch zweimal durch die Prüfung gefallen. Er hatte dann auch immer so nervöse Magenschmerzen und hat angefangen zu zittern. Das hat er heute noch. Er war ein schwieriges Kind. Das war ja bei vielen so aus diesen Jahrgängen um 1944 herum.“

Das Wohl der Kinder lag den meisten Eltern sehr am Herzen. Für die bessere Ausbildung ihrer Kinder nahmen sie es auf sich, weiter zu sparen und Anschaffungen oder Urlaubsreisen hintanzustellen. Besonders Mütter versuchten, ihre Kinder für die schweren Nachkriegsjahre zu entschädigen und ihnen zumindest in den späteren Jahren ein intaktes Familienleben zu bieten.

In den 50er Jahren gab es bereits wieder materielle Unterschiede zwischen den einzelnen Familien. Die Währungsreform hatte Arm und Reich unterschiedlich getroffen und die sozialen Gegensätze verschärft. Die kleinen Sparer waren die Leidtragenden der Reform, denn ihre Spareinlagen wurden im Verhältnis 10:1 umgetauscht. Sachwerte und Liegenschaften blieben von der Reform unangetastet, was vor allem Unternehmen und wohlhabende Familien zugute kam. Nicht alle haben nur mit 40 Mark angefangen (vgl. Zeittafel). Auch die Einkommen wiesen schon wieder große Unterschiede auf und schufen völlig unterschiedliche finanzielle Ausgangssituationen für die Familien. Besonders gut gestellt waren die Familien, in denen Mann *und* Frau in qualifizierten Berufen tätig sein konnten. In den 50er Jahren waren dies vielfach Lehrer, Ärzte, Rechtsanwälte usw.

Auguste Ott (Jahrgang 1910) und Max Ott (Jahrgang 1909) waren beide als Lehrer tätig:

„Anfang der 50er Jahre wurden dann für uns die Verhältnisse wieder normaler. Da sind wir denn auch das erste Mal wieder verreist, an die See. Wir haben selbst gekocht, Hotel wäre viel zu teuer gewesen, aber es war sehr schön. Ich weiß noch, daß damals mein Mann sagte, ‚eigentlich sind wir doch recht glücklich wieder'. Da konnten wir uns wieder satt essen, und man konnte eventuell wieder etwas kaufen. Uns ging es natürlich auch deshalb schon wieder so gut, weil wir beide gearbeitet haben. Wir waren ja beide Lehrer, dadurch konnten wir uns manche Sachen etwas früher leisten als andere Familien.

1951 zum Beispiel konnten wir uns unseren ersten Kühlschrank kaufen. Das war so ein riesiger von Bosch. Wir waren irrsinnig stolz. Jeden, der uns besucht hat, haben wir in die Küche geführt und den Kühlschrank vorgeführt. Und 1954 haben wir uns dann einen gebrauchten Volkswagen gekauft. Um das Auto haben uns viele Kollegen sehr beneidet. Ich weiß noch, daß wir uns anfangs richtig geniert haben zu sagen, daß wir einen Wagen haben. Wir haben das Auto auch nie vor unserer Tür geparkt, sondern immer um eine Ecke rum. Wir waren anderen Kollegen eben um eine Nasenlänge voraus, weil wir beide verdient haben."

Nicht allen Familien ging es so gut wie Familie Ott. Viele mußten noch lange warten, bis sie sich ähnliche Anschaffungen leisten konnten. Eher am unteren Ende der damaligen Lohnskala stand Familie Leopold.

Margarete Leopold (Jahrgang 1902), verheiratet mit Franz Leopold (Jahrgang 1898), der 1945 aus der Gefangenschaft zurückgekommen war und als ehemaliger Parteigenosse nicht mehr in seinem Beruf als Jurist arbeiten durfte und einige Jahre arbeitslos gewesen war:

„Und dann gelang es ihm aber, eine Stellung bei einer

Abbildung 44: Noch 1952 leben viele Familien in Notunterkünften, wie diese Familie in Berlin-Wedding.

Abbildung 45: Den „New-Look“ kann sich kaum jemand leisten. Die meisten Frauen müssen sich mit abgetragener Garderobe zufriedengeben.

Autoreparaturwerkstatt als Arbeiter zu bekommen. Ich weiß noch genau, daß er 52 Mark 75 Wochenlohn bekam. Und 52 Mark 15 mußten wir im Monat Miete zahlen, damit war ein Wochenlohn weg. Und von drei Wochenlöhnen mußten dann fünf Personen vier oder viereinhalb Wochen leben. Na ja, es ging. Es mußte eben gehen. Man schränkte sich eben ein. Wir besorgten uns dann Untermieter. In dem großen Zimmer, dem ehemaligen Wohnzimmer, konnten wir immer zwei Studenten unterbringen. Und jeden Monat hab ich versucht, zwei Mark zu sparen von dem bißchen Lohn, den mein Mann gekriegt hat. Immer wenn mein Mann Lohn gekriegt hat und mir mein Haushaltsgeld gab, verschwanden sofort zwei Mark. Das hat er nicht gemerkt, er hat mich ja nicht kontrolliert. Aber die zwei Mark mußte ich in dem Monat wieder herauswirtschaften. Das ist gar nicht so einfach, wenn das Haushaltsgeld so knapp ist."

Wie bei Familie Leopold dauerten die materiellen Probleme und die daraus entstehenden familiären Konflikte und Spannungen auch in anderen Familien an. „Familie" stellte in diesen Jahren eher den Ausdruck von Hoffnungen als die Realisierung konkreter Bedürfnisse dar. Viele mußten ihre Wünsche noch lange Zeit zurückstecken und hofften, daß in Zukunft, wenn die materiellen Probleme erst einmal beseitigt wären, auch die Beziehungen innerhalb der Familie besser würden.

Die meisten Frauen versuchten, ähnlich wie Frau Leopold, durch ein ausgeklügeltes Sparprogramm im Haushalt das in der Regel knappe Einkommen der Männer zu strecken. Dies gelang mit denselben Prinzipien, die die Frauen schon in der unmittelbaren Nachkriegszeit angewandt hatten: Nichts wurde weggeworfen, sondern weiterverwendet, es wurde wenig gekauft und statt dessen selbst genäht, gestopft, gestrickt oder selbst angebaut und eingemacht. So wurde der enorme Aufwand, der in der Notzeit für die Hausarbeit nötig war, in den 50er Jahren nahtlos fortgesetzt.

Eine spezifische Möglichkeit zu sparen ergab sich aus den besonderen Bedingungen Berlins und seiner Aufteilung in Sektoren (vgl. Schaubild 1). 1948 hatten die Westmächte in den westlichen Bezirken Berlins eine Währungsreform durchgeführt und die D-Mark eingeführt. Gleichzeitig war im Ostsektor der Stadt die Ostmark im Umlauf. Die Währungen konnten frei gegeneinander getauscht werden. Viele

Pendler zwischen den Sektoren bezogen ihre Löhne zur Hälfte in West-, zur Hälfte in Ostmark. West-Berliner bekamen für eine Westmark fünf bis acht Ostmark, was für sie die Waren im Ostteil der Stadt sehr verbilligte. Bis zum Mauerbau waren Einkäufe im Ostsektor möglich. Viele West-Berliner Familien nutzten diese Möglichkeit und konnten so ihre monatlichen Ausgaben reduzieren. Im anderen Teil der Stadt kam es dadurch manchmal zu empfindlichen Versorgungsengpässen.

Noch einmal Frau Leopold, die versuchen mußte, mit dem knappen Lohn ihres Mannes eine fünfköpfige Familie durchzubringen:

„Ich weiß noch, daß ich mit meinen Kindern nach Babelsberg gefahren bin. Das liegt in der DDR. Da haben wir dann für Ostgeld eingekauft. Damals konnte man das Westgeld eins zu sechs gegen Ostgeld tauschen. Und wenn man schwarz getauscht hat, bekam man noch mehr. Und dann sind wir mit 20 Ostmark nach Babelsberg gefahren. Da haben wir eigentlich alles eingekauft: Kartoffeln, Mehl, Bohnen, Tomaten, das Pfund fünf Pfennige. Ich bin auch in den Osten zum Frisör gefahren. Das haben wir regelmäßig gemacht. Mit 52 Mark Wochenlohn kamen wir nach der Währungsreform einfach nicht aus mit fünf Personen.“

Ein erster Schritt zur Realisierung der Nachkriegshoffnungen und der Wünsche nach einem geregelten Familienleben war für viele eine eigene Wohnung. Die Familien, die ausgebombt waren, lebten nach dem Krieg oft bei Verwandten als Untermieter. Auch noch Anfang der 50er Jahre herrschte akuter Wohnungsmangel. Die staatliche Wohnungsbaupolitik der 50er Jahre konnte nur ca. ein Drittel des Wohnraumdefizits beheben, obwohl zwischen 1951 und 1956 ca. drei Millionen Wohneinheiten erbaut wurden (vgl. Zeittafel). Die Eigeninitiative zur Beschaffung finanzieller Unterstützung und Baumaterials war nötig, um beschädigte Wohnungen und zerstörte Häuser wieder herzurichten. Eine neue Wohnung bekamen viele erst im Lauf der 50er Jahre. Dies war ein wichtiger Gradmesser für die subjektive Normalisierung der Verhältnisse.

Besonders gravierend wirkte sich die Wohnungsnot für jene Familien aus, die in den 50er Jahren aus dem Ostteil der Stadt nach West-Berlin gezogen waren. Oft mußten sie ihre gesamte Habe zurücklassen. Der von der Bundesregierung gewährte Lastenausgleich (vgl. Zeittafel) konnte die Verluste nicht annähernd ersetzen. Die meisten lebten in den ersten Monaten in Lagern oder bekamen Behelfsunterkünfte von der Caritas oder der Bahnhofsmission.

Lina Wagner (Jahrgang 1921), Hausfrau, und Horst Wagner (Jahrgang 1918), Buchhalter, der sich nach dem Krieg zum Lehrer umschulen ließ, mußten den Ostteil der Stadt aus politischen Gründen verlassen. Das Ehepaar und die beiden Kinder gingen nach West-Berlin:

„1956 sind wir vom Osten nach West-Berlin gekommen. Dann haben wir eine Unterkunft bei der Bahnhofsmission gekriegt, ein winziges Zimmer für uns vier. Aber wir waren wenigstens zusammen. Mein Mann hat stundenweise Unterricht gegeben, so daß wir ein bißchen Geld hatten.

1957 haben wir dann eine Wohnung gefunden. Sie war nicht groß, aber wir waren glücklich. Wir kamen uns vor wie die Könige, in einer richtigen Neubauwohnung. Meine Schwiegermutter ist dann noch zu uns gezogen, dann waren wir fünft.

Der Lastenausgleich reichte gerade für die Anzahlung der nötigsten Möbel. Also, es sah trotzdem recht kahl aus, aber zuerst mußten wir mal abzahlen. Mit 36 Monatsraten haben wir es auch geschafft, aber nur weil ich jeden Pfennig zweimal umgedreht habe. Und was wir uns dann später noch anschafften, dafür sparten wir erst mal.“

Beim Einzug in eine neue Wohnung fehlte meist das Mobiliar und oft auch das Geld für die Renovierung der Wohnung. Auch wer besser verdiente, konnte kaum das nötige Geld für teure Einrichtungsgegenstände aufbringen. Mitte der 50er Jahre kostete ein Kühlschrank z.B. 650 DM, mehr als das durchschnittliche Monatseinkommen eines Vier-Per-

Abbildung 46: Bereits Anfang der 50er Jahre ist der Kühlschrank ein wichtiges Statussymbol, doch erst 1960 wird er in etwa der Hälfte aller Haushalte zu finden sein.

sonen-Arbeitnehmer-Haushalts (vgl. Tab. 8), ein einfacher Kleiderschrank kostete 200 DM, ein Fahrrad 150 DM. Die neuen Ausgaben zwangen die Frauen noch einmal zum Sparen. Vieles wurde selbst gemacht, um die Ausgaben niedrig zu halten. Die Männer tapezierten und strichen an, die Frauen nähten, bastelten und stellten selbst Einrichtungsstücke her.

Bei wichtigen Entscheidungen, wie z.B. bei anstehenden Anschaffungen, bestanden die Frauen darauf, mitzubestimmen. Denn sie hatten in den Kriegs- und Nachkriegsjahren gelernt, Geld zu verwalten und für sich und die Angehörigen Entscheidungen zu treffen. Sie ließen sich deshalb diese neu gewonnene Verantwortung und Kompetenz nicht wieder absprechen, auch wenn dies den Männern zu schaffen machte.

Auguste Ott (Jahrgang 1910) hatte wegen des Kriegs sieben Jahre von ihrem Mann getrennt leben müssen:

„Durch den Krieg und durch die Zeit, in der ich auf mich selbst gestellt war, bin ich natürlich viel selbständiger geworden. Vorher hatte mich meine Mutter sehr unter dem Daumen. Dann hab ich geheiratet und mein Mann hat alles entschieden. Ich wußte nicht über unser Geld Bescheid und konnte nicht einmal einen Postscheck ausfüllen. Alle offiziellen Sachen hat mein Mann damals über das Konto abgewickelt, da hatte ich gar keinen Einblick. Und ich hatte nur das Bargeld für den Haushalt. Na ja, und im Krieg mußte ich das alles lernen. Und als er wiederkam, wollte ich es mir auch nicht mehr nehmen lassen. Ich hab dann darauf bestanden mitzuentscheiden, was mit unserem Geld passiert und was angeschafft wird. Zum Beispiel hab ich durchgesetzt, daß dann zuerst ein Kühlschrank angeschafft wurde, bevor wir angefangen haben, für unser Auto zu sparen."

Der konjunkturelle Aufschwung ab Mitte der 50er Jahre steigerte die Erwerbsmöglichkeiten für alle Familien. Von 1950 bis 1961 nahm die Zahl der Beschäftigten insgesamt um 43,9 Prozent zu. Im gleichen Zeitraum stiegen auch die Löhne stetig, erreichten jedoch erst 1956 wieder den Vorkriegsstand. Da die niedrigen Einkommen für viele Familien, gerade wenn mehrere Kinder vorhanden waren, kaum ausreichten, begannen viele Frauen dazuzuverdienen. Zwischen 1950 und 1962 stieg die Zahl der erwerbstätigen Frauen insgesamt um 19 Prozent. Die Doppelbelastung in

Beruf und Familie betraf im Verlauf der 50er Jahre immer mehr Frauen. Die Zahl der erwerbstätigen verheirateten Frauen, die keine Kinder unter 14 Jahren hatten, stieg um 57 Prozent, die der Frauen mit Kindern unter 14 Jahren sogar um 74 Prozent.

Neben den zwingenden materiellen Gründen waren für viele Frauen die ökonomische Selbständigkeit und auch die Abwechslung zum Familienalltag wichtige Motive, erwerbstätig zu werden. Viele Frauen, mit denen wir sprachen, nutzten diese Chance, wenn die Kinder etwas älter geworden waren. Für Frauen mit noch kleineren Kindern bedeutete die Erwerbstätigkeit eine immense Erhöhung ihres täglichen Arbeitspensums.

Bis in die 60er Jahre verbesserte sich der Lebensstandard für viele Familien, immer mehr Haushalte konnten zumindest ein bißchen am sogenannten Wirtschaftswunder teilhaben. Ein Gradmesser dafür war, sich eine neue Wohnung oder ein Auto leisten zu können oder endlich einmal in Urlaub zu fahren. Ende der 50er Jahre konnten immer mehr Familien eigene vier Wände beziehen und zum ersten Mal wieder „die Tür hinter sich zumachen". Im Frühjahr 1960 hatten von 100 Familien 85 eine eigene Wohnung mit einer Küche oder Kochnische. 1962 hatten etwa 34 Prozent der Haushalte in der Bundesrepublik einen Fernseher, 52 Prozent einen Kühlschrank, 25 Prozent eine Waschmaschine und im Bundesdurchschnitt ca. 65 Prozent einen Staubsauger.

Die eigene Wohnung und der bescheidene Wohlstand bedeuteten jedoch nicht, daß sich die Familien aus den bis dahin wirksamen verwandtschaftlichen Beziehungen zurückgezogen hätten. Vielmehr hielten viele diese Bindungen aufrecht. Verwandte trafen sich weiterhin regelmäßig und besuchten sich nicht nur zu Familienfesten oder Beerdigungen. Meist pflegten die Frauen diese Verbindungen und hielten die Kontakte zu Schwestern, Schwägerinnen und Tanten. Besonders die eigene Herkunftsfamilie blieb für viele dabei Hauptansprechpartner. Die Beziehung zu den eigenen Eltern und Geschwistern hatte den Frauen meist schon in

Abbildung 47: So modern können nur wenige wohnen. Für die meisten ist der 50er Jahre-Chic unerschwinglich.

den Notjahren geholfen, und die Eltern unterstützten ihre Töchter auch weiterhin, wenn es ihnen möglich war. Oft boten die verwandtschaftlichen Zusammenhänge auch die Gelegenheit, über Probleme in der Ehe und Familie zu sprechen. So konnten die Verwandten nicht nur materielle Hilfe, sondern auch emotionalen Rückhalt bieten.

In Berlin wurden diese familiären und verwandtschaftlichen Bezüge durch die Auswirkungen der Politik einschneidend verändert. Die endgültige Teilung der Stadt durch den Mauerbau im Jahr 1961 riß viele menschlichen Bindungen auseinander und machte es für viele Jahre unmöglich, die Verwandten zu besuchen. Zwar wurden nach einigen Jahren die Bestimmungen für Besuchsgenehmigungen wieder gelockert, jedoch war es nicht mehr dasselbe wie vorher. Die alltäglichen Besuche, Hilfestellungen bei der Kinderbetreuung usw. waren durch den Mauerbau beendet.

Abgesehen von diesen besonders in Berlin spürbaren Ost-West-Problemen spielte sich das Familienleben über die Jahre hinweg wieder ein. Die verbleibenden Konfliktpunkte in den Familien hatten sich aber verschoben.

Nach der ersten Phase der Entfremdung und den wirtschaftlichen Schwierigkeiten wurden nun andere Eheprobleme akut.

Meta Schlüter (Jahrgang 1917), die mit ihrem Mann eine Tochter und einen Sohn hatte, berichtet über die Zeit in den 50er Jahren:

„Ich hab's dann schließlich gemerkt, daß er etwas mit seiner Sekretärin hatte. Das war also sein dritter Frühling. Das ging mir denn zu weit. Ich saß da mit zwei kleinen Kindern. Da bin ich dann zu meinen Eltern gegangen und hab mich mit denen und mit meinen Geschwistern unterhalten. Wenn ich da meine Familie nicht gehabt hätte! Denn es

Abbildung 48: „Erst Jahre nach dem Mauerbau konnten wir unsere Verwandten im Osten wieder besuchen. Lange hatten wir darauf warten müssen.“

war eine schwere Zeit. Eigentlich war das dann noch schlimmer als die Not nach dem Krieg. Aber meine Eltern haben mir sehr den Rücken gestärkt. Die hätten mich auch aufgenommen, wenn es mit meinem Mann auseinandergegangen wäre. Das hat mir die Sicherheit gegeben, daß ich's drauf ankommen lassen wollte. Ich bin dann hin zu seiner Freundin und hab sie zur Rede gestellt. Ich hab mich mit der Frau unterhalten und hab gesagt, ‚also, du kannst ihn haben, aber dann nimm ihn ganz und wasch du ihm auch die Socken'. Das wollte die auch nicht, denn sie war auch verheiratet. Mein Mann wäre vielleicht gegangen, wenn sie ihn genommen hätte. Aber so ist er dann bei mir geblieben. Er hat dann auch die Stellung gewechselt. Das war dann im ganzen eine wichtige Veränderung, nicht nur arbeitsmäßig. Wir haben uns dann auch wieder gut zusammengefunden, und ich hab das vergessen, und wir fingen nochmal ein neues Leben an. Aber ohne meine Eltern hätte ich es nicht geschafft."

Die Unterstützung durch die Verwandtschaft stärkte Frau Schlüter den Rücken, so daß sie die Eheprobleme aktiv lösen konnte. Wesentlich schwieriger zu bewältigen war die schleichende Mißachtung der Arbeit der Frauen und das Desinteresse der Männer an ihren Familien. Viele Hausfrauen litten unter der mangelnden Anerkennung ihrer Arbeit. In der unmittelbaren Nachkriegszeit war die Arbeit der Frauen nicht zu übersehen, und sie wurden auch dafür akzeptiert. In späteren Jahren aber wurde ihre Arbeit in Haushalt und Familie von den Männern meist gar nicht mehr wahrgenommen und nur selten als vollwertige Arbeit anerkannt. Die strikte Trennung von beruflicher und familiärer Arbeit sowie die Aufteilung der Zuständigkeiten von Männern und Frauen für diese Arbeiten war einer der Hauptgründe für die Nichtbeachtung der Hausarbeit.

Gerda Hoffmann (Jahrgang 1916) und Paul Hoffmann (Jahrgang 1912) hatten sechs Kinder. Durch ihre Übersiedlung in den Westteil der Stadt im Jahr 1953 hatte sich ihre berufliche Situation drastisch verschlechtert:

„Schon als mein Mann 1948 zurückkam, hab ich mir gedacht, ob das wohl nochmal gut geht zwischen uns. Also, der war insgesamt so desinteressiert an allem. Der hatte kein Interesse an den Kindern mehr und nicht an seinem Beruf, nichts, nichts. Ja, und 1950 hab ich das erste Mal an Scheidung gedacht. Na ja, und dann ist 1950 mein Jüngster geboren. Dann hat sich das so einigermaßen erst mal wieder eingerenkt. Aber auch später dann hat er nicht gesehen, was ich alles geschafft habe. Er hat immer nur gesehen, was er geleistet hat und hat wohl gedacht, daß ich untätig zu Hause hocke. Er hatte nur Interesse für seinen Beruf und nicht für die Familie. Das war alles meine Sache. Ich hab ihn allerdings auch nie gefragt, ob ich darf oder nicht. Ich hab eben gemacht. Er konnte sich nicht vorstellen, was ein Haushalt mit so vielen Kindern an Arbeit macht. Das sieht er auch heute noch nicht, daß eine Hausfrau mit Kindern viel mehr arbeitet als ein Mann. Er hatte nach acht Stunden Feierabend und hat die Füße auf's Sofa gelegt. Ich bin weiter herumgesprungen, für mich gab es keinen Feierabend. Mein Mann hat mir auch nie geholfen. Sonnabends hab ich ihn so oft gebeten, ‚kannste nicht mal helfen die Kinder baden?‘, ‚ja, ja, ich komm' gleich‘. Und dann kam er, wenn ich gerade den letzten rausgeschoben hab.

Er hat sich auch nicht um die Familie gekümmert, ihm war die Familie egal. Und dann war er auch nicht bereit, Geld abzugeben für den Haushalt, für mich und die sechs Kinder. Mein Mann hat zuletzt 500 Mark abgegeben für die ganze Familie und Miete und alles drum und dran. Er hat gedacht, ich könnte das von meiner Putzstelle bezahlen.

Als mein Kleinster 18 wurde, das war dann 1968, das wollten wir feiern. Und es war alles vorbereitet, und alle waren da. Nur mein Mann hat den Geburtstag einfach vergessen. Mein Sohn war richtig enttäuscht. Und als mein Mann dann kam, hat er sich nicht mal entschuldigt. Das war dann mein letzter Anlaß, daß ich mich scheiden ließ. Dieses Desinteresse brachte das Faß zum Überlaufen. Und da hab ich gesagt, ‚das halt ich nicht aus‘ und hab dann die Scheidung eingereicht.“

Für manche Frauen war das Desinteresse der Männer an der Familie in späteren Jahren ein Scheidungsgrund. Mit einem solchen Schritt warteten viele Frauen jedoch oft, bis die Kinder erwachsen oder aus dem Haus waren. Frauen, die gehofft hatten, die ehelichen Probleme würden sich im Lauf der Zeit einrenken, mußten dann einsehen, daß sich ihre Männer innerlich schon weit von ihnen entfernt hatten.

Aber nicht alle gingen so weit, ihre Ehe aufzulösen. Zwar gab es vieles, was den Ehapartnern nicht genehm war, aber es sprach auch manches dafür zusammenzubleiben. Die Paare hatten einiges durchgemacht, hatten sich unter widrigen Bedingungen wieder zusammengerauft und nach dem Krieg unter Aufbietung aller Kraft noch einmal miteinander neu begonnen.

Meta Schlüter (Jahrgang 1917) erzählt, wie die Kriegs- und Nachkriegsjahre sie veränderten:

„Wir sind in einer großen Familie großgeworden, in einer sehr schlechten Zeit. Und dann kam der Krieg und die Not, und wir mußten wieder zusammenhalten. Die Jahre waren ja auch nicht immer schön, die waren auch schwer. Wenn Sie dann zwei Kinder haben und weiterleben und auch mal was erleben wollen, das zwingt einen, über manches hinwegzusehen. Entweder wird man mit manchem, was einem nicht paßt, fertig, dann muß man auch etwas vergessen, oder du wirst gar nicht damit fertig, dann geht man selber ein.

Ich hab gelernt, Schlechtes schnell zu vergessen, sonst hätt' ich manches gar nicht ausgehalten. Das mußte ich mir anerziehen, das war keine Eigenschaft von mir. Das haben sicher auch die schlimmsten Jahre mit sich gebracht, im Krieg und dann nach 1945. Durch diese Jahre und was dadurch mit einem selber und mit der Familie passierte, hat man eine ganz andere Einstellung zum Leben gekriegt."

Hinzu kam, daß auch in späteren Jahren viele familiäre Verpflichtungen gerade für Frauen bestanden. Denn die Verwandten, die so lange Unterstützung und Hilfe geboten hatten, brauchten inzwischen meist selbst Unterstützung. Eltern und Schwiegereltern waren alt geworden und bedurften der Pflege und Betreuung. War es den Familien möglich, versuchten sie, die Alten in der eigenen Wohnung aufzunehmen oder zumindest in der Nähe unterzubringen. Für viele Familien wäre es undenkbar gewesen, ihre Angehörigen in ein Alten- oder Pflegeheim zu geben. Selbst akute Krankheiten wurden zu Hause behandelt und kuriert.

Walter Richter (Jahrgang 1912), Bürstenbinder, seit 1936 mit Helene Richter (Jahrgang 1917) verheiratet; das Paar hatte ein Kind:

„Wir mußten ja für unsere Eltern mitsorgen. Wir konnten nie von dem Geld, das wir dann erarbeitet haben, alleine leben. Wir mußten ihnen immer einen gewissen Anteil geben, damit sie leben konnten. Mein Vater hatte keine Rente geklebt, und die Lebensversicherung ist für Schulden draufgegangen. Meine Mutter starb dann 1959. Und dann mußte meine Frau meinen Vater noch versorgen bis 1964. Alles mußte sie für ihn machen: Essen, Trinken, Saubermachen und so weiter. Und als er dann gestorben war, sind ihre Eltern krank und klapperig gewesen. Insgesamt ging diese Krankenpflege 14 Jahre lang. Und sie hatte die Arbeit im Geschäft ja auch noch. Ja, und seitdem haben wir uns ein bißchen erholt."

Die mit der Betreuung der Alten verbundene Arbeit traf meistens die Frauen, die all die Jahre bereits unentwegt für ihre Familien gearbeitet hatten. Von den Kriegsjahren über die Hamster- und Hungerzeit bis zum Sparen und zur Erwerbsarbeit waren sie kaum zur Ruhe gekommen. Diese Dauerbelastungen führten oft zu körperlichen Schäden, die erst viele Jahre später akut wurden, den Frauen dann aber sehr zu schaffen machten.

Dora Brandenburg (Jahrgang 1910) mußte für eine sechsköpfige Familie sorgen. Als ihr Mann Karl nach neun Jahren zurückkam, wurde die Arbeitsbelastung nicht weniger:

„Eine Zeitlang, so 1948/49, war ich richtig auf dem Hund. Da bin ich dann mal mit meinen Kindern zu meiner Mutter gefahren. Die war entsetzt, wie ich aussah, und hat

mich zum Arzt geschickt. Der hat totale Unterernährung festgestellt. Na ja, aber ich hab mich dann erst mal wieder ein bißchen erholt. Wieder in Berlin, ging die Plackerei aber nahtlos weiter. Da hab ich dann um 1955 schlimme Erschöpfungszustände gekriegt. Ich hab oft gedacht, es würde nicht mehr weitergehen. Aber es ging dann doch. Auch meine Mutter hab ich dann wieder pflegen können. Das waren aber nochmals harte Jahre. Und von der ewigen Schlepperei und Schufterei all die Jahre hab ich einen schweren Bandscheibenschaden behalten. Der ist nie mehr weggegangen. Heute ist mein eines Bein so gut wie steif."

Die Mehrheit der Frauen hatte unter körperlichen Schäden aus den anstrengenden Kriegs- und Nachkriegsjahren zu leiden (vgl. Zeittafel). Diese Gebrechen und Krankheiten wurden jedoch nie als Kriegsschäden anerkannt. Kein Gesetz sah vor, den Frauen für Krankheiten und Behinderungen, die aus ihrer Haus- und Subsistenzarbeit während des Kriegs herrührten, eine Rente zu zahlen oder anderen materiellen Ausgleich zu schaffen.

Die Frauen selbst sprachen wenig darüber. Ihre Kinder konnten nur selten einen Zusammenhang zwischen den Krankheitsbildern und dem, was ihre Mutter für sie, die Familien und letztendlich auch für die Gesellschaft geleistet hatten, erkennen. Aber nicht nur physisch, auch psychisch hatte die Dauerbelastung in den Familien bei den Frauen Spuren hinterlassen.

Anna Falk (Jahrgang 1914) schilderte, daß ihr Leben nach der Rückkehr ihres Mannes Harry auch nicht einfacher wurde:

„*In der unmittelbaren Nachkriegszeit hab ich mich eigentlich noch ganz kräftig gefühlt. Aber später dann, dieser wahnsinnige Kleinkrieg in der Familie, der hat mich kaputt gemacht. Mein Mann hat keine Arbeit gekriegt, die Wohnung war zu eng, meine Mutter und mein Mann haben sich nicht verstanden, mit den Kindern gab's Probleme. Und alle haben an mir herumgezerrt. Es waren ja alles Belastungen, und man sah kein Ende ab.*

Und dann wurde der Junge krank und war ständig mürrisch und schlecht gelaunt. Und ich war kein Riese mehr. Also, das, was ich die ganzen Jahre geleistet hatte, das hab ich einfach nicht mehr leisten können. Und mit meinem Mann nahmen die Schwierigkeiten kein Ende. Da hab ich mir dann eine Nervenentzündung eingehandelt. Wenn die Familie zusammensaß und alle durcheinander geredet haben, konnte ich das einfach nicht aushalten. Ich mußte in die Küche gehen. Ich konnte sie einfach nicht mehr ertragen. Schließlich mußte ich dann in die Klinik."

Die Belastungen nahmen oft erst ab, wenn sich die familiären Probleme verringerten. Das Ende der Pflege von Angehörigen markierte dabei häufig einen ebenso deutlichen Einschnitt wie der Auszug der Kinder aus der elterlichen Wohnung. Diese Ereignisse, so traurig sie für die Frauen auch waren, bedeuteten immer auch eine Entlastung.

Dora Brandenburg (Jahrgang 1910), verheiratet mit Karl Brandenburg (Jahrgang 1908), mit dem sie vier Kinder hatte:

„Als die Kinder aus dem Haus gingen, das war eine große Umstellung. Also, wie Hansi ging, es war furchtbar. Und wie Hilde ging, war's genau so furchtbar. Angelika, die hat Krankenschwester gelernt. Dadurch hat die zwar bald außer Haus gewohnt, kam aber auch immer wieder. Und bei Rolf, dem Jüngsten, war es am allerschlimmsten. Plötzlich war alles so leer, das ganze Leben in der Bude war weg. Obwohl, für mich wurde natürlich auch vieles leichter. Es fiel ja auch viel von der Arbeit weg."

Viele Frauen fühlten sich jetzt zum ersten Mal einsam und hatten große Schwierigkeiten, mit der veränderten Situation zurechtzukommen. Neue Lebensinhalte traten an die Stelle der Kinder. Manche Frauen begannen mit ehrenamtlichen Tätigkeiten, andere hatten zum ersten Mal Zeit, einem Hobby nachzugehen. Viele Ehepaare lernten die neue Situation, die durch den Auszug der Kinder entstanden war, zu genießen. Sie fuhren miteinander in Urlaub, machten Ausflüge oder gingen in Ausstellungen.

Viele Männer fanden erst in späteren Jahren einen intensiveren Bezug zu ihren Familien. Sie freuten sich an ihren Kindern und Kindeskindern. An ihren Enkelkindern erlebten sie zum ersten Mal, wie ein Kind aufwächst, und holten so Erfahrungen nach, die ihnen der Krieg versagt hatte. Den Frauen blieben ihre erwachsenen und oftmals verheirateten Kinder mit deren Familien ebenfalls wichtig. Sie halfen ihnen im Haushalt und bei der Betreuung der Enkelkinder. Sie waren bereit, sie genau so zu unterstützen, wie sie es mit ihren Müttern erlebt hatten. Die Frauen hatten ihr Leben lang für die Familie und die Verwandtschaft gesorgt und ein Familienleben überhaupt erst ermöglicht.

9.
Thea und Oskar Tietz – Eine Familiengeschichte

Thea Tietz, geborene Orland, stammt aus behüteten Verhältnissen. Sie wurde 1910 als ältestes von sieben Geschwistern in Berlin geboren. Ihr Vater war ein hoher preußischer Beamter in einem Ministerium. Er verdiente so gut, daß er 1912 für seine Familie ein Haus in Dahlem, einem Villenvorort im Süden Berlins, bauen lassen konnte. Es war ein lebhaftes Haus, Gäste gingen ein und aus, und oft waren Verwandte zu Besuch. Theas Mutter war immer beschäftigt und hatte alle Hände voll zu tun, die große Familie, das Haus und den Haushalt zu versorgen. Familie Orland legte sehr viel Wert auf Bildung, Literatur und Musik. Deshalb mußte jedes Kind zwei Musikinstrumente erlernen. Auch wenn das Geld einmal knapp war, hatten die Klavier- und Geigenstunden immer Vorrang. An Bonbons, Eis oder Schokolade dagegen wurde eher gespart, und oft mußten die Kinder auf ihren monatlichen Groschen für gute Noten verzichten. Es war selbstverständlich, daß Thea eine Ausbildung erhalten sollte. Sie wurde auf das Lyzeum geschickt, sollte Abitur machen und wenn möglich sogar studieren.

In der Abiturklasse geriet sie, angeregt durch einen Vetter, in eine Volksmusikschule der Jugendbewegung. Ihre Eltern sahen das nicht gern, denn dorthin gingen nicht Jugendliche ihrer gehobenen, bürgerlichen Schicht, sondern Kinder kleiner Angestellter, Handwerker und Arbeiter. In dieser Volksmusikschule lernte Thea ihren späteren Mann, Oskar Tietz, kennen. Er hatte gerade seine Lehre als Werkzeugmacher abgeschlossen.

Familie Orland lehnte diese Verbindung von Anfang an ab, denn ein Arbeiter schien ihnen nicht der angemessene

Ehemann für ihre Tochter. Thea sollte standesgemäß heiraten, und zwar einen Mann, der ihr ein gesichertes Einkommen und ein repräsentatives Leben bieten konnte. Auch Oskars Vorhaben, die Meisterprüfung zu machen und dann auf der Abendschule weiterzulernen, konnte Familie Orland in ihren Vorstellungen über Theas Zukunft nicht umstimmen. Kurzerhand wurde Thea zum Studieren nach Göttingen geschickt. Die Familie hoffte, daß eine Trennung die beiden auseinanderbrächte.

„Anfangs hab ich mir in Göttingen die Augen aus dem Kopf geheult. Und da kam dann Oskar und besuchte mich. Er hatte gerade die Meisterprüfung, wollte aber noch weiter zur Abendschule gehen und Gewerbelehrer werden. Damals waren wir uns schon einig, daß wir heiraten würden. Ich hörte dann mit dem Studieren auf. Statt dessen ging ich ein halbes Jahr auf die Handelsschule und hab dann zwei Jahre für eine Versicherung getippt. Von dem Geld konnte mein Mann eineinhalb Jahre studieren.

Dann starb mein Vater. Meine Mutter konnte von der Pension den bisherigen Lebensstandard nicht halten. Vor

Abbildung 49: Hochzeit 1933

allem hätte sie die Ausbildung meiner sechs Geschwister nicht finanzieren können. Sie hat das große Haus verkauft und von dem Erlös ein sehr viel kleineres gekauft. Inzwischen war mein Mann mit dem Studium fertig und hat angefangen, als Lehrer zu unterrichten. Wir heirateten 1933. Meine Mutter hatte nichts mehr dagegen. Sie war eher froh, daß wenigstens ihre Älteste unter der Haube war. Oskar hat anfangs 160 Mark verdient. 60 Mark kostete die Wohnung, und ich konnte nicht kochen, zu allem Überfluß. Also, das war für mich doch eine ganz schöne Umstellung. Das hätte ich mir nicht so gedacht.“

Die ersten Jahre ihrer Ehe waren für die beiden nicht so einfach. Frau Tietz mußte sich völlig umstellen. Zu den täglichen Geldsorgen kam der Umstand, daß sie in dieser Zeit mehrere Fehlgeburten hatte, was sie zusätzlich sehr belastete. Herr Tietz mußte mit den Anfangsschwierigkeiten seines Berufs fertig werden. Aber allmählich wurde es besser und auch sein Gehalt stieg, so daß die Tietz’ sich ab und zu einen Theater- oder Konzertbesuch leisten konnten. Theas Wunsch war, aus der kleinen Wohnung im Wedding, einem Berliner Arbeiterbezirk, wieder ins Grüne zu ziehen:

„Mein Mann hatte einen Freund, der war auch Lehrer. Der baute ein Haus mit irgendwelchen Angestelltenversicherungen und Hypotheken und was weiß ich noch alles. Er redete uns kräftig zu, wir sollten das auch machen. Meine Mutter gab uns 10000 Mark. Dann kamen noch die Hypotheken dazu. Also bauten wir auch ein Haus, draußen in Lankwitz. Da gab es damals noch nichts, nur Äcker und Wald. Da zogen wir dann 1938 ein. Zu der Zeit war ich gerade mit einem Kind schwanger, mit dem ich Gott sei Dank keine Fehlgeburt durchmachen mußte. Ich war selig. Im August wurde unser erster Sohn im neuen Haus geboren und 1939 gleich der zweite. Von da an ging es bei uns wirklich aufwärts. Mein Mann bekam eine neue Stelle. Und zwar in einem Verlag für Unterrichtsmaterial im Auftrag des Reichskulturministeriums. Und in der Abteilung für Berufsschulen hat Oskar dann angefangen. Da verdiente er gleich

mehr, und schon nach eineinhalb Jahren wurde er Leiter dieser Abteilung.

Mein Mann wurde im Krieg nicht eingezogen, weil er ja in diesem Verlag gebraucht wurde. In diesem Verlag wurde vor allem Material für die Reichswehr hergestellt. Die Soldaten wurden damals großartig ausgebildet, vor allem die Spezialisten. Dazu dienten auch diese Materialien.“

Von dem Krieg spürte Familie Tietz in ihrem Häuschen vor der Stadt wenig. Frau Tietz erinnert sich an die Siegesmeldungen im Radio und daran, daß sie sich damals kaum vorstellen konnte, daß der Krieg auch sie jemals einholen sollte. Sie hatte viel zu tun mit dem neuen Haus, den zwei kleinen Kindern und ihren jüngeren Geschwistern, die bei Tietz' ein und aus gingen. 1941 wurde das dritte Kind, ein Mädchen, geboren.

Herr Tietz erzählte nicht gern von seinem Beruf. Er war froh, wenn er zu Hause war und Ausbildungsmaterial, Soldaten und Krieg vergessen konnte. Gemeinsam bestellten die Tietz' ihren großen Garten, und da sie neben den Blumenrabatten Gemüse pflanzten, hatten sie keine Versorgungsprobleme mit Frischgemüse:

„Ab 1942 hat man dann schon mal etwas vom Krieg mitbekommen. Und dann kamen die Bomben und die Kartenwirtschaft. Aber wir hatten ja schon angefangen, Tomaten und Gurken zwischen unsere Blumen zu pflanzen. Dadurch hatten wir wenigstens immer genug Gemüse. Es gab immer öfter Alarm. Bei uns da draußen hat man natürlich nicht allzu viel gemerkt. Man konnte sich oft gar nicht vorstellen, was in der Innenstadt passierte. Bei uns im Süden war alles ruhig, und im Norden brannte alles.

1943 wurde dann unser Haus getroffen. Ich war gerade bei meiner einen Schwester in Sachsen und kriegte dort ein Telegramm: ‚Herr Tietz lebt, Haus zerstört.‘ Da war im August ein ganz schwerer Angriff gewesen, vor allem auf Lankwitz. Da ließ ich meine Kinder bei meiner Schwester und bin zurückgefahren. Ich kam am Görlitzer Bahnhof an und ärgerte mich, daß die Leute so ungerührt durch die

Straßen gingen und sich gar nicht aufregten, daß in Lankwitz ein Haus kaputtgegangen war. Aber dann kam ich nach Lankwitz, und dort sah es fürchterlich aus. In der Straße waren Häuser völlig zerstört und ausgebrannt. Bei uns war es Gott sei Dank nicht so schlimm. Meinem Mann ging es gut, das war die Hauptsache. Das Haus war teilzerstört. Die Fenster kaputt, eine Wand war hin, die Ziegel waren abgedeckt, und alles war entsetzlich dreckig. Da hab ich dann erst mal angefangen aufzuräumen und sauberzumachen.

Als das passierte, war ich gerade mit unserem vierten Kind schwanger. Ich hab gedacht, das Kind würde nicht bleiben, wegen der Aufregung und der Anstrengung und dem ganzen Hin und Her. Aber es blieb.“

Wegen der zunehmenden Luftangriffe sollten etwa zur gleichen Zeit auf Anweisung der Regierung alle Frauen mit kleinen Kindern Berlin verlassen. Da Frau Tietz bei ihrer Schwester in Sachsen längerfristig nicht bleiben konnte, nahm sie eine Einladung von Freunden in die Nähe Tübingens an. Sie verpackte das Nötigste an Hausrat und fuhr mit ihren Kindern nach Schwaben.

Frau Tietz hatte es mit dem Evakuierungsort gut getroffen. Die Freunde stellten ihr einen großen Raum in einer alten Mühle zur Verfügung, den sie mit ihren Kindern gemütlich herrichtete. Trotzdem hatte sie große Eingewöhnungsschwierigkeiten, fühlte sich einsam und sehnte sich nach ihrem Mann und nach Berlin zurück. In den ersten Monaten war die Lage in dem Dorf ruhig. Frau Tietz sah die Bomber lediglich hoch am Himmel in Richtung großer Städte fliegen. Die Nahrungsmittelversorgung auf dem Land war ausreichend, stundenlanges Anstehen gab es nicht. In der Evakuierung bekam Frau Tietz 1944 ihr viertes Kind:

„Unser Jüngstes sollte im April 1944 kommen. Und am 15. in der Nacht war in Tübingen der erste richtig dolle Angriff. Bis dahin waren sie immer über uns geflogen nach München oder Leipzig. Es war scheußlich. Ich hörte die Flugzeuge und wie die Bomben fielen. In der Mühle hatten wir auch keinen Keller, in den wir hätten gehen können. Ich

hockte da auf dem Sofa mit den drei Kindern und eins im Bauch. Es war scheußlich. Die Kleinen wimmerten, sie hatten solche Angst. Ich natürlich auch, aber ich hab so getan, als wäre alles halb so schlimm. Nach dieser Aufregung merkte ich am nächsten Morgen, daß die Fruchtblase gesprungen war. Ich fing dann noch an, alle Babysachen, die ich hatte, zu waschen, aber dann kriegte ich Wehen und mußte notgedrungen ins Krankenhaus. In dem Haus war ja niemand, der mir im Ernstfall hätte helfen können. Da hab ich meinen Freunden gesagt, daß sie ab und zu mal nach den Kindern schauen sollten und hab dem Ältesten eingeschärft, daß er auf die Kleinen aufpaßt. Morgens früh fuhr immer so ein offener Milchwagen mit großen Milchkannen nach Tübingen rein. Und da hockte ich denn auf so einer Milchkanne, und der Wagen hat gewackelt und geholpert, und ich hatte doch schon Wehen. Ich kann mich noch genau erinnern, wie einsam ich mich auf dieser Fahrt gefühlt habe. Mein Mann war in Berlin, meine Mutter und meine Geschwister waren nicht da. Ich hab gedacht, wenn dir jetzt etwas passiert, keinen Menschen kümmert das. Aber wir sind glücklich in Tübingen gelandet. Der Milchmann merkte, wie verzweifelt ich war, und hat mich bis vor die Tür der Frauenklinik gebracht. Die Schwester sagte, es wäre Vollalarm und da dürften sie keine Leute aufnehmen, ich sollte in den öffentlichen Bunker gehen. Es war einfach nichts zu machen. Mit der Schwester war nicht zu reden. Ich dachte, wenn jetzt dein Mann dabei wäre, wäre das alles gar kein Problem. Ich hab dann ganz entschieden gesagt, ‚ich muß jetzt das Kind kriegen, ich hab Wehen und die Fruchtblase ist geplatzt‘. Na denn, plötzlich hat die mich unter den Arm genommen, getröstet und ins Bett gesteckt. Aber wegen des Alarms mußten wir dann alle gleich in den Keller. Es gab einen Kreißsaal im Keller. Es ging alles drunter und drüber, alles war furchtbar eng, und ständig kamen Leute rein. Ich hab immer nur gedacht, hoffentlich verwechseln die mein Kind nicht, das war meine größte Sorge. Und so hab ich denn meinen Jüngsten gekriegt. Und über einem hat man die Bomber gehört. Ich bin so schnell wie möglich wieder nach

Hause. Zum einen war das ein unmöglicher Zustand, daß man ständig in den Keller mußte, treppauf, treppab, und dann konnte ich meine anderen drei Kinder ja nicht länger allein lassen. Na ja, und dann kam ich nach Hause mit dem vierten.

Dann konnte uns mein Mann besuchen kommen. Das war eine Freude! Er erzählte aus Berlin, und ich hab aus unserem Dorf berichtet. Wir waren sehr glücklich, uns zu sehen und konnten den Krieg für ein paar Tage richtiggehend vergessen."

Frau Tietz hatte mit der Versorgung ihrer Kinder alle Hände voll zu tun. Ganz alleine war sie für die vier Kleinen verantwortlich. Zwar besuchte Herr Tietz seine Familie ab

Abbildung 50: Die meisten Ehepaare können sich während des Krieges nur selten sehen.

und zu, aber viel zu selten. Er konnte nur tageweise bleiben, denn er war bei seiner Dienststelle seit Kriegsausbruch unabkömmlich.

Der älteste Sohn war Frau Tietz eine wichtige Stütze. Er ging selbständig einkaufen, paßte auf seine Geschwister auf und war für seine Mutter ein wichtiger Gesprächspartner. Frau Tietz litt darunter, daß sie kaum einen Erwachsenen zum Reden hatte. Deswegen besprach sie die täglichen Sorgen mit ihrem Ältesten. Er war stolz darauf, der Vertraute seiner Mutter zu sein. Als es auf den Winter zuging, organisierte der Kleine zusammen mit seiner Mutter Heizmaterial und vor allem einen kleinen Lebensmittelvorrat.

„Im Sommer war's in der Pulvermühle sehr schön, aber im Winter war es schrecklich. Gerade im Winter 44/45, wo es doch schon kaum noch etwas zu heizen gab. Unsere Bleibe war ja eher eine ausgebaute Scheune. Es sah aus wie eine Art Tanzsaal. In dem Tanzsaal stand ein Riesenofen, der wahrscheinlich diesen Riesenraum auch geheizt hätte, wenn man den Ofen hätte füllen können. Aber da gab's ja dann schon keine Briketts mehr, die man offiziell zugeteilt kriegte. Ich mußte Holz sammeln für diesen verdammten Ofen, und wir froren schauderlich.

Wenn mein ältester Sohn nicht so tapfer geholfen hätte, wäre ich oft verzweifelt. In diesem Winter hatte ich wieder solches Heimweh nach meinem Mann und nach Berlin. Aber es half ja nichts. Ich möchte mal sagen, da haben wir dann auch wirklich angefangen, den Krieg richtig zu spüren. Das war auch der erste Winter, in dem wir gehungert haben. Für die Kinder kriegte ich zwar noch Milch, das war die Hauptsache. Aber ansonsten wurde alles schon knapp, gerade für uns Evakuierte. Die Bauern hatten genug. Hamstern konnte ich nicht, da hab ich denn angefangen zu klauen. Wenn mir das vorher jemand prophezeit hätte, hätte ich gelacht. Früher hatte man ja ganz andere Werte und Vorstellungen. Selbstverständlich kämpfte man für das Vaterland bis zum Tod, und selbstverständlich klaute man nicht. Na ja, aber sollte ich denn die Kinder erfrieren oder verhungern lassen? Also hab ich angefangen zu klauen: Holz, Kartoffeln und Äpfel.

Mein Mann hat im Januar Geburtstag, und da kam er uns denn nochmal in Tübingen besuchen. Wir haben einen langen Spaziergang durch den Schnee gemacht und haben über unsere Sorgen gesprochen. Inzwischen war ein Schwager gefallen, fast alle Vettern, ein Bruder war tot und viele Freunde. Man hatte jede Hoffnung aufgegeben. Es war nur noch Verzweiflung. Aber daß es noch schlimmer kommen sollte, das hätte damals keiner gedacht. Wenn ich da gewußt hätte, daß ich meinen Mann das letzte Mal für Jahre sah, hätte ich ihn nicht gehen lassen.“

Kaum war Herr Tietz in Berlin zurück, wurde auch er eingezogen und mit Hitlers letztem Aufgebot nach Osten, zur Verteidigung der Fronten, geschickt. Er kam zu einem Sonderkommando der SS, das vor allem fliehende deutsche Soldaten aufhalten, Deserteure aufspüren und hängen sollte. Als Frau Tietz von dem Einberufungsbefehl ihres Mannes hörte, bekam sie große Angst um ihn. Sie glaubte nicht mehr an einen Sieg der deutschen Wehrmacht und hoffte nur darauf, daß der Krieg möglichst schnell vorbeiginge, damit ihr Mann wieder bei ihr sein konnte:

„Dann kam ziemlich schnell der Zusammenbruch. In unserem Dorf wurde nicht viel gekämpft, die Franzosen sind einfach einmarschiert. Aber was heißt hier Franzosen – nur die Offiziere waren Weiße, der Rest waren alles Marokkaner. Wir haben es ganz schön mit der Angst gekriegt, das waren ja die ersten Schwarzen, die wir sahen. Und diese Marokkaner, die hausten wie die Russen teilweise. Es wurden auch Frauen vergewaltigt, und natürlich wurde geklaut, was nicht niet- und nagelfest war.

Die Franzosen haben dann als erstes die polnischen Zwangsarbeiter und Gefangenen befreit. Die fingen natürlich sofort an, sich zu rächen. Bei mir sind sie eingedrungen und haben meinen Kleiderschrank geplündert. Ich hab mich nicht gewehrt, ich hatte zuviel Angst um meine Kinder. Passiert ist uns dabei nichts. Wir hatten nur nichts mehr anzu-

ziehen. Die ersten Wochen nach dem Krieg, die waren nicht schön. Aber die Erleichterung, daß nun keine Angriffe mehr waren und kein wirklicher Krieg, die war doch sehr groß. Aber äußerlich, also die Lebensumstände, die waren nicht besser. Nur daß eben keine Angriffe mehr waren. Die Lebensmittelversorgung zum Beispiel war schlechter als vorher, vor allem in den ersten Monaten. Da haben dann wahrscheinlich alle geklaut: die Evakuierten von den Bauern und die Bauern von den Franzosen. Unser einziges Glück war: Die von der Gemeinde hatten kurz vor dem Zusammenbruch den Inhalt eines liegengebliebenen Zuges an die Gemeinde verteilt. In dem Zug war Korn gewesen. Und ich bekam davon zwei Säcke mit je einem Doppelzentner Roggen. Davon haben wir dann monatelang gelebt. Morgens gab's Roggen mit ein bißchen Milch. Mittags gab's Roggen mit Wiese. Dazu ging ich hinter's Haus auf die Wiese und rupfte Grünzeug. Und abends gab es Wiese mit Roggen. Und mahlen tat ich den auf der Kaffeemühle. Stundenlang hab ich gemahlen für uns fünf. Und denn konnte ich da Brot machen oder Küchle oder sogar ab und zu Pudding für die Kinder. Mit dem Roggen sind wir dann einigermaßen über die Runden gekommen. Ich weiß nur, wenn ich die Kinder nicht gehabt hätte, hätte ich mir nach dem Zusammenbruch das Leben genommen. Es gab ja auch nichts mehr, woran man sich halten konnte. Die Vorstellungen, in denen man aufgewachsen war – man tut das, man läßt das –, waren doch alle über den Haufen geworfen. Und niemand wußte, wie es weitergehen sollte. Ich hab oft mit dem Gedanken gespielt, mir das Leben zu nehmen, wenn ich abends so alleine in der Mühle saß. Aber ich konnte doch nicht."

Nach den ersten Wochen beruhigte sich die Lage, es gab wieder Essenszuteilungen, die Übergriffe der Sieger hörten auf. Auch für Frau Tietz und die vier Kinder wurde der Alltag wieder ruhiger. Ihre größte Sorge war, daß sie nichts von ihren Angehörigen in Berlin und nichts von ihrem Mann wußte. Die Postverbindungen blieben lange unterbrochen, der Briefverkehr funktionierte nicht. Sie überlegte, ob sie nach Berlin fahren und nachsehen sollte, wie es den Verwandten ging. Im Spätsommer 1945 entschloß sie sich, trotz aller Unsicherheiten quer durch das zerstörte Deutschland zu fahren. Sie verteilte ihre vier Kinder: Der Älteste blieb bei ihren Freunden, die beiden mittleren kamen ins Kinderheim, und das Jüngste wurde in der Klinik untergebracht. Sie besorgte sich Reisedokumente und fuhr los. Das erste Stück wurde sie von einem Lkw mitgenommen, dann kam sie mit dem Zug weiter. Ihre erste Zwischenstation sollte Marburg sein, wo sie eine Schwester vermutete. Sie fand sie dort auch tatsächlich. Die Wiedersehensfreude war groß, denn die Schwester hatte auch Nachricht von den anderen Geschwistern; die meisten waren wohlauf. Nur wie es der Mutter in Berlin ergangen war, wußte auch sie nicht. Nach einigen Tagen Erholungspause fuhr Frau Tietz weiter nach Berlin. Auch das Risiko, heimlich über die Grenze zwischen britischem und sowjetischem Sektor zu kommen, schreckte sie nicht. Nach einer Odyssee von zehn Tagen kam sie endlich in Berlin an:

„Ich weiß noch genau, wie ich damals in Berlin ankam. In Tübingen hatten wir immer die Vorstellung gehabt, in Berlin kröchen die Leute auf allen Vieren, in Säcke gehüllt und grau und verhungert, durch die Ruinen. So schlimm war es zwar nicht, aber es war trotzdem grauenhaft. Ich hab mein Berlin nicht wiedererkannt!

Als erstes suchte ich meine Mutter, die lag völlig ausgezehrt im Krankenhaus. Wir hielten uns lange in den Armen und haben nur noch geheult – sie war noch am Leben! Dann bin ich zu meinen Schwiegereltern gefahren. Die waren auch am Leben. Da wurde dann wieder geheult. Aber auch sie wußten nichts von meinem Mann.

Und nun ging's darum, wie es weitergehen sollte. Unser Haus in Lankwitz war nochmal getroffen worden und total kaputt. Das Haus meiner Mutter hatte auch einiges abbekommen. Da konnte ich mit meinen vier Kindern nicht bleiben. Da hab ich hin und her überlegt. Es war wirklich eine schwere Entscheidung. Schließlich beschloß ich, den Winter wieder runter zu gehen. Außerdem war mir völlig unklar, wie ich meinerseits hin und dann mit den vier Kindern und dem ganzen Gepäck wieder herkommen sollte. Das schien mir alles völlig unmöglich. Na, und dann bin ich zu dem Verlag meines Mannes und bekam von denen zwei Gehälter. Die brauchte ich, um die Kinder auszulösen. Dann hab ich mich schweren Herzens von meiner Mutter und den Schwiegereltern verabschiedet und mich wieder auf den Weg nach Tübingen gemacht.“

Frau Tietz blieb noch lange in dem schwäbischen Dorf. Erst 1947 konnte sie nach Berlin zurück. Langsam gewöhnte sie sich an das Dorfleben. Ab und zu half sie bei benachbarten Bauern aus, um etwas Geld zu bekommen. Die älteren Kinder waren eingeschult und fanden Freunde. Die Kinder sorgten für immer neue Aufregungen. Frau Tietz' größte Sorge blieb jedoch, was aus ihrem Mann geworden war. Sie wollte nicht glauben, daß er tot sein könnte. Oft zeigte sie ihren Kindern sein Bild, damit auch sie den Vater nicht vergessen sollten:

„Und dann, 1946, hab ich von ihm eine Karte bekommen. Das war eine dieser Doppelkarten. Auf eine Seite hatte er geschrieben, daß er noch lebte und daß es ihm gut ging. Die andere Karte durfte ich beschreiben und zurückschicken. Das war ein Freudentag. Bis dahin wußte ich ja gar nichts. Mir kam es vor wie ein Wunder. Nach und nach durfte er dann mehr und öfter schreiben, aber so richtig erfahren, was passiert war, hab ich erst später.

Er war nördlich von Berlin in russische Gefangenschaft gekommen, mit vielen alten Soldaten zusammen. Er war ja kaum ausgebildet und hatte keine Erfahrung. Die Russen befahlen diesem Trupp, mitzukommen bis Küstrin. Sie versprachen ihnen, sie würden dort ordnungsgemäß entlassen werden. Die Russen kannten die Deutschen ganz genau und wußten, Deutsche brauchen Entlassungspapiere. Und die alten Landsknechte, die fielen drauf rein. Das ist 'ne ganz merkwürdige Geschichte gewesen. Und als sie in Küstrin waren, hieß es, Küstrin reiche nicht, sie müßten weiter nach

Posen. So nun trotteten die alle mit nach Posen. Die hätten glatt alle ausreißen können, es waren ja viel zu wenig Bewacher. Trottelten die pflichtbewußt bis nach Posen! In Posen wurden die Landser dann einwaggoniert und nach Rußland verfrachtet. Oskar kam in ein sogenanntes Torflager, ungefähr 100 km von Gorki entfernt, noch im europäischen Teil von Rußland. Das war für die Russen seit jeher ein Straflager gewesen. Es war ein Moorgebiet, und sie mußten Birken schlagen. Wenn sie da morgens aufwachten, schippten sie erst mal die inzwischen Gestorbenen aus der Baracke raus. Dann kriegten die auch kaum etwas zu essen, aber mußten Tag für Tag in diese Wälder und Holz machen. Dann kippte da einer um und dort einer um. Sie versuchten trotz allem noch, sich die Namen der anderen zu merken, um ihren Angehörigen später Nachricht geben zu können. Dazu waren sie kaum noch imstande. Mein Mann wurde auch immer schwächer. Er hat es überstanden. Aber unter welchen Bedingungen! Er wurde in ein anderes Lager verlegt: in die Nähe von Moskau. Von dort durfte er öfter schreiben. Ich hab mal ein Foto von den Kindern machen lassen und hab das an eine Karte angeklebt. Das hat er tatsächlich bekommen. Er war ganz fassungslos, wie groß die in der Zwischenzeit geworden waren.“

1948 zog Frau Tietz zurück nach Berlin. Im Haus ihrer Mutter war ein untervermietetes Zimmer frei geworden. Anfangs hatte sie Schwierigkeiten mit den Behörden, eine Zuzugsgenehmigung und Lebensmittelkarten für sich und ihre Kinder zu bekommen. Tagelange Ämtergänge waren erforderlich. Frau Tietz ließ sich aber nicht einschüchtern. Sie hatte gelernt, hartnäckig zu sein und für sich und ihre Kinder zu sorgen. Sie hatte gehofft, in Berlin ein besseres Auskommen zu haben, doch die nun folgende Blockade der Stadt verschlechterte die Versorgung der Bevölkerung nochmals. Nun mußte sie ihre ganze Kraft daran setzen, den Garten ihres Hauses wieder herzurichten, um Gemüse und Kartoffeln pflanzen zu können. Da sie vom Verlag ihres Mannes kein Geld mehr bekam, mußte sie ihre Zigarettenrationen und Teile des Hausrats auf dem Schwarzmarkt verkaufen. Selbst der Perserteppich ihrer Mutter wurde versetzt, um im Haus einen neuen Ofen setzen lassen zu können. Bis zum Ende der Blockade hatte Frau Tietz fast alle verbliebenen Wertgegenstände verkauft oder gegen Lebensmittel, Kleidung und Heizmaterial eingetauscht. Die Berliner Blockade war eine harte Zeit für sie. Oskar Tietz war noch in russischer Gefangenschaft, konnte inzwischen häufiger schreiben, aber es war völlig ungeklärt, wann er nach Hause käme.

„Zu der Zeit glaubten viele, die Männer würden nicht mehr zurückkommen. Da hab ich angefangen, Russisch zu lernen, weil ich dachte, ich kann ihn dann vielleicht wenigstens besuchen. Und im Sommer fuhr dann tatsächlich eine Frauengruppe nach Moskau, um nach den Männern zu sehen. Ich wäre mitgefahren, aber ich konnte die Kinder nicht alleine lassen. Ich hab ihnen aber Briefe und Fotos mitgegeben.

Adenauer war in Moskau gewesen, und die hohen Herren der Politik hatten ausgemacht, daß alle russischen Gefangenen bis 1948 entlassen werden sollten. Jeder von uns glaubte daran, die Gefangenen natürlich auch. Ich hab gewartet und gebangt um ihn. Oskar sollte dann 1948 tatsächlich auch entlassen werden. Er stand schon am Tor, und der Zug war schon da. Da wurde er als einziger von einem solchen Transport rausgenommen und mußte bleiben, weil ihn irgendeiner wohl angeschwärzt hatte.

Es gab immer Gerüchte. Die Russen versprachen, ‚morgen, morgen werdet ihr entlassen'. Aber nix war. Statt dessen wieder Verhöre, in welchem Truppenteil sie gewesen waren und warum er eingezogen worden war. Es muß schrecklich für ihn gewesen sein. Aber für uns natürlich auch."

Das Ende der Blockade und die Währungsreform brachten für Familie Tietz keine Verbesserung der Lebensumstände. Der Schwarzmarkt und damit die Möglichkeit, Gegenstände einzutauschen, war verschwunden. Frau Tietz mußte auf anderen Wegen zu Geld kommen. Sie versuchte, als Sekretärin eine Stelle zu finden, wurde aber immer wieder mit der Begründung abgelehnt, sie sei zu alt und habe zu lange nicht mehr in dem Beruf gearbeitet. Sie fühlte sich degradiert und wußte nicht weiter. Schließlich blieb ihr nichts anderes übrig, als das Sozialamt um Unterstützung zu bitten. Dieser Schritt fiel ihr nicht leicht: Acht Jahre hatte sie für ihre Kinder alleine gesorgt, und nun mußte sie sich auf den Ämtern als Bittstellerin behandeln lassen.

„Dann kam der 18. Oktober 1950. Ich weiß noch ganz genau, ich stand in der Küche und machte Schnitten für die Kinder in der Schule. Und da kam die Nachbarin am Fenster vorbei und guckte ganz aufgeregt. Mein Mann hätte angerufen aus Frankfurt/Oder. Er wäre auf dem Weg nach Berlin und wäre dann und dann an der Untergrundbahn. Ich war ganz aus dem Häuschen. Ich hab den Kindern in der Schule freigeben lassen, und da standen wir dann. Wir wußten ja gar nicht, wie er aussehen würde. Sein Bild, das ich den Kindern immer gezeigt hatte, war ja inzwischen acht Jahre alt. Dann kam er tatsächlich. Das kann man gar nicht beschreiben, wie das so war. Wir sind hierher gefahren und haben ein großes Essen gemacht. Dann hat er seine Mitbringsel ausgepackt. Mit dem bißchen Geld, was er hatte, hat er denn alles mögliche gekauft, von dem er gehört hatte, daß wir es nicht kriegten: Nähgarn, Nadeln, Stecknadeln und Seife und so. Aber die Blockade war ja inzwischen vorbei, und ich klärte ihn auf, daß man wieder alles kaufen konnte. Große Enttäuschung.

Die Kinder waren eigentlich sehr zutraulich. Ich hatte ihnen soviel von ihrem Vater erzählt und sein Bild gezeigt, die waren einfach neugierig auf ihn. Aber er hatte Schwierigkeiten. Vor allem konnte er ihre Entwicklung nicht einschätzen. Er wußte doch gar nicht, was die Kinder konnten und was nicht. Zum Beispiel das Essen: Als mein Mann dann zu Hause war, kaufte ich zum ersten Mal einen Braten. Und da wurde mein Mann sehr ärgerlich, daß die Kinder mit dem Messer nichts anfangen konnten. Er dachte, ich hätte sie

Abbildung 51: 1950 sind immer noch über 28 000 Männer in Gefangenschaft.

nicht gut erzogen und hat mit mir und den Kindern geschimpft. Während der Blockade gab es doch immer nur alles in Pulver. Und deshalb konnten die Kinder nicht mit Messer und Gabel essen. Sie kannten nur den Löffel, es gab ja nichts zu schneiden.

Ein anderes Mal ist er mit den Jungen am Grunewaldsee spazierengegangen. Und plötzlich hatten die Jungs sich ausgezogen und schwammen im See. Da hat er wahnsinnig Angst bekommen, einen furchtbaren Schrecken, und sprang angezogen ins Wasser, um seine Jungen zu retten, denn er wußte nicht, daß sie schwimmen konnten. Die Jungen haben das gar nicht verstanden. Ich mußte ihm alles immer erst erklären. Den Kindern hab ich eingeschärft, daß sie Geduld haben müßten mit ihrem Vater. Also, ihm fehlte einfach das Verständnis für die Kinder ... Ihm fehlten praktisch die Jahre. Jeder Vater, der da ist, wenn eine Schwierig-

Abbildung 52: „Es dauerte lange, bis ich mich so einigermaßen von den Folgen der Gefangenschaft erholt hatte."

keit kommt, lernt sie einzuschätzen, aber wenn er dann plötzlich fünf Jahre weg ist, dann reißt einfach der Faden. Nun kamen dann die Größeren bald in die Pubertät, da gab's dann neue Schwierigkeiten. Also, zwischen Vater und Kindern, das war ein richtiger Dauerbrenner!

Zwischen ihm und mir ging es eher. Nur anfangs hatten wir große Schwierigkeiten, miteinander zu reden."

Frau Tietz hatte nicht zuletzt die Hoffnung auf die Rückkehr ihres Mannes die Kraft gegeben, all die Schwierigkeiten der Nachkriegszeit durchzustehen. Allein hatte sie ihre vier Kinder durchgebracht, hatte nach dem Krieg begonnen, das Haus wieder herzurichten und den Garten in Ordnung zu bringen. Durch die schweren Arbeiten und die mangelhafte Ernährung litt Frau Tietz schon längere Zeit unter Erschöpfungszuständen. Als ihr Mann, von dem sie sich so viel Entlastung versprochen hatte, dann tatsächlich wieder da war, brach sie zusammen:

„Als mein Mann dann zurückkam, so im Januar oder Februar, da bin ich dann furchtbar zusammengeklappt. So mit Kollaps und so weiter. Sie haben mich vier Wochen ins Krankenhaus gesteckt. Da lag ich unter einer warmen Bettdecke und hatte nach vielen Jahren endlich mal Ruhe, Ruhe vor den Kindern. Ich hatte ja die ganzen Jahre nie fünf Minuten Ruhe. Immer die Sorge um das Nötigste für die Kinder."

Nach seiner Rückkehr versuchte Herr Tietz eine Anstellung zu bekommen. Es war deutlich, wie gering das Auskommen seiner Familie war, und als Haushaltsvorstand fühlte er sich für eine sofortige Verbesserung verantwortlich. Obwohl Frau Tietz ihm zugeraten hatte, sich auszuruhen und zu Kräften zu kommen, versuchte er, in seinem ehemaligen Verlag, der inzwischen unter neuer Leitung wieder eröffnet war, Arbeit zu finden. Ihm wurde eine Stelle in seinem alten Bereich, Unterrichtsmaterial für Berufsschulen, angeboten. Herr Tietz ging voller Elan daran, diese Abteilung neu aufzubauen. Bald arbeitete er Tag und Nacht wie vor dem Krieg und hatte kaum Zeit für seine Familie. Frau Tietz war damit nicht einverstanden. Sie hatte sich einen Mann erhofft, der mehr für die Familie da war und auch intensiver versuchte, wieder Kontakt zu seinen Kindern zu bekommen. Zwar war sie über seinen schnellen beruflichen Wiedereinstieg und sein gesichertes Gehalt erleichtert, aber sie hatte auch Bedenken, daß er sich übernahm. Herr Tietz war blaß und wurde immer dünner. Schließlich begann er zu husten. Sie bestand darauf, daß er sich untersuchen ließ:

„1954 hat er sich endlich untersuchen lassen. Da stellte sich eine deftige Tb raus. Er mußte sieben Monate in ein Sanatorium. Wahrscheinlich hatte er das schon länger und hat das jahrelang mit sich herumgetragen. Für ihn war das nochmal ein harter beruflicher Rückschlag, das darf man nicht unterschätzen. Und dann kam die Fürsorge auch zu uns, denn wir mußten uns auch untersuchen lassen. Das war 'ne schlimme Sache, denn Tbc galt ja als Arme-Leute-Krankheit. Alle Menschen wandten sich von uns ab. Ich hatte da gerade ein paar Monate meine erste Putzfrau. Die blieb sofort weg. Und die Nachbarn haben uns nicht mehr besucht. Alle Freunde blieben weg. Also, das war nicht sehr schön.

Für meinen Mann war die Krankheit besonders schlimm, weil er es als Wiederholung der Gefangenschaft empfand. Er durfte die Klinik ja nicht verlassen. Aber er wollte gesund werden. Er hat sich operieren lassen und alle Pillen brav gegessen. Nach sieben Monaten ging es ihm dann endlich besser, und er durfte raus und auch weiterarbeiten. Und da wurde er auch das erste Mal wieder richtig fröhlich. Er hat oft gesagt: ‚für mich hat der Krieg durch die Gefangenschaft und die Krankheit bis 1955 gedauert'."

Von 1955 an ging es Familie Tietz allmählich besser. Herrn Tietz' Gesundheitszustand war wiederhergestellt, sein Beruf machte ihm Freude, und nach all den Anfangsschwierigkeiten nahm er sich auch mehr Zeit für seine Familie. Sein Verhältnis zu den Kindern wurde immer besser, nur mit dem Jüngsten kam es immer wieder zu Reibereien. Er lehnte seinen Vater, den er vorher nicht gekannt hatte, ab, und Herr Tietz versuchte vergeblich, die Distanz zu überwinden, indem er ihm Vorschriften machte. Von den Schwierigkeiten mit den Kindern abgesehen, normalisierte sich das Familienleben:

„Leisten konnten wir uns deshalb noch lange nichts. Erst mal mußten wir alle Betten haben. Lange war für uns die Vorstellung ein Luxus, daß jeder seine eigene Matratze hatte. Wir wollten auch, daß die Kinder Musikstunden bekamen. Aber das Geld reichte hinten und vorne nicht. Oft wäre es notwendig gewesen, die Musikstunden mal einen Monat ausfallen zu lassen. Aber das haben wir nicht gemacht. Darin waren wir eisern. Da haben wir dann eben gespart und gespart. Die Ausbildung der Kinder ging immer vor, da hat es dann schon mal lieber öfter Eintopf gegeben, als daß wir den Unterricht hätten ausfallen lassen.

Abbildung 53: Familienleben Ende der 50er Jahre

Dann mußten wir ja auch mal etwas zum Anziehen haben. Mein Mann hatte damals immer so schicke Sekretärinnen, die konnten sich schon wieder gut anziehen. Da war ich oft richtig neidisch. Ich konnte mich noch lange nicht schön anziehen. Das Geld reichte eben nicht. Wir hatten auch kaum Möbel. Zur Einsegnung unseres Ältesten haben wir unseren ersten Tisch gekauft, im Möbelkeller. Das war dann vielleicht schon 1958. Zu der Zeit haben wir immer noch ein Zimmer vermietet. Dadurch hatten wir nie genug Platz, und es gab ständig Zank zwischen den Kindern. Schrecklich! Ich war nur am Ausgleichen und Friedenstiften. 1960 haben wir dann zum ersten Mal tapeziert, das war ein richtiges Fest. Endlich war wieder alles sauber gewesen.

Materiell ging es uns eigentlich erst gut, als alle Kinder aus dem Haus waren. Das war dann schon 1966, als auch unser Jüngster heiratete. Ich weiß noch, daß ich dann meine erste Waschmaschine bekam. Wär' ja vorher eigentlich viel nützlicher gewesen, als wir noch so viele waren, da hat das Geld eben nicht gereicht."

Nachdem die Kinder ausgezogen waren, ging es im Hause Tietz ruhiger zu. Frau Tietz konnte sich nun etwas schonen, da sie weniger Haus- und Familienarbeit hatte.

Herr und Frau Tietz konnten sich besonders nach der Pensionierung von Herrn Tietz mehr Zeit für gemeinsame Interessen nehmen: musizieren, Konzerte besuchen, den Garten pflegen und am Haus werkeln. Damit sind die Tage ausgefüllt. Besonders viel zu tun bekommen sie, wenn Feiertage und Geburtstage anstehen. Da trifft sich dann die ganze Familie bei ihnen. Die Enkel nutzen diese Gelegenheiten gerne, um mit den Großeltern zu musizieren.

Schluß

Die Unmenschlichkeit der nationalsozialistischen Herrschaft und des Kriegs hatte unvorstellbare Opfer gefordert: 55 Millionen Tote in aller Welt, zwölf Millionen Deutsche, die ihre Heimat verlassen mußten, und 7,5 Millionen, die durch Bombenangriffe keine Bleibe mehr hatten. Das Leid und die Betroffenheit einzelner geht in solchen Zahlen zwangsläufig verloren.

Wir haben deshalb versucht, anhand von 27 Familiengeschichten, die uns typisch erscheinen, die aber gleichzeitig auch die Unterschiedlichkeit Berliner Familienschicksale verdeutlichen, die Auswirkungen des Zweiten Weltkriegs auf das Familienleben in einer Großstadt darzustellen.

Auffällig erscheint bei der Analyse der Familienentwicklung in der Nachkriegszeit, daß sie nicht in zeitlicher Übereinstimmung mit den vorgegebenen historischen Einteilungen verläuft. Die im öffentlichen Geschichtsbewußtsein verankerten politischen Einschnitte dieser Zeit – z.B. Kriegsbeginn, „Stunde Null", Blockade, Währungsreform, Gründung der Bundesrepublik Deutschland, Berlinkrise und Mauerbau – tauchen in den Erzählungen über die eigene erlebte Geschichte zwar auf, werden aber nur thematisiert, wenn die historischen Einflüsse direkt spürbar im Familienleben wurden. An die Stelle der historischen Einschnitte treten eine Einteilung und eine Gewichtung, die sich nach dem Familienzyklus richten.

Daten und Ereignisse, wie z.B. der Stellungsbefehl des Mannes, hatten eine spürbarere Auswirkung als das Datum des Kriegsausbruchs 1939. Die Geburt eines Kindes hatte mehr Gewicht als z.B. die Gründung der Bundesrepublik Deutschland, die sich zwar erheblich auf das Leben der einzelnen auswirkte, aber in der Regel doch nur mittelbar spürbar wurde. Ebenso war für die Männer der Krieg erst vorbei, als sie aus der Gefangenschaft wieder nach Hause kamen, und für die Frauen normalisierte sich das Leben erst dann wieder, wenn jedes Familienmitglied ein eigenes Bett hatte.

In den Erzählungen der Frauen und Männer finden sich nur wenig Anhaltspunkte für das „Trümmergefühl" und die vielzitierte „Aufbruchsstimmung", die vor allem uns, der nachgeborenen Generation, typisch erscheinen. Keiner unserer Gesprächspartner erzählte von der aufblühenden Kultur in den Ruinen, wir fanden keine Schilderungen über die Berliner Amüsier-Szene mit Jazz und Theater, keine der Gesprächspartnerinnen berichtete über den „New Look". Vielleicht liegt dies daran, daß unsere Interviewpartner 1945 bereits zwischen 25 und 45 Jahre alt waren und familiäre Verpflichtungen hatten. Vielleicht zeigt es aber auch, daß unser Geschichtsverständnis den Alltag der damals Überlebenden verkennt und falsch gewichtet. Auch das von der Geschichtsschreibung in den Vordergrund gerückte Befreiungserlebnis und die Schuldfrage, die Entnazifizierung und der Aufbau eines demokratischen Staates wurden von unseren Gesprächspartnern kaum angesprochen. Nur wenige hatten Zeit, lange zu reflektieren und Geschichte aufzuarbeiten. In welchem Maße hierbei eine Verdrängung der Schuldfrage eine Rolle gespielt haben mag, muß offen bleiben.

Das Überleben im Chaos der Nachkriegszeit erforderte für die meisten Berliner erst einmal ganz andere Überlegungen und Tätigkeiten, die für sie notwendigerweise Vorrang hatten. Diese Aussagen und Handlungen unserer Gesprächspartner sind ebenso ernst zu nehmen wie die Aussagen und Handlungen politisch Organisierter, die auf einer anderen Ebene den Wiederaufbau mit vorantrieben.

Insgesamt hatte der Krieg tiefe Erschütterungen und langjährige Konflikte in den Familien zur Folge. Diese versuchten wir nachzuzeichnen und betonten dabei neben den äußeren Bedingungen der wirtschaftlichen Not die unterschiedlichen Entwicklungen von Frauen und Männern in den Kriegs- und Nachkriegsjahren. Aus den zahlreichen Gesprächen, die wir geführt haben, wurde deutlich, daß der Krieg für Frauen weitgehend eine Fortsetzung ihrer Arbeit und Zuständigkeiten bedeutete, während er Männer aus ihren Lebens- und Alltagszusammenhängen riß. Frauen waren weiterhin – wie in Friedenszeiten – für den Haushalt zuständig, mußten sich um Versorgung und Erziehung der Kinder wie auch um die verwandtschaftlichen Beziehungen kümmern. Daneben kamen für die Frauen neue Qualitäten und Fertigkeiten hinzu, die ihre früheren Handlungsspielräume erweiterten.

Auch kriegsbedingte Ereignisse wie Ausbombung, Evakuierung, Einmarsch der Roten Armee in Berlin, die Frauen auch in ihrem unmittelbaren Lebensalltag betrafen, durchbrachen die Kontinuität weiblichen Handelns nicht, wobei sich die Hausarbeit zwangsläufig zur Überlebensarbeit wandelte. Stand diese Entwicklung trotz der sich verschärfenden Bedingungen in der Kontinuität weiblichen Handelns, so hatte sie doch für die Selbständigkeit und das Selbstbewußtsein weitreichende Konsequenzen. Frauen machten die Erfahrung, daß sie schwierigste Lebenssituationen ohne den Beistand ihrer Männer bewältigten.

Für die Männer war der Krieg in sehr viel stärkerem Maße ein Herausgerissen-Werden aus gewohnten Verhaltensweisen und gewohnter Umgebung, aber auch da lassen sich Kontinuitäten beobachten.

In mancher Hinsicht standen die sozialen Erfahrungen in der Wehrmacht in der Kontinuität von Erfahrungen des Berufslebens, insbesondere der Einordnung in Hierarchien. Manche Männer wurden außerdem in Bereichen eingesetzt, in denen sie ihre berufliche Qualifikation anwenden konnten. Auch die Erfahrungen im Gefangenenlager waren ähnlich. Stärker als bei den Frauen, bei denen trotz aller Entbehrungen ein Zuwachs an Selbständigkeit zu beobachten ist, bedeutete die Niederlage oder auch schon die Gewißheit, daß der Krieg nicht mehr zu gewinnen sei, für die Männer einen Einbruch ihres Selbstbewußtseins.

Die Rückkehr aus Krieg und Gefangenschaft brachte für die Männer zusätzliche Schwierigkeiten. Sie mußten erkennen, daß ihre Frauen es geschafft hatten, im Chaos für ein Überleben zu sorgen – wie dürftig der Alltag auch aussah. Männer mußten sich außerdem in die veränderten Familienstrukturen eingliedern, obwohl sie – was die Regel war – erwarteten, daß sie ihren ehemaligen Platz als Familienoberhaupt wieder einnehmen konnten. Dies ging jedoch nicht ohne Auseinandersetzung vonstatten. Während Frauen durch die Organisation der Überlebensarbeit eine Aufgabe hatten, die sie bewältigen mußten und die ihrem Leben einen Sinn gab, waren die Männer zunächst weitgehend orientierungslos. Sie mußten sich von ihren Frauen versorgen lassen und fanden sich in dem zerstörten Berlin und den insgesamt veränderten sozialen und politischen Strukturen kaum zurecht.

Aus dieser Konstellation resultierte ein Machtverlust der Männer und damit ein Wandel innerfamiliärer Strukturen. Für Frauen bedeutete ihr Machtzuwachs vor allem aber eine Ausdehnung ihrer Verantwortung und Ausweitung ihrer Arbeit. Sie versuchten, die Konflikte zwischen den Familienmitgliedern, insbesondere zwischen Vätern und Kindern, auszugleichen. Trotz extremer räumlicher Enge bemühten sie sich um eine gemütliche Atmosphäre. Sie wurden erwerbstätig, um das Haushaltsbudget aufzubessern und ökonomisch unabhängig zu werden. Sie nahmen dabei Haushalts- und Berufspflichten gleichermaßen ernst.

Nach erfolgreicher Integration der Männer in das Berufsleben stellten sich die traditionellen Familienstrukturen nur teilweise wieder ein. Zwar übernahmen die Männer wieder die Funktion des Ernährers und Haushaltsvorstands und konnten damit einen Teil ihres erlittenen Machtverlustes wettmachen. Aber der Zuwachs an Selbständigkeit und Selbstbewußtsein der Frauen war nicht mehr rückgängig zu machen.

Sie beteiligten sich an den anstehenden Entscheidungen, wollten verstärkt in der Familie mitbestimmen und ließen sich ihre erlernten Fähigkeiten nicht mehr nehmen. Zusätzlich wendeten sie einen großen Teil ihrer Stärke für die Aufrechterhaltung des Familienlebens, die Pflege verwandtschaftlicher Beziehungen und die Sorge für die Kinder auf. Die Familienorientierung weiblicher Handlungsweisen blieb auch in den 50er und 60er Jahren bestehen, für immer mehr Frauen kam jedoch die Berufsarbeit als zusätzliche Aufgabe hinzu.

Für die Männer trat die Familie bald wieder in den Hintergrund. Berufliche Karriere und Arbeitsplatzprobleme waren vorrangig wichtig. Die Kontinuität der Berufsbezogenheit in männlichen Lebensläufen wurde während der Wiedereingliederung nach der Rückkehr aus der Gefangenschaft lediglich unterbrochen, wandelte sich aber nicht entscheidend.

Bei der Analyse der Lebenssituation der Familien drängt sich ein Vergleich der Situation der Ehefrauen mit der alleinstehender Frauen auf, die wir in dem im letzten Jahr veröffentlichten Buch „Wie wir das alles geschafft haben – Alleinstehende Frauen berichten über ihr Leben nach 1945" dokumentierten. Man kann – egal, ob Frauen verheiratet, verwitwet, geschieden oder alleinstehend waren – von einem kollektiven Schicksal sprechen. Die unterschiedlichen Arbeiten, die Überleben und Wiederaufbau ermöglichten, wurden von allen Frauen geleistet. Die Veränderung der Lebenssituation, der Bruch der kollektiven Kontinuität der Frauen, trat ein, als die Männer aus der Gefangenschaft heimkehrten.

Erst die Rückkehr der Männer teilte Frauen in zwei Gruppen: Alleinstehende und Verheiratete. Diese Veränderung ist kein datierbares Ereignis, sondern ein kontinuierlicher Prozeß, der bis in die 50er Jahre hinein dauerte. Die Bedeutung, eine verheiratete oder alleinstehende Frau zu sein, wurde immer relevanter, je mehr Männer aus der Gefangenschaft zurückkehrten und je klarer die Gesellschaft die Rekonstituierung der „vollständigen" Familie positiv bewertete. Ein Mann als Haushaltsvorstand galt wieder als soziale Norm, alleinstehende Frauen und ihre Lebensform – alleine oder in Frauenfamilien zu wohnen – wurden als Abweichung von der Norm definiert. Dies wurde für die „Alleinstehenden" zur spürbaren Diskriminierung, während die Ehefrauen von der sozialen Wertschätzung in ihrem Aufgehen in der Familie und der Arbeit für die Familie eher unterstützt wurden.

Gleichzeitig verschlechterte die Rückkehr der Männer die Chancen aller Frauen auf dem Arbeitsmarkt. Die Heimkehrer wurden bevorzugt für die knappen Stellen eingesetzt und verdrängten die Frauen ganz oder in schlechter bezahlte Tätigkeiten. Die Wirtschaftskrise Anfang der 50er Jahre spitzte die Konkurrenz zwischen Männern und Frauen, aber auch zwischen Alleinstehenden und Ehefrauen weiter zu. Geschlechtsspezifische Diskriminierungskampagnen zielten darauf, vor allem die Ehefrauen in das Heim und an den Herd zurückzudrängen.

Gerade für Ehefrauen bedeuteten diese schlechteren Arbeitsmarktbedingungen nur zu oft, daß sie ihre Erwerbstätigkeit aufgaben bzw. aufgeben mußten und sie damit abhängig vom Verdienst des Mannes wurden.

Die Gruppe der alleinstehenden Frauen mußte hingegen trotz der verschärften Konkurrenz auf dem Arbeitsmarkt erwerbstätig bleiben, weil sie ihre Familien ernähren mußten.

Während die alleinstehenden Frauen neu gewonnene Kompetenzen und Handlungsspielräume, die aus der aufgezwungenen Selbständigkeit resultierten, weiterhin nutzten, mußten die Ehefrauen nach Rückkehr ihrer Männer diese Handlungsspielräume und den damit verbundenen Machtzuwachs in der Familie gegenüber dem Ehemann durchsetzen.

Die Leistungen der Generation von Frauen und Männern, die durch Kriegs- und Nachkriegsereignisse um viele Jahre ihres Lebens betrogen wurden, sind bislang zu wenig be- und geachtet worden. Frauen haben, wie das Buch zeigt, Beachtenswertes geleistet. Sie haben in den unmittelbaren Nachkriegsjahren das Überleben ihrer Angehörigen ermöglicht und später die heimgekehrten Kriegsgefangenen, die Kranken und Versehrten gepflegt und ihre depressiven Männer wieder aufgerichtet. Sie versuchten, die Kriegsauswirkungen von ihren Kindern fernzuhalten und ihnen ein friedliches Aufwachsen zu ermöglichen. Ihre täglichen Arbeiten sind ein wichtiger Beitrag zum Wiederaufbau.

Denn „Wiederaufbau“ kann nicht nur gleichgesetzt werden mit Wohnungsbau, Ankurbelung der Wirtschaft oder Gründung eines demokratischen Staates, sondern bedeutet ebenso das Herstellen von Familienleben und den alltäglichen Beitrag der Hausfrauen zum Durch-, Weiter- und besseren Auskommen der Familie. Auch wenn diese Leistungen auf den ersten Blick nicht so quantifizierbar erscheinen wie die Erwerbsarbeit, so waren sie doch für die Überwindung der Kriegsauswirkungen ebenso entscheidend.

Auch die Männer haben Beachtenswertes geleistet. Betrogen um Jahre, in denen sie zu Friedenszeiten ihre beruflichen Ziele verfolgt hätten, mußten sie sich nach dem Zusammenbruch meist beruflich neu orientieren. Kriegseinsatz und Gefangenschaft verhinderten vielfach einen kontinuierlichen Berufsweg. Es war schwer für sie, die Erfahrungen und Entbehrungen des Kriegseinsatzes und der Gefangenschaft zu überwinden.

Viele Männer, mit denen wir sprachen, haben die Jahre im Krieg und in der Gefangenschaft als Verlust empfunden, weil sie das Aufwachsen ihrer Kinder zu wenig verfolgen konnten. Auch in den Nachkriegsjahren, als viele Männer mit dem Wiedereinstieg in die Berufstätigkeit und später mit ihren beruflichen Schwierigkeiten beschäftigt waren, fanden sie kaum Zeit, intensiveren Kontakt zu ihren Kindern herzustellen. Viele wollen an ihren Enkelkindern das wieder gut machen, was sie an den eigenen Kindern versäumt haben.

Die Konflikte, die in den Familien bewältigt werden mußten, weil Kinder ihre Väter nicht kannten und sie sich durch den Heimkehrer aus ihrer Rolle der Vertrauten ihrer Mütter gedrängt fühlten, konnten in diesem Buch nur aus der Sicht der Eltern beschrieben werden. Eine Dokumentation über die Kinder, die Kriegsende und Nachkriegszeit bewußt erlebten, wäre ein weiterer Schritt, die Geschichte der Nachkriegszeit aufzuarbeiten.

Der Wohlstand der „Wirtschaftswunder-Jahre" war für viele nur in bescheidenem Rahmen realisierbar. Dies gilt für die gesamte Bundesrepublik und in ganz besonderem Maße für Berlin. Durch das hohe Ausmaß an Zerstörung, die Plünderungen, Demontagen, die Blockade, Verkehrslage und politische Situation hinkte die wirtschaftliche Entwicklung dieser Stadt der anderer Großstädte nach.

Für die Berliner traten die Normalisierung der Lebensverhältnisse und die spürbare Verbesserung des Lebensstandards später ein als in anderen Teilen der Bundesrepublik Deutschland. Als es Anfang der 60er Jahre auch in Berlin besser wurde, war die Generation der von uns Befragten aber schon zwischen 40 und 60 Jahre alt. Der Wohlstand kam – so gesehen – für viele recht spät. Oft fiel er zusammen mit der Verkleinerung der Familie, dem Auszug der Kinder. Einige leben heute noch in bescheidenen Verhältnissen. Durch die Kriegs- und Nachkriegszeit waren die wirtschaftlichen und beruflichen Einbußen so hoch, daß sie noch viele Jahre spürbar blieben.

Abbildung 54: Tanz unter dem Berliner Funkturm

Unsere Gesprächspartner haben teilweise ihre Lebensgeschichten zum ersten Mal so ausführlich erzählt. Ihre biographischen Berichte zeigten uns die Zusammenhänge ihres persönlichen Erlebens mit den politischen und gesellschaftlichen Entwicklungen. Sie verdeutlichten uns plastisch, was es hieß, Windeln aufzuhängen, während andere darüber verhandelten, hinter welchen Sektorengrenzen diese Windeln zum Trocknen aufgehängt werden durften.

Von dem Erfahrungsreichtum unserer Gesprächspartner waren wir sehr beeindruckt. Bewundernswert fanden wir auch, wie sie ihr Leben unter schwierigsten Umständen bewältigten und dazu noch Familienleben ermöglichten. Die Dichte und Schlichtheit ihrer Erinnerungen zwangen uns, unser eigenes Leben aus einer anderen Perspektive zu überdenken.

Anhang

Zeittafel

1945

	Endphase des *Zweiten Weltkrieges.* Beginn der sowjetischen Großoffensive gegen das deutsche Reichsgebiet.
4.–11. Februar	*Konferenz in Jalta.* (Teilnehmer: Stalin, Roosevelt, Churchill) Beschlüsse über die weitere Kriegsführung gegen Deutschland; Maßnahmenplanung für das Kriegsende: Teilung Berlins in Sektoren, völlige Entwaffnung, Kontrollrat durch Siegermächte, Gebietsabtretungen.
ab 25. April	*Schlacht um Berlin:* Sowjetische Truppen nehmen Berlin ein. Schwere Straßenkämpfe, Plünderungen und Vergewaltigungen finden statt.
2. Mai	*Kapitulation Berlins.* Übernahme der vollziehenden Gewalt durch den sowjetischen Stadtkommandanten.
8. Mai	*Der Krieg ist zu Ende* – bedingungslose Kapitulation der deutschen Wehrmacht. *Bilanz* des *Zweiten Weltkrieges:* ca. 55 Mio. Tote, darunter 20–30 Mio. Zivilisten, 35 Mio. Verwundete, 3 Mio. Vermißte, 6–7 Mio. deutsche Soldaten sind in Kriegsgefangenschaft, 2 Mio. deutsche Soldaten und Zivilisten werden zu Kriegsbeschädigten, 7,5 Mio. Deutsche werden durch Kriegszerstörungen obdachlos, dazu 12 Mio. obdachlose Heimatvertriebene und Flüchtlinge; 2,25 Mio. Wohnungen sind total zerstört, 2,5 Mio. Wohnungen beschädigt.

3.–4. Juli | *Einmarsch amerikanischer und englischer Truppen in Berlin,* Übernahme der jeweiligen Sektoren.
Bildung des *Alliierten Kontrollrates* (in Berlin). USA, Sowjetunion, Großbritannien und Frankreich übernehmen die Regierungsgewalt in Deutschland.

11. Juli | *Interalliierte Militärkommandantur* (Kommandantura) (4-Mächte-Kontrolle) übernimmt die Verwaltung Berlins, das bis dahin von der sowjetischen Militäradministration verwaltet wurde.

Juni/Juli | Der Alliierte Kontrollrat führt *Arbeitspflicht für Männer* (14 bis 65 Jahre) *und Frauen* (15 bis 50 Jahre) ein. Zwangsverpflichtung von Arbeitskräften für Aufräumarbeiten.
Entzug von Lebensmittelkarten für die, die sich nicht bei den Arbeitsämtern melden.
40 000–60 000 *Trümmerfrauen* allein in Berlin.
Erste *Demontagen.*

August | *Potsdamer Abkommen* (Stalin, Truman, Churchill). Die vier Siegermächte beschließen die Dezentralisierung der deutschen Wirtschaft, Aussiedelung der Deutschen aus Polen, Ungarn und der Tschechoslowakei, Entmilitarisierung, Entnazifizierung und Demontage von Industrieanlagen.

August | In *Berlin* kommen täglich 25 000–30 000 *Flüchtlinge* aus den Ostgebieten an.
Die *Einwohnerzahl* Berlins beträgt (ohne Flüchtlinge) 2,7 Mio.; davon sind 69% Frauen und 31% Männer.
Die *Versorgungslage* ist angespannter als in den Kriegsjahren, in Berlin werden die Lebensmittel rationiert, über 500 000 Wohnungen sind zerstört.

Herbst | Zulassung von *Parteien und Gewerkschaften* (Sowjetzone im Juni, amerikanische Zone im

	August, britische Zone im September u. französische Zone im Dezember). Gründung des Berliner Frauenbundes e. V. Gründung der Arbeitsgemeinschaft der sozialdemokratischen Frauen und Gründung der Frauenabteilung im DGB, Gründung zahlreicher Frauenausschüsse in allen Besatzungszonen und in Berlin.
ab 20. Nov. bis Okt. 1946	Beginn der *Nürnberger Prozesse.* Alliierte Juristen/Richter urteilen über 24 Kriegsverbrecher, 12 davon werden zum Tode und 7 zu Haftstrafen verurteilt, 3 werden freigesprochen. Die Todesurteile werden im Okt. 1946 vollstreckt.
Weihnachten	*Sonderzuteilungen* für Haushalte mit Kindern: je eine Kerze, 100 g Trockenfrüchte, 1 Tüte Backpulver.

1946

Winter	Kalter Winter: Die *Notlage der Bevölkerung* (besonders in den Städten) verschärft sich. Die Zuteilung von drei Zentnern Kohle für den ganzen Winter reicht nicht aus. Parkanlagen und Wälder werden abgeholzt, Kohlezüge geplündert. Lebensmittelrationen betragen im Durchschnitt 1500 Kalorien täglich und werden teilweise auf 1000 Kalorien gekürzt. Auf die offiziell zugeteilten Lebensmittelkarten gibt es nicht immer etwas zu kaufen. CARE-Pakete aus dem Ausland sollen die Not lindern.
16. Januar	Der Berliner Magistrat ordnet die landwirtschaftliche Nutzung aller städtischen Parks und Grünflächen an, um die Versorgung zu verbessern.
21.–27. Januar	*Erste Wahlen:* Gemeindewahlen in der amerikanischen Zone. Gemeinde-, Kreistags-, Landtagswahlen (z. T. auch Volksentscheide) in allen Zo-

nen folgen: Gründung der Arbeitsgemeinschaft katholischer Verbände.
Erste Treffen des Deutschen Verbandes Frauen und Kultur e.V.

25. März — Gesetz zur *Entnazifizierung*. Ca. jeder 2. Deutsche muß einen Fragebogen mit 131 Fragen ausfüllen, Lebensmittelkarten-Zuteilungen werden davon abhängig gemacht. 13 Mio. Fragebögen werden bis 1950 geprüft. 1667 Hauptschuldige, 23060 Belastete, 150425 Minderbelastete, 1005854 Mitläufer und 1213873 Entlastete bzw. Nichtbetroffene werden festgestellt; 4000000 Jugendliche werden amnestiert.

26. März — *Alliierter Kontrollrat* stellt *Industrieplan* vor: Beschränkung der Rohstoff- und Fertigwarenindustrie (Bausektor ausgenommen) auf die Hälfte der Vorkriegsproduktion. Verbot der Herstellung von Waffen, Schiffen, diversen Chemikalien und synthetischem Benzin. Industrieanlagen sollen demontiert oder zerstört werden.

10. Oktober — *Volkszählung* zeigt das Ausmaß der *Bevölkerungsverschiebung* durch Vertreibung und Umsiedlung. Vertriebene und Zugewanderte werden erstmals miterfaßt:

	Vertriebene	Zugewanderte
amerik. Zone	2785000	398000
britische Zone	3082000	579000
russische Zone	3602000	
franz. Zone	95000	45000
Berlin	120000	
	9683000	1022000

Insgesamt leben 43695 Mio. Menschen im Bundesgebiet und 1,9 Mio. Menschen in West-Berlin. Die Mehrheit von ihnen sind Frauen: Im Bundesgebiet sind es 44,9% Männer und 55,1% Frauen. In Berlin ist der Männermangel noch höher: 40,4% Männer stehen 59,6% Frauen gegenüber.

20. Oktober — In *Berlin* finden *Wahlen* zu den Stadt- und Bezirksverordnetenversammlungen statt. Es wird eine vorläufige Verfassung für Groß-Berlin erlassen.

22. Dezember — Das Saarland wird vom Besatzungsgebiet getrennt und wird zum französischen Wirtschaftsgebiet.

1947

1. Januar — Die amerikanische und die britische Besatzungszone werden zu einer wirtschaftlichen Einheit, der sog. „*Bizone*“ zusammengeschlossen (Doppelzonenabkommen). In der Folgezeit bauen die Westmächte einen Wirtschaftsrat für die Bizone nach den Grundzügen eines Staatswesens aus. Die Konstituierung des Frankfurter Wirtschaftsrates für die Bizone erfolgt am 25. Juni 1947. Der Wirtschaftsrat ist betraut mit der wirtschaftlichen Verwaltung oberhalb der Länderebene.

Winter 1947 — Kältewelle verursacht Stillstand der Industrie. Die *Ernährungslage* wird *immer schwieriger;* die offiziellen Lebensmittelrationen werden auf 600 bis 750 Kalorien täglich gekürzt.
Schwarzmarkt und Schiebergeschäfte breiten sich aus. Die Zigarettenwährung hat sich durchgesetzt: 1 „Ami“ sind 20 RM.
Schwarzmarktpreise pro Kilo:

	Westzone	Berlin*	Einzelhandelspreise in Berlin**
Roggenbrot	24,— M (Roggenbrot, Weizenmehl, Nährmittel)	44,— M	0,32 M
Weizenmehl		80,— M	0,46 M
Nährmittel		76,— M	0,55 M
Kartoffeln (Früh-)		8,— M	
Zucker	130,— M	150,— M	0,47 M
Fett	450,— M	470,— M	2,20 M
Fisch	120,— M	200,— M	1,05 M

* Preise vom Juni/Juli 1947 ** Preise von 1939

	Stadtbewohner sind auf Hamsterfahrten und Tauschgeschäfte mit den Bauern angewiesen: Sachwerte gegen Nahrungsmittel.
	Protestkundgebungen in vielen Städten wegen unzureichender Versorgung. 24 Stunden Generalstreik in Bayern.
	Schließung der meisten Schulen wegen Kohlenmangels. Einrichtung von Wärmestuben, Volksküchen, Gulasch-Kanonen.
	Tausende verhungern und erfrieren; Anhalten der Hungersnot während des gesamten Jahres 1947.
8. März	In Berlin müssen wegen Kohlen-, Gas- und Strommangels Betriebe mit über 50000 Arbeitern stillgelegt werden.
10. März – 24. April	*Moskauer Außenministerkonferenz* (Verhandlungen zur Deutschlandfrage): Verhandlungen über die Struktur eines künftigen gesamtdeutschen Staates (mehr förderalistisch oder zentralistisch); Beschluß über die Rückführung der Kriegsgefangenen bis 1948; Scheitern der Verhandlungen über einen deutschen Friedensvertrag, keine Einigung über die zukünftigen Grenzen Deutschlands, Art und Menge der Reparationen, politische und wirtschaftliche Einheit.
8. März	Zusammenschluß der antifaschistischen Frauengruppen zum „Demokratischen Frauenbund Deutschlands" (DFB).
20. April	*1. Landtagswahlen* in Nordrhein-Westfalen, Niedersachsen, Schleswig-Holstein, Hamburg (Ländergründungen bis 1946 abgeschlossen).
18. Mai	1. Landtagswahlen in der französischen Besatzungszone.
Mai	1. Internationale Frauenkonferenz (Bad Boll).
Juni	2. Internationale Frauenkonferenz (Bad Pyrmont). *Zusammenschluß* von 15 überkonfessionellen und überparteilichen *Frauenverbänden*

zur „Arbeitsgemeinschaft überkonfessioneller und überparteilicher Frauenorganisationen". Gründung des deutschen Staatsbürgerinnenverbandes, des Demokratischen Frauenbundes Deutschland, der Arbeitsgemeinschaft der Deutschen Landfrauenverbände und der Weltorganisation der Mütter aller Nationen (W. O. M. A. N.).

29. August — Neuer *Industrieniveauplan* für die Bizone: Dieser Entwicklungsplan revidiert den Industrieplan des Kontrollrates (vgl. 26. 3. 1946). Die Demontage wird trotz deutscher Proteste fortgesetzt, jedoch allmählich reduziert.

5. Oktober — Landtagswahlen im Saargebiet: Alle Parteien außer der KPD sind für die wirtschaftliche Vereinigung mit Frankreich.

1948

Januar/Februar — Anhaltend *schlechte Versorgungslage*, nur langsame Verbesserung der Lebensmittelzuteilungen; ständiger Verlust des Geldwertes; Schwarzmarkt.
Streiks in den Westzonen wegen der schlechten Versorgungslage.
4 von 5 Deutschen sind unterernährt. Schwindelanfälle und Magenkrämpfe wegen Hungers gehören zum Alltag.

23. Februar – 7. Juni — *Londoner Sechsmächtekonferenz*. Beschluß von Empfehlungen für Westdeutschland: wirtschaftliche Integration in West-Europa, föderalistisches Regierungssystem für die drei westlichen Besatzungszonen.
Erarbeitung einer Verfassung.
Internationale Ruhrkontrolle.

20. März — Aus Protest gegen diese Beschlüsse verläßt der sowjetische Vertreter den Alliierten Kontrollrat: Die Tätigkeit dieses 4-Mächte-Gremiums ist damit praktisch zu Ende.

1. April	Die *„kleine" Berlin-Blockade* beginnt: Sowjetische Inspektionen und Behinderungen erschweren den westalliierten Militär-, später auch den zivilen Personen- und Güterverkehr zu Lande und zu Wasser.
16. April	Inkrafttreten des *Marshall-Plans* für die Westzonen. Der Marshall-Plan sieht wirtschaftliche Hilfsmaßnahmen für West-Europa einschließlich Westdeutschland vor und bildet die Grundlage des „Wirtschaftswunders" der 50er Jahre. Seine wesentliche Funktion für die USA ist der Ausbau ihrer ökonomischen Einflußsphäre und die Integration Westdeutschlands in einen westlichen Block.
18.–21. Juni	*Währungsreform* in den *Westzonen*. In den drei Westzonen (nicht in Berlin) wird die DM-Währung eingeführt. Jeder Deutsche bekommt eine Kopfquote von DM 40,–, später noch einmal DM 20,–; die RM-Guthaben werden im Verhältnis 10 : 1 umgetauscht, Löhne, Gehälter, Renten und Pensionen im Verhältnis 1 : 1 umgestellt. Der Sachwertbesitz bleibt erhalten. Aufhebung der Preiskontrolle und Rationierung der Verbrauchsgüter.
ab Juni	*Zuspitzung der Berlin-Krise.*
16. Juni	Letzte Sitzung der 4-Mächte-Verwaltung von Berlin: Die Sowjetunion stellt (wie bereits seit 20. 3. im Kontrollrat) ihre Mitarbeit in der Interalliierten Militärkommandantur ein.
21. Juni	Die sowjetische Besatzungsmacht verwahrt sich gegen den Versuch der Einführung der Westmark in das Gebiet von Großberlin.
23. Juni	Die Autobahn Berlin-Helmstedt wird wegen „technischer Mängel" gesperrt. *Blockade* zu Lande und zu Wasser wird über West-Berlin verhängt. Die Sowjetunion erklärt die 4-Mächte-Verwaltung für Berlin als beendet.

	Personen-Gütertransporte werden unterbrochen, Strom- und Kohlelieferungen eingestellt.
26. Juni	Beginn der englisch-amerikanischen *Luftbrücke,* die West-Berlin mit Lebensmitteln und Waren versorgt (wird bis zum 30. 9. 1949 aufrechterhalten). Einfliegen von Kohlen, getrockneten Nahrungsmitteln, Industrieprodukten etc.
14. Juli	Die Sowjetunion bestreitet das von den Westmächten in ihrer Note vom 6. 7. beanspruchte Recht auf freien Zugang nach Berlin. Sie besäßen dort keine eigenständigen Besatzungsbefugnisse, sie hätten die Abkommen von Jalta und Potsdam gebrochen, eine separate Währungsreform durchgeführt, obwohl Berlin zur SBZ gehöre, und sie erstrebten die Gründung eines westdeutschen Staates (s. a. Durchführung Marshall-Plan).
20. u. 21. Juli	Durchführung der *Währungsreform* in der *Sowjetischen Besatzungszone;* Einführung der „Ostmark" und Erlaubnis für alle Berliner zum Einkauf von Lebensmitteln im sowjetischen Sektor Berlin.
1. September	1. Treffen des *Parlamentarischen Rates in Bonn* (Präsident wird K. Adenauer). Von den 65 von den Ländern gewählten Mitgliedern sind nur vier Frauen (6,2%). Gründung des deutschen Verbandes berufstätiger Frauen e. V., der Coop-Frauengilde, der Frauenvereinigung der CDU, der Vereinigung der Juristinnen, Volkswirtinnen und Betriebswirtinnen
September	Demontagen werden in der US-Zone eingeschränkt, die Sozialisierung der Kohlewirtschaft in Nordrhein-Westfalen wird zurückgestellt. Die ersten Lieferungen treffen gemäß dem Marshall-Plan ein.
2. Dezember	Offizielle *Spaltung Berlins.* Neuwahlen eines West-Berliner Magistrats. Neubildung eines Ost-Berliner Magistrats.

Berlin wird in den westlichen Medien zur „Frontstadt des Kalten Krieges".
Während des Blockade-Winters gilt als offizielle Zuteilung von Brennmaterial: 25 Pfd. Kohlen pro Kopf, das sind ca. 60 g oder ein Steinchen Kohle für jeden kalten Tag.
Die Ernährung besteht vorwiegend aus getrockneten Lebensmitteln, da diese leichter und deshalb innerhalb der Luftbrücke einfacher zu transportieren sind. Viele Berliner erfrieren in ihren Wohnungen, die meisten leiden an Unterernährung.

1949

1949 — Blockade dauert an. Luftbrückenrekord: Rund um die Uhr landet alle 62 Sekunden ein Flugzeug in Berlin-West.
Einführung der DM-West in den westlichen Sektoren Berlins durch die westlichen Besatzungsmächte.

12. Mai — *Beendigung der Berlin-Blockade* durch die UdSSR.

1. April — Konstituierung der „*Tri-Zone*" durch Anschluß der französischen Zone an die Bi-Zone.

22. April — Das Abkommen über die *internationale Ruhrkontrolle* (Ruhrstatut) wird verabschiedet: Kontrolle der Kohle-, Koks- und Stahlproduktion, Festlegung der Verbrauchs-Exportquoten und der Preise.

24. Mai — *Grundgesetz* für die Bundesrepublik tritt in Kraft. Frauen sind (dem Programm nach) den Männern gleichgestellt. Die Gleichberechtigung der Frauen wird im Grundgesetz verankert. (Die Durchsetzung der einzeln geschaffenen Rechtsgrundlagen wird bis 1958 dauern!)

Juni — Demonstrationen und Streiks gegen die Demontage durch die Alliierten. Arbeitslosigkeit durch stillgelegte Industrieanlagen.

	Rückkehr von Kriegsgefangenen, Vertriebenen und Flüchtlinge vermehren die Zahl der Arbeitssuchenden. In der Folge werden zunehmend Frauen aus dem Erwerbsleben gedrängt. Von 22,1 Mio. Erwerbstätigen sind ⅓ Frauen (7,9 Mio.). Von den ca. 2,8 Mio. verheirateten, erwerbstätigen Frauen (das sind 35,4% aller erwerbstätigen Frauen) sind 61% mithelfende Familienangehörige und 39% Arbeitnehmerinnen oder selbständige Frauen.
August	Gesetz zur Milderung sozialer Not der Vertriebenen und Flüchtlinge – Soforthilfefonds.
14. August	*1. Deutscher Bundestag* wird gewählt, in dieser Legislaturperiode wird Theodor Heuss Bundespräsident, Konrad Adenauer Bundeskanzler. Im Bundestag sind 29 weibliche Abgeordnete (7,1%). Von 1949 bis 1952 sind in den Länderparlamenten 104 weibliche Abgeordnete (8%) vertreten.
12. September	*Gründung der Bundesrepublik Deutschland.* Ende der Militärregierung – Besatzungsstatut regelt die Machtbefugnisse der alliierten Westmächte. Die Deutsche West-Ost-Spaltung vertieft sich.
1. Oktober	Verfassung von Berlin-West tritt in Kraft. Aufhebung der Lebensmittelrationierung.
7. Oktober	*Gründung der deutschen Demokratischen Republik.* Wilhelm Pieck Präsident, Otto Grotewohl Ministerpräsident.
Oktober	Gewerkschaften der Bundesrepublik schließen sich zum Deutschen Gewerkschaftsbund (DGB) zusammen. Gründung des Deutschen Frauenrings e. V. Gründung der Deutschen Angestellten-Gewerkschaft – Bundesvorstand, Abteilung weibliche Angestellte Gründung des deutschen Akademikerinnenbundes e. V.

	Gründung des deutschen Hausfrauenbundes e.V. Gründung des Verbandes der weiblichen Angestellten e.V.
November	Petersburger Abkommen verringert Besatzungslast. Beschränkung von Demontage und Reparationsleistungen.

1950

1. März	*Aufhebung der Lebensmittelrationierungen* (außer Zucker).
7. März	Gesetz zur *Berlin-Förderung*. Wirtschaftliche Unterstützung, Steuerfreibeträge. Wirtschaft Berlins weit zurück hinter der Entwicklung der Bundesrepublik – hohe Erwerbslosenquote. Briefmarkenaktion seit 1948 „Notopfer – Berlin". (2-Pfennig-Marke zusätzlich auf Briefe.)
April	*1. Wohnungsbaugesetz*. Förderung des sozialen Wohnungsbaus zur Beseitigung der Wohnungsnot – immer noch Notunterkünfte, Nissenhütten usw. 1949/50 werden in der BRD eine halbe Mio. Wohnungen fertiggestellt, darunter 408300 öffentlich gefördert. Trotzdem hält die Wohnungsnot noch lange an. Tausende leben in Notunterkünften, bestehende Wohnungen sind überbelegt.
19. Juni	*Heimkehrergesetz*. Ehemalige Kriegsgefangene erhalten besondere Rechte und Vergünstigungen. Einrichtung eines Frauenreferats im Bundesministerium. Gründung des Müttergenesungswerkes. Gründung des Ärztinnenbundes und des Berufsverbands für Sozialarbeiterinnen.
September	*New Yorker Außenministerkonferenz*. Drei-

	Mächte-Garantieerklärung für die Sicherheit West-Berlins und der Bundesrepublik.
Oktober	Vorbereitung zur Gründung der Bundeswehr. Öffentlicher Widerstand gegen Wiederaufrüstung. Demonstrationen, Widerstandsaktionen.
Dezember	NATO beschließt Schaffung einer atlantischen Armee mit Beteiligung deutscher Verbände.
20. Dezember	*Bundesversorgungsgesetz (BVG)* regelt Kriegsopferversorgung für Beschädigte und Hinterbliebene (Witwen, Waisen und Eltern). Ca. 4,5 Mio. Kriegsversehrte, Kriegshinterbliebene und Kriegswaisen. Von 9,9 Mio. Ehefrauen sind 1950 fast ein Viertel (2,26 Mio.) erwerbstätig, haben also gleichzeitig Hausfrauen- und Berufspflichten zu erfüllen. Die Hälfte davon hat Kinder unter 15 Jahren.

1951

Januar	Die Abgabe für das seit 1948 bestehende „Notopfer Berlin" und die Berlinhilfe insgesamt werden erhöht. Gleichzeitig beschließt der Bundestag in Reaktion auf die steigenden Erwerbslosenzahlen und Preissteigerungen, die Arbeitslosenunterstützung ab 1. 4. 51 um 10% zu erhöhen.
6. März	*Revidierung des Besatzungsstatuts in der Bundesrepublik.* Die Alliierte Hohe Kommission verzichtet auf Überwachung der Bundes- und Ländergesetzgebung; Devisenhoheit weitgehend hergestellt. Gründung des Auswärtigen Amtes.
April	Beitritt der Bundesrepublik in die Montanunion. Die Bundesrepublik wird Vollmitglied im Europarat.
Juli	Beschluß der formellen *Beendigung des Kriegszustands* durch die drei Westmächte. Aufhebung der Demontagen und der Industrie-

	verbote. Bundesrepublik übernimmt die deutschen Auslandsschulden.
14. September	*Außenminister-Konferenz in Washington:* Umgestaltung deutsch-alliierter Beziehungen. Entwurf des Deutschland-Vertrags. Der Bundesrepublik Deutschland soll volle Souveränität gewährt werden, vorausgesetzt, daß diese zur Verteidigung des Westens beiträgt.
September	Interzonen-Handelsabkommen zwischen den Behörden der Bundesrepublik und der DDR.
28. September	*Bundesverfassungsgericht* in Karlsruhe nimmt seine Tätigkeit auf.
Oktober	Gründung des Informationsdienstes für Frauenfragen (Zusammenschluß von 14 Frauenverbänden und gewerkschaftlichen Frauenabteilungen). Internationale Arbeitskonferenz beschließt gleiche Entlohnung von Männern und Frauen für gleiche Arbeit.

1952

10. März	UdSSR unterbreitet Entwurf eines Friedensvertrags mit Deutschland. Gegenvorschlag der Westmächte: Bildung einer gesamtdeutschen Regierung nach freien Wahlen.
26. Mai	Deutschlandvertrag zwischen der Bundesrepublik und den Westmächten. Bundesrepublik wird völkerrechtlich gleichberechtigt.
Mai	*Neues Berlin-Statut.* Bundesgesetze mit „Berlin-Klausel" werden durch „Mantelgesetze" übernommen. Die DDR beginnt, Besucherverkehr mit West-Berlin zu behindern und errichtet Sperrzone an ihrer Grenze. Gründung der Bundesanstalt für Arbeitsvermittlung und Arbeitslosenversicherung (Nürnberg). Verabschiedung des Betriebsverfassungsgesetzes.

<table>
<tr><td></td><td>Nach Statistiken der Ortskrankenkassen übersteigt 1952 die Krankheitshäufigkeit der Frauen die der Männer. Überbelastung der Frauen seit Kriegsende – besonders der Mütter:
1947: litten 12% der Mütter an Abnutzungskrankheiten
14% an Schlaflosigkeit u. Nervenkrankheiten
1949: litten 30% an Abnutzungskrankheiten
31% an Schlaflosigkeit u. Nervenkrankheiten
1952: litten 59% an Abnutzungskrankheiten
43% an Schlaflosigkeit u. Nervenkrankheiten
(Statistik d. Müttergenesungswerkes)
1. Bundesfrauenkonferenz des DGB
Verbesserung des Mutterschutzgesetzes: 6 Wochen vor und nach der Entbindung Arbeitsfreistellung; Kündigungsschutz während der Schwangerschaft und noch weitere 4 Monate nach der Entbindung.</td></tr>
<tr><td>Juli</td><td>Vertrag der Europäischen Gemeinschaft über Kohle- und Stahlproduktion (Montanunion), Ruhr-Statut beendet, Aufhebung der Produktionsbeschränkungen der westdeutschen Stahlindustrie.</td></tr>
<tr><td>August</td><td>Das Lastenausgleichsgesetz (LAG) reguliert Schäden und Verluste, die durch Zerstörungen und Vertreibungen in der Kriegs- u. Nachkriegszeit entstanden sind.</td></tr>
<tr><td>3. Oktober</td><td>Neue Grenzsperren werden rings um West-Berlin durch die Volkspolizei errichtet.</td></tr>
<tr><td>29. November</td><td>Über 200000 Flüchtlinge aus der DDR und rund 150000 Heimatvertrieben in West-Berlin.</td></tr>
</table>

1953

<table>
<tr><td>27. Februar</td><td>Das Londoner Schuldenabkommen legt die deutschen Vorkriegsschulden auf ca. 13,3 Milliarden DM fest. Die Gesamtschuld (Verbind-</td></tr>
</table>

	lichkeiten aus Marshall-Plan, Überschußgüter usw.) beträgt 15,28 Milliarden DM.
19. März	Ratifizierung des *Deutschland- und EVG-Vertrages* (EVG = Europäische Verteidigungsgemeinschaft). Aufhebung des Besatzungsstatuts, Stationierung von Streitkräften der westlichen Siegermächte, Eingriffsmöglichkeit der Siegermächte bei allen „ganz Deutschland" betreffenden Anlegenheiten.
1. April	Verfassungsgrundsatz der *Gleichberechtigung* von Mann und Frau tritt in Kraft, Neuregelungen des Ehe- und Familienrechts stehen noch aus; Gründung des Familienministeriums.
März	1. Höhepunkt des Flüchtlingsstroms aus der DDR: 6000 Flüchtlinge an einem Tag; zwischen 1949 und 1953 kommen insgesamt 617200 Flüchtlinge nach Berlin, davon werden 335100 in die BRD ausgeflogen.
19. Mai	*Bundesvertriebenengesetz* regelt die Rechtslage und Eingliederungsfragen der Vertriebenen und Flüchtlinge.
17. Juni	Aufstände in Ost-Berlin und der DDR.
September	2. *Bundestagswahlen* in der Bundesrepublik. Konrad Adenauer wird zum zweiten Mal Bundeskanzler. Im neuen Bundestag sitzen 29 weibliche Abgeordnete (8,8%). Gründung des Jüdischen Frauenbundes. Das Bruttosozialprodukt ist im Zeitraum von 1950 bis 1953 von 97,9 auf 152,8 Mrd. DM, das Volkseinkommen von 75,2 auf 112,1 Mrd. DM gestiegen, das durchschnittliche Jahreseinkommen pro Person von 1602 auf 2328 DM. Die Erwerbslosenquote sinkt von 8,2% der Beschäftigten im Jahre 1950 auf 5,5%. Von 1949 bis 1953 werden 2019800 Wohnungen fertiggestellt (1325600 Wohnungen im Rahmen der öffentlich geförderten Wohnungsbauprogramme).

1954

Januar/Februar	Außenminister der vier Siegermächte verhandeln über die „deutsche Frage" – ohne Erfolg.
Oktober	Ratifizierung der *„Pariser Verträge"* bereitet Beitritt der Bundesrepublik zur NATO, Beendigung der Besatzungszeit und Aufstellung der Bundeswehr (580000 Mann) vor.
November	Verabschiedung des *Kindergeldgesetzes.* Jedes 3. und weitere Kind (bis 18 Jahre) hat einen Rechtsanspruch auf Kindergeld in Höhe von DM 25,–.

1955

15. Januar	Grundsatzurteil des Bundesarbeitsgerichts erklärt die nach Frauen und Männern getrennten Lohngruppen sowie die *Frauenabschlagsklauseln* für *verfassungswidrig.* Bis zu diesem Zeitpunkt wurden die Frauenlöhne nach der „Frauenlohnklausel" errechnet: Je nach Industriegruppe war ein Abzug vom entsprechenden Männerlohn vorgesehen. In der Metallindustrie z.B. verdienten Frauen 1955/56 je nach Tarifvertrag zwischen 75% und 87,5% des jeweiligen Männerlohnes.
25. Januar	UdSSR erklärt den Kriegszustand mit Deutschland für beendet.
29. Januar	„Deutsches Manifest" wird auf einer Protestkundgebung gegen die Wiederbewaffnung verkündet.
9. Februar	Erlaß des Bundesministeriums des Innern: Jeder unverheirateten, weiblichen Person wird es freigestellt, sich *„Frau"* zu nennen, während sie sich bis dahin als *„Fräulein"* bezeichnen lassen mußte. Die Bezeichnung „Frau" ist seither nicht mehr gleichbedeutend mit „Ehefrau". Gründung der Bundesfrauenvertretung des deutschen Beamtenbundes.

5. Mai	„Pariser Verträge" treten in Kraft. Die Bundesrepublik erlangt Souveränität.
9. Mai	Die Bundesrepublik tritt der *NATO* bei.
14. Mai	Gründung des *Warschauer Pakts* unter Einbeziehung der DDR.
September	Aufnahme diplomatischer Beziehungen zwischen der Bundesrepublik und der UdSSR. Die Sowjetunion sagt die Entlassung der letzten deutschen Kriegsgefangenen zu, die als Kriegsverbrecher verurteilt waren.
1955	Die Zahl der arbeitslosen Männer geht von 1954–1955 um 51% zurück, die der Frauen lediglich um 25,3%. Damit werden ab Juni 1955 mehr *arbeitslose Frauen* registriert als Männer.

1956

6. Februar	Deutscher Bundestag verabschiedet Gesetz über die *Gleichheit der Entlohnung* von Männern und Frauen für gleichwertige Arbeit. Die Folge ist die Einführung von Leichtlohngruppen, die auf indirekte Weise ermöglichen, Frauenarbeit in niedrigere Lohngruppen einzustufen.
27. Juni	Das 2. *Wohnungsbaugesetz* fördert den Neubau weiterer 1,8 Mio. Sozialwohnungen für kinderreiche Familien, Schwerbeschädigte, Vertriebene und Kriegsopfer mit niedrigem Einkommen.
7. Juli	Deutscher Bundestag verabschiedet Gesetz zur allgemeinen Wehrpflicht. Bereits im Januar wurden die ersten freiwilligen Bundeswehrsoldaten einberufen.
17. August	Verbot der KPD in der Bundesrepublik.
September	Seit Januar 1949 sind über 1 Million Menschen aus der Sowjetunion und der DDR in West-Berlin eingetroffen. Aus der Arbeit des Müttergenesungswerkes: Von den im Jahr 1956 betreuten 60000 Müt-

tern leiden 74,2% an hochgradigen Erschöpfungszuständen (1950 waren es „nur" 48%), 36,6% an Herz- und Kreislaufbeschwerden, 14,6% an neurovegetativen Störungen und 11,9% weisen Untergewicht auf.

1957

Januar

Reform der Rentenregelung. Die im Bundestag verabschiedete Neuregelung der Rentenversicherung erbringt die dynamische Leistungsrente, d.h. die Rente wird an die gestiegenen Löhne und Gehälter angepaßt und periodisch angeglichen.

März

Vertrag über die Gründung der EWG fordert nochmals Lohngleichheit von Männern und Frauen.

Das Bruttosozialprodukt steigt von 1954 bis 1957 von 164,3 auf 225,4 Mrd. DM, das Volkseinkommen von 121,1 auf 168,3 Mrd. DM.

Das Jahreseinkommen pro Kopf der Bevölkerung erhöht sich von 2486 DM auf 3337 DM.

Die Erwerbslosigkeit sinkt von 4,7% der Beschäftigten im Jahre 1954 auf 1,9% im Jahr 1957.

In den Jahren 1954 bis 1957 werden jährlich 560000 Wohnungen fertiggestellt (davon 300000 öffentlich gefördert).

Einberufung der ersten 10000 Wehrpflichtigen in die *Bundeswehr.*

12. April

„Göttinger Erklärung": 18 deutsche Atomforscher protestieren gegen die geplante atomare Bewaffnung der Bundeswehr, gegen taktische Atomwaffen und rufen zum Verzicht auf Atomwaffen jeder Art auf.

April

Das Bundesarbeitsgericht erklärt die sog. „Zölibatsklausel" in Arbeitsverträgen für rechtsungültig. Arbeitsverträge weisen in verschiedenen Branchen bis zu diesem Zeitpunkt die Klau-

	sel auf, daß Arbeitnehmerinnen gekündigt werden können, wenn sie heiraten.
Juli	West-Berlin wird in die EWG einbezogen.
7. Juli	*„Frauentag gegen die Atomgefahr“* in der Frankfurter Paulskirche. Resolution von 18 deutschen Frauenorganisationen und Frauen verschiedener politischer Richtungen und Konfessionen. Sie fordern die Einstellung von Atomwaffenversuchen und wenden sich gegen die wachsende Atomgefahr. Die Bundesregierung wird zum Verzicht von atomaren Waffen aufgefordert; weiter verlangen die Frauen die Bildung einer atomwaffenfreien Zone in Mitteleuropa.
September	*3. Bundestagswahlen.* Konrad Adenauer wird zum dritten Mal Bundeskanzler. Der Anteil der Frauen im Bundestag steigt von 8,8% auf 9,2%.

1958

25. März	Der Deutsche Bundestag beschließt die *atomare Bewaffnung der Bundeswehr.* Zahlreiche Protestkundgebungen, Demonstrationen, Unterschriftensammlungen gegen die atomare Bewaffnung. Manifest „Frauen gegen Atombewaffnung“. „Westdeutsche Frauensfriedensbewegung“ ist aktiv.
30. Juli	Entscheidung des Bundesverfassungsgerichts: Die geplante Volksbefragung zur atomaren Bewaffnung wird für verfassungswidrig erklärt.
Juli	*Gesetz über Gleichberechtigung von Mann und Frau* tritt in Kraft. *Eherecht wird geändert:* Ehefrau erhält mehr Befugnisse; die Einführung der Zugewinngemeinschaft macht beide, Mann und Frau, zu Eigentümern des während der Ehe erworbenen Vermögens. Das Recht der Ehefrau auf Erwerbstätigkeit

	bleibt eingeschränkt; die Pflicht, bei finanzieller Not erwerbstätig zu werden, ist uneingeschränkt. Eine Verpflichtung des Ehemannes zur Mithilfe bei der Hausarbeit ist nicht vorgesehen.
November	*2. Berlin-Krise.* Die Sowjetunion kündigt ihre Vier-Mächte-Verantwortung über Deutschland und Berlin auf. In Noten an die Westmächte, die Bundesrepublik Deutschland und die DDR betrachtet sie, von der „faktischen Lage" ausgehend, die alliierten Vereinbarungen über Berlin (1944/45) „als nicht mehr in Kraft befindlich", zumal die Westmächte das mit ihnen zusammenhängende Potsdamer Abkommen gebrochen hätten. Sie fordert, binnen sechs Monaten West-Berlin zu entmilitarisieren und als Freistadt in eine selbständige politische Einheit umzuwandeln.

1959

10. Januar	Entwurf eines Friedensvertrags der UdSSR: zwei deutsche Staaten – West-Berlin eine freie Stadt, Bündnisfreiheit.
16. Februar	Verhandlungen über Deutsche Frage und europäische Sicherheit von den drei Westmächten befürwortet; Ablehnung von gesonderten Verhandlungen über Berlin.
9. März	Der sowjetische Ministerpräsident Chruschtschow erklärt sich mit der Stationierung eines geringen Truppenkontingents der Westmächte in West-Berlin einverstanden. Chruschtschow verlängert das Sechs-Monats-Ultimatum, kündigt jedoch einen separaten Frieden mit der DDR an, falls die Westmächte den Friedensvertragsentwurf ablehnen.
11. Mai – 5. August	Alliierte *Außenministerkonferenz in Genf:* Verhandlungen über Berlin- und Deutschland-Frage. Friedensplan der Westmächte: Einheit Berlins

durch freie Wahlen; gesamtdeutsche Wahlen; Volksabstimmung über Wahlgesetz, Wahlen zur Nationalversammlung, Regierungsbildung. Die Verhandlungen führen zu keinen Ergebnissen.

27. Mai — *3. Bundesfrauenkonferenz des DGB.* Forderung: „Gleicher Lohn für gleiche Arbeit", da das Gesetz von 1956 noch immer nicht durchgesetzt sei: Kampf gegen Leichtlohngruppen, die die ehemaligen Frauenlohngruppen ersetzt haben und de facto das gleiche sind. In vielen Fällen ist die Bezahlung der Frauen niedriger als bei Hilfsarbeitern: Leichtlohngruppen schaffen Kategorie der Hilfs-Hilfsarbeiterin.

August — Der DGB fordert die Einführung der 5-Tage-Woche (40 Stunden).

1960

Juni — Verabschiedung des Gesetzes über den *Abbau der Wohnungszwangswirtschaft.*
Einführung des „Weißen Kreises", Mieterhöhungen, Erlaß neuer Kündigungsfristen.
Ausgleich für Mietsteigerungen bei einkommensschwachen Mietern durch Miet- und Lastenbeihilfen (später Wohngeld).

August — *Jugendarbeitsschutzgesetz.* Kinderarbeit wird verboten; Jugendliche ab 14 Jahren dürfen beschäftigt werden (aber nicht in Akkord- und Fließbandarbeit).

1961

Das Bruttosozialprodukt steigt in den Jahren 1958 bis 1961 von 241,2 auf 326,2 Mrd. DM.
Das Volkseinkommen steigt von 180,1 auf 251,6 Mrd. DM, und das durchschnittliche Jahreseinkommen erhöht sich pro Person von 3528 DM auf 4479 DM.
Die Erwerbslosigkeit sinkt von 1,7% der Beschäftigten 1958 auf 0,5% 1961.

	Die *Erwerbstätigkeit der Frauen* steigt kontinuierlich, besonders die Mütter-Erwerbstätigkeit. Arbeitskräftemangel: Anwerben der ersten ausländischen Arbeitskräfte. Seit 1949 sind ca. 3 Millionen Flüchtlinge aus der DDR in die Bundesrepublik und nach West-Berlin gekommen.
13. August	DDR-Regierung läßt die Sektorengrenze zwischen Ost- und West-Berlin und die Zonengrenze nach West-Berlin schließen. *West-Berlin* wird durch eine *Mauer* abgeriegelt.
September	4. Bundestagswahlen. Adenauer wird zum vierten Mal Bundeskanzler. Im neuen Bundestag sind 43 weibliche Abgeordnete (8,3%). *Familienrechtsänderung:* Verankerung der Gütertrennung; eine uneheliche Mutter erhält bei Eignung die elterliche Gewalt über ihr Kind, die Unterhaltspflicht des Vaters läuft bis zum 18. Lebensjahr des Kindes. Einführung des Kindergelds vom zweiten Kind an (DM 25,– pro Monat).

Tabellen und Schaubilder

Die Tabellen haben wir so geordnet, daß zuerst die allgemeinen Entwicklungen wie Bevölkerungszu- und -abnahme, Heiratsverhalten, Geburtenraten, Scheidungsziffern und Familienstand aufgezeigt werden. Im Anschluß daran werden die direkten Kriegsauswirkungen wie Anzahl der Kriegsgefangenen und Heimkehrer sowie der Kriegsversehrten dargestellt, und schließlich werden Tabellen aufgeführt, die sich auf die Erwerbstätigkeitsentwicklung und Erwerbslosenquoten in der Nachkriegszeit beziehen.

Wir haben das dargestellte Zahlenmaterial entnommen aus:
Statistisches Jahrbuch der Bundesrepublik Deutschland der Jahre 1952–1961
Berlin in Zahlen, Statistisches Amt der Stadt Berlin (Hrsg.) 1947–1949
Statistisches Jahrbuch Berlin, 1950–1961
Soziologischer Almanach, 1975
Bundesministerium für Arbeit und Statistik, Die Frau im Erwerbsleben, Bonn 1954
Bericht der Bundesregierung über die Situation der Frau in Beruf, Familie und Gesellschaft, Bonn 1966

In den Quellen wird darauf hingewiesen, daß das erhobene Zahlenmaterial, gerade für die Jahre 1943–1950, lückenhaft ist und teilweise auf unterschiedlichen Erhebungsgrundlagen basiert. Diesen Vorbehalten müssen wir uns anschließen und besonders bei den Statistiken zur Frauenerwerbstätigkeit und -erwerbslosigkeit darauf hinweisen, daß diese Zahlen auf Berechnungsgrundlagen erstellt wurden, die das Ausmaß der Frauenerwerbstätigkeit und -erwerbslosigkeit nicht hinreichend erfassen.

Eine ausführliche Analyse und Relativierung der verfügbaren Statistiken bezüglich der u.E. teilweise problematischen Berechnungsgrundlagen ist an dieser Stelle nicht möglich und bedürfte ideologiekritischer Überlegungen und umfangreicher Neuberechnungen des statistischen Materials.

Tabelle 1:
Entwicklung der Heiratsziffern in den Jahren 1938 bis 1959 im Bundesgebiet und in Berlin

	Eheschließungen im Bundesgebiet[1]		Eheschließungen in Berlin[2]	
Jahr	absolut	auf 1000 Einwohner	absolut	auf 1000 Einwohner[3]
1938	367863	9.5	30778	11.2
1939			38666	14.1
1940			32699	11.9
1941			26961	9.8
1942			26364	9.4
1943			22606	9.5
1944			15002	8.8
1945			12271	7.0[4]
1946	380575	8.8	13128	6.7
1947	454398	10.2	16812	8.2
1948	493606	10.8	20459	9.7
1949	476806	10.3	18881	9.0
1950	506101	10.8	19426	9.1
1951	493563	10.4	19636	9.1
1952	455410	9.5	19446	9.0
1953	435250	9.0	18697	8.5
1954	427408	8.8	17861	8.1
1955	435516	8.9	18379	8.4
1956	450889	9.0	19044	8.6
1957	453810	9.0	19927	9.0
1958	464716	9.1	20308	9.1
1959	473892	9.2	20685	9.3

[1] Quelle: Statistisches Jahrbuch der Bundesrepublik Deutschland, 1960, S. 60.
[2] In Berlin (West) geschlossene Ehen.
[3] 1925 bis 1942 und ab 1947 bezogen auf die mittlere fortgeschriebene Bevölkerung; 1943 bis 1946 bezogen auf die mittlere versorgte Bevölkerung nach der Lebensmittelkartenausgabe. Da vom Jahr 1942 an der Austausch der standesamtlichen Zählkarten wegen der Kriegswirren unterblieb – es fehlen in den Zahlen die auswärts geborenen oder gestorbenen Berliner, während die Geburten und Sterbefälle Orts-

fremder darin mitenthalten sind –, entsprechen die Zahlen für 1942 bis 1945 in ihrer Entwicklung nicht den tatsächlichen Verhältnissen. Angesichts einer verstärkten Evakuierung der Stadt von werdenden Müttern ab August 1943 betrifft das insbesondere die Zahl der Lebendgeborenen.

[4] Nur für Mai bis Dezember.

In Tabelle 1 wird deutlich, daß nach einem Anstieg der Heiratsziffern bei Kriegsbeginn die Heiratsziffern im Verlauf des Krieges deutlich sinken und auch in den 50er Jahren das Vorkriegsniveau in Berlin nicht erreicht wird.

Tabelle 2: Bei den Scheidungsziffern fällt auf, daß die Zahl der Ehescheidungen in Berlin sehr viel höher liegt als im Bundesgebiet. Nach einem Anstieg der Scheidungsraten in der Zeit zwischen 1946 und 1950 sinken die Scheidungsraten in den 50er Jahren kontinuierlich. Der Anstieg der Scheidungsraten in der unmittelbaren Nachkriegszeit resultiert aus den voreilig geschlossenen Kriegsehen und den Belastungen der Nachkriegszeit.

Tabelle 2:
Entwicklung der Scheidungsziffern
in den Jahren 1939 bis 1958 im Bundesgebiet und in Berlin

Jahr	Ehescheidungen im Bundesgebiet[1] absolut	im Bundesgebiet[1] auf 10000 Einwohner	in Berlin[2] absolut	in Berlin[2] auf 10000 Einwohner
1939	29303	7,5	12644	29,1
1940	–	–	9848	22,6
1941	–	–	10739	24,6
1942	–	–	–	–
1943	–	–	–	–
1944	–	–	–	–
1945	–	–	–	–
1946	48422	9,9	11760	37,5
1947	76091	17,0	12768	39,4
1948	87013	18,9	15363	46,5
1949	79409	17,0	11921	–
1950	74638	15,9	9472	44,2
1951	55862	11,8	7724	35,7
1952	50833	10,6	6839	31,5
1953	47383	9,8	6215	28,1
1954	44438	9,1	5920	27,0
1955	42538	8,6	5477	24,9
1956	40731	8,2	5055	22,7
1957	41187	8,2	4884	21,9
1958	42726	8,4	4942	22,2

[1] Bundesgebiet ohne Saarland und Berlin, Statistisches Jahrbuch der Bundesrepublik Deutschland, 1960, S. 60.

[2] 1925 bis 1948: Groß-Berlin, 1949: Zahlen enthalten infolge der in diesem Jahre erfolgten Spaltung der Rechtsprechung in Ehesachen nur einen Teil der Urteile für Bewohner des sowjetischen Sektors von Berlin; 1950 bis 1960: Berlin (West), Quelle: Statistisches Jahrbuch Berlin, 1961, S. 44.

Tabelle 3 zeigt, daß die Zahl der verwitweten und geschiedenen Frauen 1945 durch die Auswirkungen des Krieges gegenüber 1939 stark zugenommen hat und die Zahl der verwitweten und geschiedenen Männer deutlich übersteigt. Andererseits nimmt die Zahl der verheirateten Männer und Frauen in den 50er Jahren zu und die der ledigen ab. Diese Entwicklung gilt sowohl für Berlin als auch für das Bundesgebiet (vgl. Tabelle 4), wobei die Zahl der verwitweten Frauen, die in Berlin leben, deutlich höher liegt.

Tabelle 3:
Bevölkerung nach dem Familienstand im Bundesgebiet im Vergleich der Jahre 1939, 1950 und 1961

Familienstand		1939[1]		1950[2]		1961[2]	
		Männer	Frauen	Männer	Frauen	Männer	Frauen
ledig	absolut	9616000	9140000	11222125	11507569	11644079	11341027
	%	49,7	45,7	47,3	42,5	44,1	38,1
verheiratet	absolut	9004000	8968000	11449364	11809641	13670446	13734826
	%	46,6	44,8	48,3	43,6	51,8	46,2
verwitwet	absolut	594000	1710000	802462	3307832	782194	4042175
	%	3,1	8,5	3,4	12,2	3,0	13,6
geschieden	absolut	120000	185000	244144	455796	294910	618983
	%	0,6	0,9	1,0	1,7	1,1	2,1
insgesamt	absolut	19335000	20002000	23718064	27080838	26397115	29742563
	%	100	100	100	100	100	100

[1] Bundesministerium für Arbeit und Statistik, Die Frau im Erwerbsleben, Bonn, 1954, S. 4.
[2] Bericht der Bundesregierung über die Situation der Frauen in Beruf, Familie und Gesellschaft, Bonn, 1966, S. 307.

Tabelle 4:
Bevölkerung nach Familienstand in Berlin im Vergleich der Jahre 1939, 1945, 1950 und 1959

Familienstand		1939[1]		1945[2]		1950[3]		1959[3]	
		Männer	Frauen	Männer	Frauen	Männer	Frauen	Männer	Frauen
ledig	absolut	720950	858277	218993	367998	348366	426426	349355	406810
	%	36,7	36,4	34,5	33,4	38,2	34,5	37,3	32,0
verheiratet	absolut	1125783	1126368	367557	514672	499387	525722	517980	528228
	%	57,3	47,8	58,0	46,8	54,8	42,6	55,4	41,5
verwitwet	absolut	67504	283565	34300	175232	36278	219452	37643	256261
	%	3,4	12,0	5,4	16,0	4,0	17,8	4,0	20,1
geschieden	absolut	50535	88531	13166	42288	27473	64028	30599	81108
	%	2,6	3,8	2,1	3,8	3,0	5,1	3,3	6,4
insgesamt	absolut	1964772	2356749	634016	1100190	911504	1235448	935577	1272407
	%	100	100	100	100	100	100	100	100

[1] Bezogen auf Groß-Berlin, aus: Berlin in Zahlen, Amt d. Stadt Berlin (Hrsg.), Berlin 1947, S. 75 ff.
[2] Bezogen auf West-Berlin, aus: Berlin in Zahlen, Hauptamt f. Statistik Groß-Berlin (Hrsg.), Berlin 1949, S. 64 ff.
[3] Bezogen auf West-Berlin, aus: Stat. Jahrbuch Berlin 1961, Stat. Landesamt Berlin (Hrsg.), Berlin 1961, S. 30 ff.

Tabelle 5:
Anzahl der deutschen Kriegsgefangenen[1] und Heimkehrer
(aufgeteilt nach Ost- und Westalliierten)

Jahr/ Quartal		Kriegsgefangene			Heimkehrer
		östlich	westlich	insgesamt	insgesamt
1941	I	–	2330	2330	
	II	–	4145	4145	
	III	–	6215	6215	
	IV	26325	6315	32640	
1942	I	115634	12325	127959	
	II	116966	16467	133433	
	III	110423	18880	129303	
	IV	96083	22161	118244	
1943	I	167371	29627	196998	
	II	156315	49727	206042	
	III	192494	121787	314281	
	IV	197355	156580	353935	
1944	I	238488	164832	403320	
	II	373372	181981	555353	
	III	557274	466978	1024252	
	IV	561942	712921	1274863	
1945	I	1070540	1019780	2090320	
	II	2171944	5415190	7587134	
	III	2128758	6570974	8699732	
					3222718
	IV	1683524	3793490	5477014	
					1248962
1946	I	1517103	2710949	4228052	
					524272
	II	1446276	2257504	3703780	
					617700
	III	1310279	1775801	3086080	
					501017
	IV	1240808	1344255	2585063	
					220306

Jahr/ Quartal		Kriegsgefangene östlich	westlich	insgesamt	Heimkehrer insgesamt
1947	I	1185505	1179252	2364757	
					256543
	II	1124823	983391	2108214	
					247251
	III	1049305	811658	1860963	
					264497
	IV	991349	605117	1596466	
					288200
1948	I	903706	404560	1308266	
					353095
	II	753256	201915	955171	
					182264
	III	681749	91158	772907	
					182543
	IV	566755	23609	590364	
					93978
1949	I	496386	–	496386	
					92625
	II	403761	–	403761	
					114313
	III	289448	–	289448	
					193842
	IV	95606	–	95606	
					43925
1950	I	51681	–	51681	
					21100
	II	30581	–	30581	
					1362
	III	29219	–	29219	
					508
	IV	28711	–	28711	

[1] Angaben für die Kriegsgefangenen, Quelle: Zur Geschichte der deutschen Kriegsgefangenen des II. Weltkrieges, Bd. XII. Die deutschen Kriegsgefangenen des II. Weltkrieges. Eine Zusammenfassung, München 1974, S. 200–201.

Tabelle 5 beschreibt den zahlenmäßigen Anteil der Kriegsgefangenen und der Heimkehrer von 1941 bis 1950. Die meisten Kriegsgefangenen befinden sich in westlicher Gefangenschaft (siehe 1945, Quartal III). Es wird auch deutlich, daß ein großer Teil der Kriegsgefangenen bis Ende 1945 entlassen wurde.

Tabellen 6 und 7 zeigen die Anzahl der Kriegsversehrten, wobei für West-Berlin deutlich wird, daß die Zahl der Versehrten bis 1958 kontinuierlich zunimmt, um dann wieder leicht abzunehmen. In der Bundesrepublik dagegen nimmt die Zahl der Versehrten bereits ab 1953 kontinuierlich ab.

Tabelle 6:
Anzahl der Kriegsversehrten* in *West-Berlin* 1953 bis 1960

	1953	1954	1955	1956	1957	1958	1959	1960
Schwerbeschädigte 50 bis 100%	22662	23705	24463	25461	25858	26084	25857	25480
Leichtbeschädigte unter 50%	25339	26598	27548	28501	28373	28057	27655	27171
Gesamt	48001	50303	52011	53962	54231	54141	53512	52651

Tabelle 7:
Anzahl der Kriegsversehrten* in der *Bundesrepublik Deutschland* 1953 bis 1960

	1953	1954	1955	1956	1957	1958	1959	1960
Schwerbeschädigte 50 bis 100%	682021	676932	671398	672355	664498	654994	644800	634000
Leichtbeschädigte unter 50%	790082	790069	779633	773580	763931	752274	743600	732600
Gesamt	1472103	1467001	1451031	1445935	1428429	1407268	1388400	1366600

Quelle: Stat. Jahrbücher 1954–1961.

* Nach dem Bundesversorgungsgesetz anerkannte Versorgungsberechtigte

Tabelle 8 zeigt die Verteilung der Haushaltsausgaben eines durchschnittlichen 4-Personen-Arbeitnehmerhaushalts im Verlauf der 50er Jahre. Der zunehmende Wohlstand wird deutlich am Rückgang des Anteils der Ausgaben für Ernährung bei gleichzeitiger Zunahme des Anteils der Ausgaben für Hausrat/Wohnungseinrichtung, Bildung/Unterhaltung und Verkehrsmittel.

Tabelle 9 verdeutlicht den Anstieg der Zahl der erwerbstätigen Ehefrauen, die sich in den Jahren 1950 bis 1980 fast verdoppelte.

Tabelle 8:
Wirtschaftsrechnungen in 4-Personen-Arbeitnehmer-Haushalten einer mittleren Verbrauchergruppe im Vergleich der Jahre 1950, 1953, 1956, 1959[1]

	1950		1953		1956		1959	
	DM	v.H.	DM	v.H.	DM	v.H.	DM	v.H.
	Einnahmen							
Einnahmen insgesamt	342.82	100,0	477.42	100,0	599.48	100,0	708.91	100,0
ausgabefähige Einnahmen	305.08	89,0	421.67	88,3	528.74	88,2	630.80	89,0
	Ausgaben							
Ernährung	149.02	52,2	194,91	48,9	235.35	47,2	268.09	45,9
sonstige Lebensbedürfnisse	136.41	47,8	203.68	51,1	263.44	52,8	315.44	54,1
– Wohnung	29.85	10,5	37.19	9,3	47.24	9,5	58.68	10,0
– Heizung u. Beleuchtung	15.46	5,4	19.99	5,0	28.05	5,6	27.37	4,7
– Hausrat	13.28	4,6	27.72	7,0	39.60	7,9	49.47	8,5
– Bekleidung	38.81	13,6	58.40	14,7	71.84	14.4	78.80	13,5
– Reinigung u. Körperpflege	12.21	4,3	20.02	6,9	35.60	7,2	27.91	4,8
– Bildung u. Unterhaltung	20.62	7,3	28.44	7,1	36.56	7,3	52.27	9,0
– Verkehr	6.18	2,1	11.15	2,8	14.44	2,9	20.94	3,6
Lebenshaltung insgesamt	285.43	100,0	398.59	100,0	498.79	100,0	583.53	100,0

[1] Ausgaben 1950 und 1953, Quelle: Statist. Jahrbuch 1954, S. 513. Ausgaben 1956, Quelle: Statist. Jahrbuch 1958, S. 467. Ausgaben 1959, Quelle: Statist. Jahrbuch 1961, S. 524.

Tabelle 9:
Erwerbsbeteiligung verheirateter und alleinstehender Frauen im Vergleich in den Jahren 1925 bis 1980*

Erwerbsbeteiligung	1925	1933	1939[2]	1950[3]	1961	1970	1980[4]
1. Erwerbsquote der Frauen im erwerbsfähigen Alter[1]	48.9	48.0	49.8	44.4	48.9	49.6	52.0
2. Erwerbsquote der Männer im erwerbsfähigen Alter[1]	95.3	93.9	95.6	93.5	93.5	91.1	86.4
3. Erwerbsquote der alleinstehenden Frauen im erwerbsfähigen Alter[1]	73.8	73.7	77.2	68.7	69.2	68.1	62.0
4. Erwerbsquote der verheirateten Frauen im erwerbsfähigen Alter[1]	29.1	30.1	33.8	26.4	36.5	40.9	48.3
5. Anteil der mithelfenden Ehefrauen an allen Ehefrauen	19.7	19.8	20.6	15.4	12.7	7.8	4.7
6. Anteil der marktbezogenen erwerbstätigen Ehefrauen an allen Ehefrauen	9.0	9.4	11.9	9.6	20.1	27.4	35.9

[1] 1950–1980: 15 bis unter 60 Jahre; 1926–1939: 16 bis unter 60 Jahre. [2] Gebietsstand des Deutsches Reiches von 1937. [3] Gebietsstand der Bundesrepublik Deutschland ohne Berlin und Saarland. [4] Ergebnis des Mikrozensus.

* Quelle: Müller, W. u. a., Strukturwandel der Frauenarbeit 1880–1980, S. 35.

Schaubild 1:
Groß-Berlin nach Verwaltungsbezirken und Besatzungssektoren

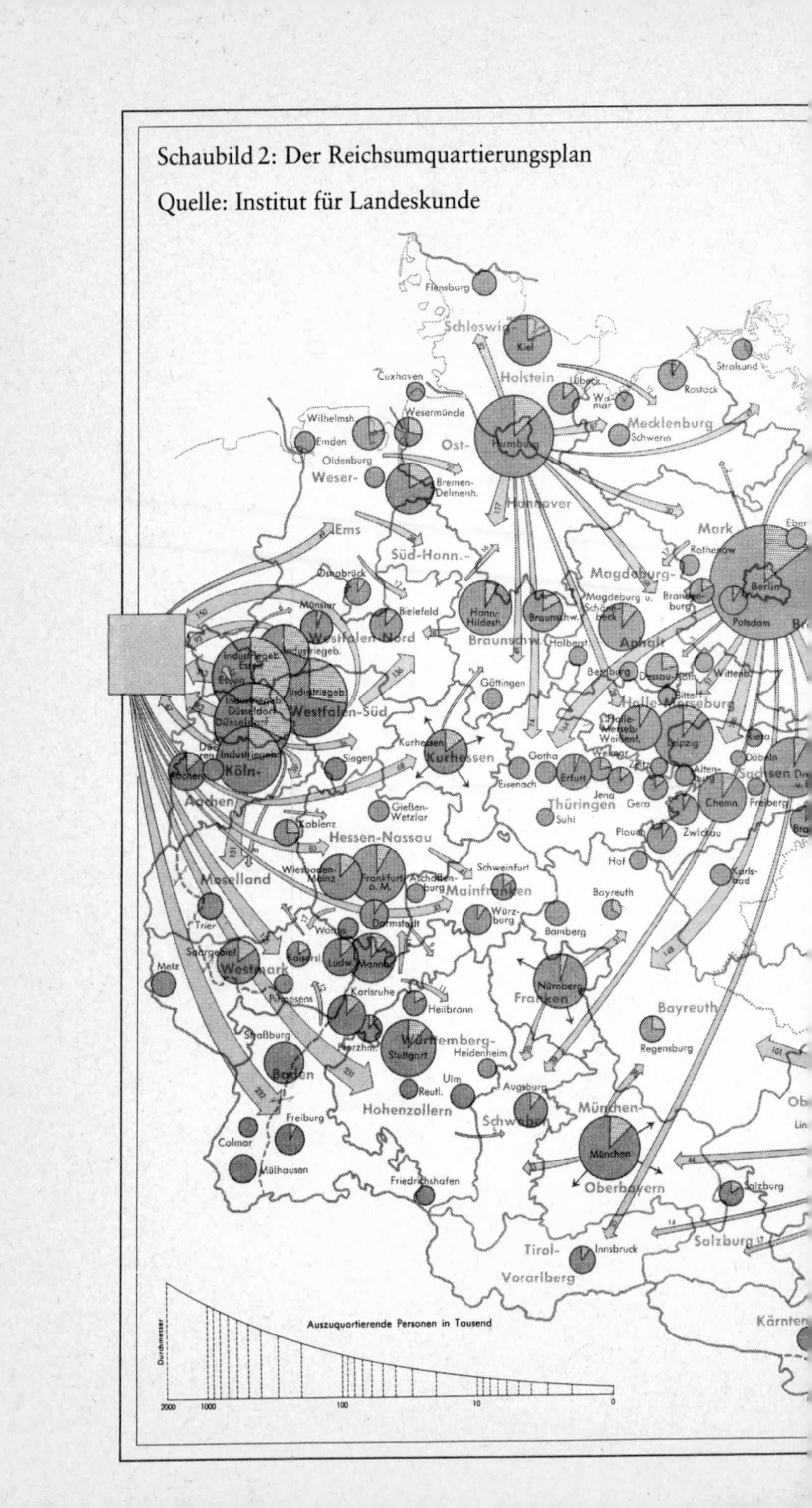

Schaubild 2: Der Reichsumquartierungsplan

Quelle: Institut für Landeskunde

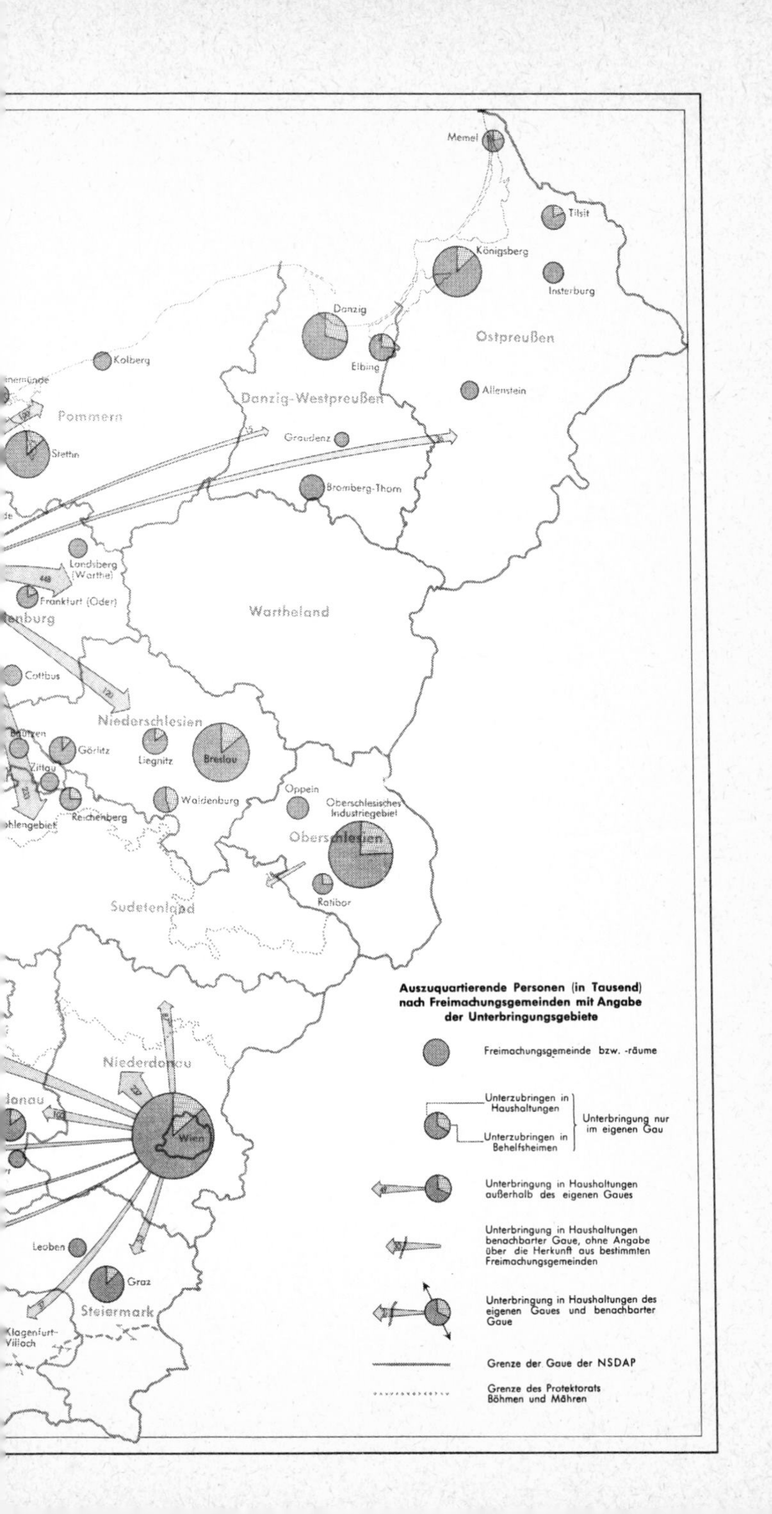

Memel
Tilsit
Königsberg
Insterburg
Danzig
Ostpreußen
Elbing
Kolberg
Allenstein
Danzig-Westpreußen
Pommern
Graudenz
Stettin
Bromberg-Thorn
Landsberg (Warthe)
Frankfurt (Oder)
Wartheland
Cottbus
Niederschlesien
Görlitz
Liegnitz
Breslau
Zittau
Oppeln
Reichenberg
Waldenburg
Oberschlesisches Industriegebiet
Oberschlesien
Ratibor
Sudetenland
Niederdonau
Wien
Leoben
Graz
Steiermark
Klagenfurt-Villach
Auszuquartierende Personen (in Tausend) nach Freimachungsgemeinden mit Angabe der Unterbringungsgebiete
Freimachungsgemeinde bzw. -räume
Unterzubringen in Haushaltungen
Unterzubringen in Behelfsheimen
Unterbringung nur im eigenen Gau
Unterbringung in Haushaltungen außerhalb des eigenen Gaues
Unterbringung in Haushaltungen benachbarter Gaue, ohne Angabe über die Herkunft aus bestimmten Freimachungsgemeinden
Unterbringung in Haushaltungen des eigenen Gaues und benachbarter Gaue
Grenze der Gaue der NSDAP
Grenze des Protektorats Böhmen und Mähren

Literaturhinweise

1. Allgemeine Nachkriegsgeschichte

Peter Altmann (Hg.), Hauptsache Frieden. Kriegsende, Befreiung, Neubeginn: Vom antifaschistischen Konsens zum Grundgesetz, Frankfurt 1985
Rolf Badstübner u. Siegfried Thomas, Entstehung und Entwicklung der Bundesrepublik. Restauration und Spaltung 1945–1955, Köln 1983
Josef Becker, Theo Stammen u. Peter Waldmann, Vorgeschichte der Bundesrepublik Deutschland. Zwischen Kapitulation und Grundgesetz, München 1979
Bernt Engelmann, Wir sind wieder wer. Auf dem Weg ins Wirtschaftswunderland, München 1981
Bernt Engelmann, Wie wir wurden, was wir sind. Von der bedingungslosen Kapitulation bis zur unbedingten Wiederbewaffnung, München 1980
Theodor Eschenburg, Jahre der Besatzung 1945–1949, Wiesbaden 1983
Helga Grebing, Peter Pozorski u. Rainer Schulze, Die Nachkriegsentwicklung in Westdeutschland 1945–1949, Stuttgart 1980
Erich-Ulrich Huster, Gerhard Kraiker, Burkhard Scherer, Friedrich-Karl Schlotmann u. Marianne Welteke, Determinanten der westdeutschen Restauration 1945–1949, Frankfurt 1972
Herbert Lilge (Hg.), Deutschland 1945–1963, Hannover 1967
Manfred Overesch, Deutschland 1945–1949, Düsseldorf 1979
Rolf Steininger, Deutsche Geschichte 1945–1961, Frankfurt 1984
Heinrich August Winkler (Hg.), Politische Weichenstellung im Nachkriegsdeutschland 1945–1953. Sonderheft 5 der Zeitschrift für Geschichte und Gesellschaft, Göttingen 1979

2. Krieg, Flucht, Gefangenschaft

Dieter Brosius u. Angelika Hohenstein, Flüchtlinge im nordöstlichen Niedersachsen 1945–1948, Reihe: Veröffentlichungen der

Historischen Kommission für Niedersachsen und Bremen. Quellen und Untersuchungen zur Geschichte Niedersachsens nach 1945, (Band 1), Hildesheim 1985
Fritz Brustat-Naval, Unternehmen Rettung, Herford 1985
Ortwin Buchbender u. Reinhold Sterz (Hg.), Das andere Gesicht des Krieges. Deutsche Feldpostbriefe 1939–1945, München 1983
Paul Carell u. Günter Böddeker, Die Gefangenen. Leben und Überleben deutscher Gefangener hinter Stacheldraht, Berlin 1984
Janusz Piekalkiewicz, Der Zweite Weltkrieg, Düsseldorf 1985
Gerhard von Rad, Erinnerungen aus der Kriegsgefangenschaft Frühjahr 1945, Neukirchen-Vluyn, 1976
Percy E. Schramm (Hg.), Die Niederlage 1945. Aus dem Kriegstagebuch des OKW, München 1985
Matthew Barry Sullivan, Auf der Schwelle zum Frieden. Deutsche Kriegsgefangene in Großbritannien 1944–1948, Berlin 1984
Arno Surminski, Jokehnen oder Wie lange fährt man von Ostpreußen nach Deutschland, Reinbek 1983
Zentner Christian (Hg.), Der Zweite Weltkrieg, München 1985
Zur Geschichte der Deutschen Kriegsgefangenen im Zweiten Weltkrieg, 15 Bände, München 1962–1974

3. Alltagsgeschichte

Christina von Barghorst, Froschperspektive, Husum 1984
Thomas Berger u. Karl-Heinz Müller (Hg.), Lebenssituationen 1945–1948, Materialien zum Alltagsleben in den westlichen Besatzungszonen. 1945–1948, Frankfurt 1984
Günter Böddeker, Zeit des Löwenzahns. Leben zwischen Krieg und Frieden 1944–1947, Bergisch-Gladbach 1984
Heinrich Böll (Hg.), Niemandsland. Kindheitserinnerungen an die Jahre 1945 bis 1949, Bornheim 1985
Claus Hinrich Casdorff (Hg.), Weihnachten 1945, München 1984
Klaus Peter Creamer, Leberwurst aus Sägespänen. Leben in Deutschland 1945–1948, Weinheim 1985
Rainer Horbelt u. Sonja Spindler, Tante Linas Kriegskochbuch. Rezepte einer ungewöhnlichen Frau in schlechten Zeiten zu überleben, Frankfurt/Main 1982
Lutz Niethammer (Hg.), „Die Jahre weiß man nicht, wo man die heute hinsetzen soll“. Faschismuserfahrungen im Ruhrgebiet, Berlin/Bonn 1983

Lutz Niethammer (Hg.), „Hinterher merkt man, daß es richtig war, daß es schiefgegangen ist". Nachkriegserfahrungen im Ruhrgebiet, Berlin/Bonn 1983
Lutz Niethammer u. Alexander von Plato (Hg.), „Jetzt kriegen wir andere Zeiten". Auf der Suche nach der Volkserfahrung in nachfaschistischen Ländern, Berlin/Bonn 1985
Barbara Noack, Ein Stück vom Leben, München 1985
H. A. Rümelin (Hg.), So lebten wir ... Ein Querschnitt durch 1947, Willsbach 1948
Klaus-Jörg Ruhl (Hg.), Deutschland 1945. Alltag zwischen Krieg und Frieden in Berichten, Dokumenten und Bildern, Darmstadt 1984
Michael Schröder (Hg.), Auf gehts! Rama dama! Frauen und Männer aus der Arbeiterbewegung berichten über Wiederaufbau und Neubeginn 1945 bis 1949, Köln 1984
Gabriele Stüber, Der Kampf gegen den Hunger 1945–1950 – Die Ernährungslage in der britischen Zone Deutschlands, insbesondere in Schleswig-Holstein und Hamburg – Reihe: Studien zur Wirtschafts- u. Sozialgeschichte Schleswig-Holstein, Band 6, Neumünster 1984

4. Familie und Frauen in der Kriegs- und Nachkriegszeit

Gerhard Baumert, Deutsche Familien nach dem Kriege, Darmstadt 1954
Angelika Delille u. Andrea Grohn, Blick zurück aufs Glück. Frauenleben und Familienpolitik in den 50er Jahren, Berlin 1985
Anna-Elisabeth Freier, Frauen in der deutschen Nachkriegszeit, Band 2: Frauenpolitik 1945–1949. Quellen und Materialien, Düsseldorf 1985
Anna-Elisabeth Freier u. Annette Kuhn (Hg.), Das Schicksal Deutschlands liegt in der Hand seiner Frauen. – Frauen in der deutschen Nachkriegsgeschichte, Reihe: Frauen in der Geschichte, Band V, Düsseldorf 1984
Renate Mayntz, Die moderne Familie, Stuttgart 1958
Sibylle Meyer u. Eva Schulze, Wie wir das alles geschafft haben. Alleinstehende Frauen berichten über ihr Leben nach 1945, München ^{3}1985
Elisabeth Pfeil, Die Berufstätigkeit von Müttern. Eine empirisch-soziologische Erhebung, Tübingen 1961

Helmut Schelsky, Wandlungen der deutschen Familie in der Gegenwart. Darstellungen und Deutungen einer empirisch-soziologischen Tatbestandsaufnahme, Stuttgart 1954
Helga Schmucker, Die ökonomische Lage der Familie in der Bundesrepublik Deutschland, Stuttgart 1961
Doris Schubert, Frauen in der deutschen Nachkriegszeit, Band 1: Frauenarbeit 1945–1949. Quellen und Materialien, Düsseldorf 1984
Hilde Thurnwald, Gegenwartsprobleme Berliner Familien, Berlin 1948
Irmgard Weyrather, „Ich bin noch aus dem vorigen Jahrhundert". Frauenleben zwischen Kaiserreich und Wirtschaftswunder, Frankfurt 1985
Dieter Wirth, Die Familie in der Nachkriegszeit. Desorganisation oder Stabilität? in: Josef Becker, Theo Stammen u. Peter Waldmann (Hg.), Vorgeschichte der Bundesrepublik Deutschland, München 1979
Gerhard Wurzbacher, Leitbilder gegenwärtigen deutschen Familienlebens, Stuttgart 1958

5. Lebensberichte, Autobiographien, Biographien

Ruth Andreas-Friedrich, Der Schattenmann. Tagebuchaufzeichnungen 1938–1945, Frankfurt 1984
Ruth Andreas-Friedrich, Schauplatz Berlin. Tagebuchaufzeichnungen 1945–1948, Frankfurt 1984
Berlin nach dem Krieg – wie ich es erlebte. 28 Erlebnisberichte von älteren Berlinern aus dem Wettbewerb des Senators für Arbeit und Soziales, Berliner Forum, Band 9/1977
Margaret Bourke-White, Deutschland April 1945, Dear Fatherland Rest Quietly, München 1985
Margret Boveri, Tage des Überlebens, Berlin 1945
Gisela Dischner (Hg.), Eine stumme Generation berichtet. Frauen der dreißiger und vierziger Jahre, Frankfurt 1982
Werner Filmer u. Heribert Schwan (Hg.), Mensch, der Krieg ist aus. Zeitzeugen erinnern sich, Düsseldorf 1985
Eine Frau in Berlin. Tagebuchaufzeichnungen (Verfasserin anonym), Genf/Frankfurt 1959
Ilsabé Friedag-Hochkirch (Hg.), Die ersten Jahre unserer Ehe, München 1983

Peter Heilmann (Hg.), Männer und Frauen erzählen vom Mai 45, Berlin 1985
Karla Höcker, Beschreibung eines Jahres. Berliner Notizen 1945, Berlin 1984
Ursula von Kardoff, Berliner Aufzeichnungen, München [3]1982
Jochen Köhler, Klettern in der Großstadt. Geschichten vom Überleben 1933–1945, Berlin 1981
Waltraud Küppers, Mädchentagebücher der Nachkriegszeit, Stuttgart 1964
Sybil Gräfin Schönfeldt, Sonderappell 1945 – Ein Mädchen berichtet, München 1984
Inge Stolten (Hg.), Der Hunger nach Erfahrung, Frauen nach '45, Berlin/Bonn 1981
Gabriele Strecker, Überleben ist nicht genug. Frauen 1945–1960, Freiburg i. Br. 1981
Ludwig Vaubel, Zusammenbruch und Wiederaufbau, Reihe: Biographische Quellen zur Deutschen Geschichte nach 1945, Band I, München 1984

Bildnachweise

Abb. 1, 2, 11, 13, 28, 29, 32, 37, 42, 45, 47, 49, 50: Privatbesitz.
Abb. 3, 5, 10, 33, 36, 43, 44, 51: Ullstein Bilderdienst, Berlin.
Abb. 21, 22, 26, 27, 34: Archiv für Kunst und Geschichte, Berlin.
Abb. 6, 48, 54: Landesbildstelle Berlin.
Abb. 4, 7, 8, 9, 12, 15, 16, 17, 18, 19, 20, 23, 24, 25, 30, 31, 39, 40, 41, 52: Bildarchiv Preußischer Kulturbesitz, Berlin.
Abb. 35, 46, 53: roe-Bild, Frankfurt am Main.

Schaubild 1: Berlin in Zahlen 1947–48. Hauptamt für Statistik der Stadt Berlin.
Schaubild 2: Institut für Landeskunde